Lealtad de sangre

Lealtad de sangre

Sherrilyn Kenyon y Dianna Love

Traducción de Violeta Lambert

TERCIOPELO

Título original: *Alterant*

Copyright © Sherrilyn Kenyon y Dianna L. Snell, 2011

Primera edición: septiembre de 2014

© de la traducción: Violeta Lambert
© de esta edición: Roca Editorial de Libros, S.L.
Av. Marquès de l'Argentera 17, pral.
08003 Barcelona
info@terciopelo.net
www.terciopelo.net

Impreso por LIBERDÚPLEX, s.l.u.
Crta. BV-2249, km 7,4, Pol. Ind. Torrentfondo
Sant Llorenç d'Hortons (Barcelona)

ISBN: 978-84-15952-10-7
Depósito legal: B. 16.043-2014
Código IBIC: FRD

RT52107

Nos gustaría dedicar este libro a Cassondra Murray, cuya atención a los detalles ha sido tan significativa en las primera lecturas de muchos de nuestros libros.

Uno

¿*Q*ué ropa se pone una chica para pasar toda la eternidad en prisión?

Evalle Kincaid hubiera preferido luchar sola contra una pandilla de demonios antes que enfrentarse al Tribunal a medianoche.

Faltaban para eso setenta y dos minutos.

Podría quedar libre esa misma noche... si el Tribunal tenía en cuenta que había pasado las últimas cuarenta y ocho horas protegiendo a los humanos de un señor de la guerra de ochocientos años de edad en lugar de preparar su propia defensa.

Como si fuese culpa suya haber nacido como una criatura híbrida y no un velador común. Una mutante. La única mutante que no había sido asesinada o encarcelada. Los otros mutantes habían matado humanos. El hecho de que ella hubiera hecho el juramento de los veladores a los dieciocho años la había mantenido libre de persecución... hasta ahora.

Cada cosa a su tiempo, como vestirse, por ejemplo. Tenía que ponerse algo encima de la ropa interior.

Cogió su camisa de algodón favorita, una pieza *vintage*, de una cómoda antigua. Se puso los tejanos y las botas, metió un par de tuercas en el bolsillo y se quedó helada.

Su apartamento estaba demasiado silencioso.

Lo cierto era que no llegaba mucho ruido donde vivía, en algo equivalente a un búnker de cemento a dos niveles por debajo de Atlanta.

Pero aquel silencio tenía algo inquietante.

Se dispuso a investigar y apenas había llegado al pasillo cuando se oyó un golpe fuerte en la cocina.

Sonaba… como un soplete gigante.

¡Por la gracia de Macha, no!

Echó a correr y entró como un torbellino en la cocina mientras el sonido de otra explosión turbaba el aire.

—*¡Feenix!*

Su gárgola de sesenta centímetros de altura se hallaba de pie ante el horno abierto echando fuego por el hocico. Dejó de arrojar llamas y posó sus grandes ojos redondos en ella con una mirada inocente que parecía decir «¿quién, yo?».

Si Evalle se echaba a reír ahora la gárgola nunca aprendería que no se pueden lanzar llamas en el apartamento. Pero mantuvo su voz calmada y curiosa.

—¿Qué estás haciendo?

Esa debió de ser la pregunta correcta. *Feenix* se volvió hacia ella y comenzó a danzar de un lado a otro con sus cuatro patas gorditas.

—*¡Thurrr-prithe! Peetha-Peetha.* —Batió palmas con sus zarpas rechonchas y soltó alegres risas.

Ella se adentró más en la cocina y se inclinó para ver una de sus *pizzas* de *pepperoni* congeladas carbonizada hasta resultar irreconocible al otro lado de la puerta del horno.

Feenix había cocinado para ella.

El corazón se le encogió y sintió un nudo en la garganta. ¿Cómo viviría sin él si finalmente la encerraban? La gárgola era la razón de que su corazón cantase al abrir los ojos cada mañana. Lo encontraba siempre tirado en la cama junto a ella con su cocodrilo de peluche metido bajo el brazo y una sonrisa desdentada en el rostro.

Ella cerró el horno y le sonrió.

—Es perfecta. Gracias por prepararme la cena.

Feenix sacudió las alas y voló a la altura de sus ojos. Dos pequeños colmillos asomaron por encima de su labio inferior. Ella abrió los brazos y él flotó hacia ellos, replegando las alas, que eran suaves como la piel de un murciélago.

Pero fue la dulzura con que dijo «Mía» lo que amenazó con conseguir que se pusiera de rodillas.

No podía permitir que supiera lo duro que sería marcharse esa misma noche o estaría preocupado todo el tiempo que ella estuviese ausente. El miedo de perderla podría hacerlo convertirse de nuevo en el pequeño animal que respiraba fuego y apenas era capaz de comunicarse cuando lo trajo a casa por primera vez. Si Evalle no regresaba después de esa noche y él salía fuera, sin duda alguien lo mataría. *Feenix* merecía algo mejor después de haber escapado del hechicero loco que lo había creado y luego torturado. Pobre criatura.

Ella no estaba dispuesta a encerrarlo en ninguna parte.

No le haría lo que otros querían hacerle a ella.

Nada le impediría regresar junto a *Feenix*… excepto que las tres deidades del Tribunal fallaran en su contra. Incluso así, no se rendiría sin luchar. No le importaba que pudieran calcinarla allí mismo.

Eso le dejaba una única opción… apostar por su oportunidad de convencer al Tribunal de que no se transformaría, ni involuntariamente ni de ninguna otra forma, en una bestia mutante capaz de matar seres humanos.

Vegas se reiría de sus probabilidades de ganar.

Tragó saliva para eliminar el nudo de amenaza que la asfixiaba.

Feenix se inclinó hacia atrás.

—¿*Peetha?*

—Tú ganas, cariño. —Lo abrazó, inspiró el aroma de su piel curtida y cálida y luego lo colocó sobre la encimera.

La mitad de la *pizza* que no estaba carbonizada sabía mejor de lo que parecía por su aspecto. Y ella habría hecho los mismos sonidos de halago aunque se hubiera tratado de una tortita de lodo.

—Tuercas. —Él abrió mucho la boca.

Ella le lanzó las dos tuercas que llevaba en el bolsillo.

Feenix atrapó los tentempiés de acero con la lengua y los masticó como si fueran cacahuetes de M&M.

Ella comprobó la hora en su reloj. El tiempo estaba resentido con ella.

Retrasar lo inevitable no haría que le resultara más fácil atravesar esa puerta. Y llegar tarde a una reunión del Tribunal se consideraría una ofensa… una garantía de que los pulgares apuntarían hacia abajo al votar. Se lavó las manos.

—Tengo que salir un rato, así que no cocines nada más mientras estoy fuera, ¿de acuerdo?

—Zí. —Él la observaba desde su sitio sobre la encimera de la cocina, con los ojos radiantes de pura felicidad.

—Eres el mejor. —Ella le tocó la ancha nariz con un dedo, sonrió y salió de la cocina para dirigirse al dormitorio.

El sonido de *Feenix* agitando las alas se oyó detrás de ella.

La altura del techo le permitió volar por encima de su cabeza en el tramo del pasillo y llegar al dormitorio antes que ella. Cuando entró en la habitación, él ya se había acomodado en el centro de la cama.

Feenix le preguntó:

—¿Cuándo volverás?

La pregunta del millón, pero ella contestaba siempre lo mismo.

—Lo antes que pueda.

—¿Pero cuánto tiempo? ¿Uno, dos, cinco, siete, ocho?

¿Se refería a minutos o a horas? Acababa de aprender a contar hasta ocho. El tiempo era un concepto completamente extraño para él. Ella temía que su ausencia pudiera durar años, pero antes que llevar la verdad más lejos, cambió de tema.

—¿Qué tal vas con tus cuentas?

—Bien.

—Cuenta para mí.

Él dobló las patas y se inclinó hacia delante para contar cada uno de sus dedos por encima de su panza.

—Uno, dos…

Ella cogió su puñal de la mesita de noche y lo deslizó dentro de su bota. No salía a la calle desarmada.

Cuando *Feenix* dejó de contar al llegar a ocho, porque solo tenía ocho dedos, ella le dijo:

—Trabajaremos con el nueve y el diez esta semana.

—¿Qué es nueve y diez? —Alzó la vista hacia ella con sus grandes ojos naranja llenos de curiosidad.

—Te lo diré de camino a la puerta. —Se dirigió hacia la puerta del salón que daba a la salida de los túneles.

Feenix necesitaba una razón para contar algo más que sus pies. Ella le dijo:

—Tus cuernos son nueve y diez.

Él gruñó unos sonidos de felicidad ininteligibles mientras avanzaba a trompicones por el pasillo pegado a sus talones.

Cuando Evalle llegó a la puerta se dio la vuelta.

—¿Vas a practicar?

Giró los ojos en redondo al darse cuenta de que tenía nueva información.

—Sí, maldición.

—No digas tacos. —Ella quería culpar a Quinn, uno de sus dos mejores amigos, por irritarla hasta el punto de hacerle decir esa palabra delante de *Feenix*, pero la culpa era suya.

—*Peldón.* —Él sonrió, con la lengua asomando a un lado de su boca.

—Está bien. Sé que fue un accidente. Si me prometes que serás bueno y practicarás con las cuentas mientras estoy fuera te traeré alguna tapa.

Su frente escamosa se arrugó por la confusión.

Ella se explicó:

—Una tapa es como una *pizza* de plata.

Él se puso a caminar en círculos, agitando y batiendo sus alas y emitiendo sonidos de felicidad. Ella se aseguraría de que Tzader, la otra persona en quien más confiaba en este mundo, le trajera a *Feenix* una tapa metálica si ella no podía.

Podría hacerlo si el Tribunal se mostraba un poco tolerante con ella esa noche y la trataba igual que a todos los demás.

¿Acaso era pedir demasiado?

Solo por una vez quería ser juzgada por sus propios méritos y no por su sangre corrupta.

Tenía que salir ahora o no se marcharía nunca. Se inclinó para darle a *Feenix* un achuchón fuerte y le dijo:

—¿Dónde está tu cocodrilo?

Él miró a su alrededor y divisó su juguete favorito, luego voló hasta el puf. Después de acomodarse cómodamente abrazó su cocodrilo de peluche.

Esa era la imagen que ella quería llevarse a la tumba.

—Adiós, cariño. —Cerró la puerta rápidamente y se apresuró por los pasillos de cemento hasta la zona del garaje. No tenía sentido usar su moto GSX-R esa noche. Disponía de casi una hora para hacer la caminata de veinte minutos hasta el parque Woodruff, donde sería teletransportada a la reunión.

Odiaba ser teletransportada casi tanto como odiaba a Sen, el intermediario que la escoltaría hasta el Tribunal, pero así era la vida en su mundo.

Caminó a través del garaje y usó su poder kinético para acceder al ascensor que la llevaría dos pisos arriba hasta el nivel de la calle. Salió al exterior y escudriñó la zona oscura con unas gafas de sol especiales que protegían su visión, ultrasensible incluso de noche. Era parecido a mirar a través de unas gafas para visión nocturna, había nacido con una capacidad visual que percibía la calle y los alrededores con sombras de un gris azulado. Su ADN extraño la había dotado también de una reacción a la luz del sol que resultaba letal.

La luz del sol no era una preocupación ahora que se acercaba la medianoche, pero sí podía haber criaturas sobrenaturales escondidas en esa oscura jungla de acero y cemento que tenía que atravesar hasta llegar a la calle Marietta. Quinn era el dueño de su edificio y no le gustaba cobrarle un alquiler, pero ella había insistido. Vivía la vida según sus propios términos.

La independencia significaba algo diferente para cada uno.

A menos que alguien hubiera vivido atrapado en un sótano durante los primeros ocho años de su vida, dudaba de que pudiera entender lo que la independencia significaba para ella.

Se detuvo. ¿Había percibido una energía a través del aire? ¿O solo estaba nerviosa?

Nada se movía aquella noche de jueves excepto la maleza marchita por el calor de agosto. Delante de ella, bajo la zona de estacionamiento situada enfrente del Centro de la CNN, se extendían retazos de cemento y tramos cubiertos de grava. Los turistas raramente paseaban por allí abajo, donde una verja de un par de metros de altura protegía los coches aparcados del vandalismo.

Era una zona excelente para que alguna criatura asquerosa merodeara al acecho de una presa.

«¡Vamos! Tengo tiempo de limpiarme la sangre de las botas.»

O al menos moriría haciendo algo por el bien común, en lugar de morir por haber nacido mitad velador y mitad bestia.

Lanzó una mirada alerta de un lado a otro y continuó avanzando hacia la zona menos iluminada, pero no se veía ni siquiera una cucaracha arrastrándose con aquel calor sofocante. El sudor le caía por las mejillas. Se le habían soltado algunos mechones de la coleta que llevaba atada en la nuca.

Echaría de menos Atlanta si no regresaba, especialmente echaría de menos conducir su moto en invierno.

El Tribunal la enviaría a algún sitio caluroso o...

El aire húmedo que rozaba sus brazos se convirtió de golpe en un cosquilleo de anticipación. Los tacones de sus botas golpeaban suavemente sobre el asfalto lleno de baches. No se oía nada más.

Abrió sus sentidos empáticos... y luego todavía más.

Otra presencia se movía hacia ella.

¿Humana? Le parecía que no.

Si alguien o algo se enredaba con ella en ese momento más le valdría a esa criatura desear la muerte. Tzader y Quinn la estarían esperando en el parque para despedirla, y ella quería verlos.

Se oyó una voz masculina cerca de ella.

—Es difícil dar contigo, señorita Kincaid.

Indudablemente no se trataba de un ser humano.

Dos

*E*valle giró en redondo para enfrentarse a quien la asediaba.

—No es difícil encontrarme si quiero ser encontrada. ¿Cómo sabías dónde vivía?

—¿Has olvidado que VIPER me contrató como rastreador? —le preguntó Storm.

No. Simplemente no había pensado en la posibilidad de que él usase su habilidad para encontrar su apartamento. Debería estar molesta por aquella invasión de su privacidad, y no secretamente emocionada por verle antes de marcharse.

Era una estupidez, pero estaba encantada de que él se hubiera presentado inesperadamente.

Tan solo conocía a Storm desde hacía unos pocos días, desde que había sido asignado para ser su compañero en VIPER, una coalición de seres poderosos cuya misión era proteger a la humanidad de los depredadores sobrenaturales. Pero el tiempo que habían pasado juntos mientras trataban de dar caza a la piedra Ngak (una antigua y poderosa reliquia) había sido intenso. Ella había luchado contra demonios y contra kujoos, enemigos de los veladores durante siglos, que de pronto lograron escapar de su maldición de vivir bajo una montaña y viajaron a través del portal de Atlanta con planes apocalípticos.

Evalle todavía tenía heridas de esas batallas.

Storm se hallaba de pie a tres pasos de ella con los pulgares enganchados en las presillas del cinturón de sus bonitos tejanos rotos. Una postura que parecería desenfadada a quienes no lo conocieran. Pero lo que acechaba bajo esa pose tranquila podía convertirse de un momento a otro en un negro jaguar letal. No en un licántropo, sino en un *Skinwalker*. El cabello liso del color de la medianoche le caía sobre los hombros dándole un aspecto rebelde. Su camisa de cuello abierto hacía juego con la noche obsidiana. Sus ojos marrones de gruesas pestañas reparaban en cada movimiento, por pequeño que fuese, y enfatizaban un rostro de pómulos marcados y mandíbula cuadrada.

VIPER lo había escogido por su habilidad para seguir el rastro de energías sobrenaturales.

Ella tenía una cosa en común con Storm. Él era también una mezcla de poderes, en parte indio navajo y en parte ashaninka.

Ladeando la barbilla en actitud interrogante le preguntó:

—¿Qué pasa?

—He venido a decirte algo —murmuró Storm, con aire distraído.

Avanzó hacia ella. Paseó la mirada por la zona de su rostro que estaba amoratada desde hacía doce horas. Luego la miró a los ojos.

—Ha sido una lástima haber enviado a ese kujoo ochocientos años atrás. Me hubiera gustado tener otro intento con ese señor de la guerra.

—A mí me vendría mejor que no hubiese venido nunca.

Si ella no hubiera estado ocupada luchando contra los kujoos, no se enfrentaría ahora al Tribunal con las manos vacías. Comprobó la hora en su reloj digital.

—Si se trata de algún asunto de la agencia, déjalo para después o escríbeme un correo electrónico.

—No se trata de VIPER, pero es importante. Sé que vas muy apurada de tiempo. Por eso he estado esperando aquí fuera durante más de una hora.

¿Storm había estado esperando una hora para hablar con ella?

Eso era… agradable.

Podía permitirse unos minutos para averiguar qué era lo que él tenía que decirle y aun así llegaría al parque a tiempo.

Storm avanzó, reduciendo aún más el espacio entre ellos. Sus ojos oscuros se movían con un interés que habría hecho retroceder a cualquier mujer con una historia tan sórdida como la suya.

Pero a ella no. No se acobardaba ante ningún hombre y, en lo profundo de su interior, creía que Storm no intentaría hacerle daño. Y ya no era una chiquilla vulnerable de quince años, sino una mujer de veintitrés con el poder de los veladores.

Él enganchó uno de sus largos dedos en el cordel de cuero que ella llevaba alrededor de su cuello.

—Continúas llevando el amuleto.

Ella parpadeó ante su cambio de tema y bajó la cabeza para mirar el disco plateado del tamaño de medio dólar colgado de un cordel de cuero que llevaba atado al cuello. En el interior del pentáculo del centro había tallado un intrincado diseño. Nicole, una amiga que practicaba la magia blanca, había hecho un conjuro invisible con el amuleto antes de prestárselo a Evalle para que Storm lo llevara durante una misión.

A pesar de que el hechizo había finalizado la noche anterior, aquel amuleto tenía que ser valioso.

—Me alegra que me lo recuerdes —dijo Evalle. Inclinó la cabeza hacia delante y se dispuso a desatar el cordel de cuero—. Necesito que se lo devuelvas a Nicole.

Los dedos de Storm se enroscaron alrededor de sus muñecas, calentando su piel.

Ella quedó helada ante el contacto. Su pulso se aceleró con excitación y se le erizó el vello de los brazos. No importaba lo fuerte que se hubiera vuelto en los últimos cinco años, algunas cosas del pasado la perseguirían para siempre.

Sin mover un solo músculo, ella dejó que su mirada se encontrara con la de él, que era inflexible.

—No lo hagas.

Él dejó escapar un taco por lo bajo y le soltó las muñecas, murmurando:

—¿Cuándo vas a confiar en mí?

«No en esta vida.»

Storm merecía tener la confianza de alguien y había aprendido un poco sobre ella en los últimos días, pero Evalle no era capaz de confiar sin reservas en ningún hombre aparte de Tzader y de Quinn, que no querían más que su amistad. Su único conflicto con ellos se producía cuando actuaban como hermanos excesivamente protectores.

No podía culpar a Storm por provocar aquella reacción antinatural que tenía que ver con recuerdos ocultos en su inconsciente.

¿Acaso ella le resultaba atractiva? Sí.

¿Y ella se sentía cómoda con esa reacción? No.

Las siguientes palabras de Storm sonaron con irritación y fueron pronunciadas entre dientes.

—Yo no llevaré el amuleto.

Eso la hizo picarse, y podía manejarse mejor con la rabia que con el deseo. Volvió a atarse al cuello el cordel de cuero, dejó caer los brazos y levantó la cabeza hasta que las narices de ambos quedaron tan solo a un centímetro de distancia en una batalla de voluntades.

—¿Por qué no? Podrías darle las gracias a Nicole, ya que esto impidió que anoche fueras visto en público como un jaguar.

—La única razón por la que quieres que yo me lleve esto ahora es porque piensas que no vas a regresar después de la reunión con el Tribunal. Y, en cuanto a Nicole, le enviaré flores junto con una nota de agradecimiento.

«¿En serio? Yo nunca he recibido flores.» Frunció el ceño y retrocedió dos pasos antes de poder contener su reacción, una reacción ridícula ya que en realidad apreciaba que él hiciera eso por su amiga.

A Storm no se le perdía nunca nada. Como ahora, cuando la examinaba como si acabara de advertir algo que lo había sorprendido.

Él tenía su sentido empático más desarrollado que el suyo, además de su habilidad para distinguir la verdad y la mentira. No tenía sentido perder el tiempo tratando de convencerlo de que ella pensaba otra cosa acerca de sus oportunidades con el Tribunal.

—De acuerdo, está bien. —Le entregaría el amuleto a Tzader cuando lo viera en el parque—. Entonces, ¿por qué estás aquí?

—Por dos cosas. La primera… ¿te has enterado de los últimos ataques de un mutante?

—No. —¿Acaso esa era su semana? Más ataques no la ayudarían ni lo más mínimo.

—Ha habido uno en San Francisco esta mañana. Y tres más ayer en la costa Oeste de Portland.

—¿Cuatro? ¿Qué demo...? —Interrumpió en seco su maldición, puesto que Brina, la reina guerrera de los veladores, odiaba que sus veladores profirieran insultos y Evalle quería que Brina estuviera de buen humor esa noche. Necesitaría la ayuda de Brina para inclinar la decisión del Tribunal a su favor. ¿Pero qué era eso de tantos ataques de mutantes en tan solo veinticuatro horas? Ella creía que los dos últimos en menos de un mes eran algo inusual—. ¿Cómo te has enterado?

—Hablé con un agente de VIPER que sabía algunos detalles. Dijo que nuestros agentes en la costa Oeste oyeron que los cinco miembros de una familia fueron masacrados en su campamento y las autoridades no podían concebir qué era lo que los había atacado, porque no mataba ni como un oso, ni como un león ni como un lobo. Estaban esperando que se aclarase la niebla para subir hasta donde habían acampado.

Evalle se sintió enferma. Un mutante había matado a una familia. Todo aquel que asesinaba merecía morir, pero preguntó:

—¿Capturaron a los mutantes?

—Cuando el equipo de VIPER encontró a las bestias otro grupo las tenía rodeadas. Cinco hombres humanos con traje de combate negro habían arrinconado a los tres mutantes. Casper dijo que las bestias atacaron a los hombres como si estuvieran fuera de sí.

—Y los hombres con traje de combate usaron sus megaarmas para hacer volar en pedazos a los mutantes —terminó Evalle.

La cosa no hacía más que mejorar.

Cuatro mutantes más. Ataques múltiples en menos de un día.

Storm ladeó la cabeza, pensando.

—¿Sabes quiénes eran esos tipos con traje de combate?

Intuyó que eran los hombres de Isak Nyght, pero no quería entrar en eso ahora.

—Tal vez. Te lo tendré que explicar más tarde cuando no

tenga tanta prisa. ¿Y qué pasó con el mutante de San Francisco?

—Mató a un hombre y a su esposa en un embarcadero. Las autoridades no tienen ni idea de lo que pasó porque lo único que encontraron además de la pareja mutilada y parcialmente devorada fue el cuerpo desnudo de un hombre flotando en las aguas cercanas. El tipo desnudo tenía pedazos de carne humana en la garganta.

Tremendo.

—Entonces, ¿el mutante tal vez cayó al agua, se ahogó y recuperó su forma humana?

—Eso es lo que VIPER piensa. Robaron el cuerpo y disponen de él. Odio tener que darte malas noticias justo antes de que acudas a esa reunión —dijo Storm—, pero tampoco quería que fueras a ciegas.

Ella asintió, advirtiendo la preocupación contenida en sus palabras.

—Gracias. No tengo prisa por enfrentarme al Tribunal, pero no puedo retrasarme más, así que dime qué era esa otra cosa que tenías que decirme.

—Necesito que hagas algo por mí —dijo Storm.

¿Hablaba en serio?

El caso era que Storm la había ayudado la noche anterior transformándose en jaguar (algo que odiaba hacer) para seguir el rastro de alguien que Evalle necesitaba encontrar. También había llevado un ejército de veladores allí donde los kujoos la mantenían prisionera.

Y se había entregado a la batalla, blandiendo una espada para liberarla.

Ella señaló:

—No me parece que mi posición ahora pueda servir para ser útil a alguien.

—Escúchame. Abandoné Sudamérica hace seis meses para encontrar a alguien, y el rastro que seguía desapareció dos meses atrás. Fue entonces cuando tuve una visión que me indicaba que tú podías ayudarme a encontrar a esa persona.

«¿Storm tiene visiones conmigo?»

—¿A quién estás buscando?

—Es peligroso nombrarla.

«¿Nombrarla?» Se percató del pronombre femenino y el fulgor de los celos, tan inesperados como incómodos, sobresaltó a Evalle.

En la mirada de Storm hubo un destello de sorpresa que se desvaneció en cuanto pudo pestañear. Una sonrisa asomó a la comisura de sus labios.

Si ella sobrevivía a la reunión del Tribunal, comenzaría a jugar a las cartas con Tzader y Quinn para mejorar su cara de póquer.

Hombres.

—Estoy un poco ocupada como para ponerme a ayudarte a encontrar mujeres, Storm.

—Hablar contigo es un desafío mayor que el de acariciar a un puercoespín. —Perdió su sonrisa y se pasó una mano por la cara, luego pareció recobrarse—. Se trata de algo serio, y lo único que te estoy pidiendo es que me ayudes a encontrar a una mujer que es responsable de la muerte de mi padre. Y que tiene algo importante que me pertenece.

Oh. «Debo añadir la ineptitud social a la lista de mis defectos.» Evalle no se preocupó por el comentario sobre el puercoespín, lo dejaría pasar por esta vez.

—Si consigo volver, trataré de ayudarte.

—No existe el condicional. —La mandíbula de Storm se tensó con determinación—. Había otra parte de la visión que tuve donde yo te seguía el rastro después de la reunión del Tribunal.

—¿Estás loco? Si ellos me encierran y tú vas en mi búsqueda —de alguna manera pensar en eso la hacía feliz—, Sen y el Tribunal se pelearían para ver quién te mata por atreverte a desafiarlos.

—No los desafiaré.

Ella se frotó la frente, y apartó después los dedos húmedos de sudor mientras trataba de asimilar lo que le estaba diciendo. Caminar de un lado a otro ayudaba a pensar a Tzader, así que ella comenzó a dar vueltas en un pequeño círculo y murmuró:

—No lo entiendo.

—Para ser honesto, yo tampoco, pero confío en mis visiones porque ellas me guiaron hasta aquí… hasta ti.

Ella se detuvo y se volvió hacia él.

—¿Qué?

—Sí. La visión que tuve hace dos meses me mostró que trabajaría con una mujer que conducía una moto, pero no podía precisar su localización. Solo era capaz de advertir que se trataba de una ciudad de Estados Unidos. Cuando recibí la oferta para trabajar con VIPER supe que eso me conduciría hasta ella. Volví a tener visiones de nuevo la noche que nos conocimos. Puede que seas mi única esperanza de encontrar a la mujer que estoy persiguiendo.

«Como si no tuviera suficiente carga sobre mis hombros». Evalle dudaba de que Storm estuviera buscando tan solo a una mujer humana.

—Si no puedes decirme su nombre, ¿de qué tipo de criatura se trata?

Él enfocó la mirada más allá de sus hombros como si estuviera pensando en algo, luego negó con la cabeza.

—Te daré más información cuando llegue el momento, y no pienso permitir que ella ni nadie te hagan daño mientras tanto.

—Puedo cuidar de mí misma, pero no creo que pueda ayudarte, Storm.

—¿Porque no esperas regresar?

Como si necesitara que se lo recordaran. De nuevo.

—Esa es una clara posibilidad. Y tú no tienes que ir tras de mí.

Él dejó escapar un ruido que sonó en parte a gruñido y en parte a síntoma de frustración.

—El Tribunal te considera peligrosa porque por lo visto otros mutantes se han transformado en bestias y han matado seres humanos. ¿Estás dispuesta a pasar el resto de tu vida encerrada por un pecado que no has cometido?

Eso avivó la llaga que le producía aquello que precisamente había estado evitando pensar. Día tras día, año tras año, había pasado su infancia en un espacio subterráneo de veinte metros cuadrados. La tía que la tenía «prisionera» había empleado la amenaza de que la luz del sol hería a Evalle como excusa para encerrarla en un sótano sin ventanas porque en realidad odiaba a Evalle, la hija bastarda de su propio hermano.

Vivir de nuevo prisionera sería como una sentencia de muerte.

Si Evalle perdía su caso ante el Tribunal, los veladores tendrían que acatar esa decisión. Cualquier represalia o falta de apoyo a la resolución supondría una ruptura del acuerdo de coalición entre los veladores y VIPER. Si la diosa celta Macha, que gobernaba a los veladores, dejara de respaldar a la coalición por causa de Evalle —esa posibilidad era para desatar una risa salvaje—, los veladores de todo el mundo se convertirían en enemigos que atacar a modo de represalia. La furia y la carnicería se desataría entre los panteones, y el mundo entero se precipitaría en la batalla que los veladores habían estado tratando de evitar durante cientos de años.

Nadie iría a la guerra por un mutante.

Pero si ella lograba demostrar que VIPER la necesitaba por sus poderes, puede que obtuviera un aplazamiento de lo que consideraba una sentencia de muerte.

Evalle estaba de acuerdo con Storm en un punto. No aceptaría de buen grado ser encerrada por un pecado que no había cometido.

—Tienes razón. Preferiría morir antes que pasar el resto de mi vida en una jaula, pero tú también renunciarías a tu vida si trataras de encontrarme.

—Renuncié a mi vida hace ya mucho tiempo. Es la muerte de mi padre lo único que me importa.

Ella no era capaz de comprender lo que significaba esa afirmación, lo cual era la clara intención de Storm. Por el momento no iba a compartir con ella más información que la imprescindible, y no le daría la oportunidad de interrogarlo ahora que había añadido una nueva preocupación al rompecabezas que ella tenía delante.

Storm dijo:

—Si el Tribunal te encierra, comprenderás que ni Tzader ni Quinn se quedarán quietos sin hacer nada. ¿Quieres que ellos vayan a buscarte?

—No. —No había tomado eso en consideración—. Estarían

quebrantando sus votos como veladores si fueran en contra de las decisiones del Tribunal. Eso sería un suicidio. —Evalle no podría vivir permitiendo que ninguno de los dos pagara ese precio. Haría lo mismo por ellos, pero Tzader era el maestro que guiaba a los veladores de Norteamérica, y Quinn tenía familia, además de ser uno de los genios financieros que manejaban todas las posesiones de los veladores alrededor del globo.

Ellos eran necesarios. Ella en cambio no.

Pero Storm tenía razón otra vez. Estaba en la naturaleza de Tzader y Quinn proteger a los demás, y no permitirían que ella fuera encerrada.

Sabían que Evalle no tenía a nadie más.

Excepto a Storm, por lo visto.

Y debía de tener alguna razón mayor para dar tan poco valor a su propia vida. Eso no significaba que ella pudiera vivir cargando con su muerte sobre los hombros, por más que él tuviera un plan secreto.

—No quiero que nadie vaya a buscarme.

—Tú no tienes nada que decir aquí. Si no estás de vuelta dentro de dos horas iré a buscarte, seguiré tu rastro.

—El tiempo en el Reino de las Tinieblas transcurre a una velocidad diferente que aquí. La última vez me llevó cinco horas regresar.

—Dos horas. Ese es mi plazo límite. Iré por ti tanto si accedes a ayudarme como si no.

Ella habría deseado tener tiempo para considerar la manera en que aquello reconfortaba su corazón, pero Storm no podía ir contra el Tribunal y vencer.

—No importa cómo lo pintes, ir a buscarme es una sentencia de muerte.

—La decisión la debo tomar yo y ya está tomada.

Ella no podía seguir allí discutiendo. Ya que no conseguía disuadir a Storm, al menos averiguaría lo que este tenía en mente.

—¿Cómo podría ayudarte?

—Facilitándome la posibilidad de seguir tu rastro.

Ella negó con la cabeza ante su falta de lógica.

—No veo cómo podrías seguirme. Sen me teletransportará

desde el parque hasta la reunión del Tribunal y donde sea que me envíen después. Tú dijiste que no podías seguir la energía de alguien después de una teletransportación. ¿Cómo esperas encontrarme?

—Tengo una manera… pero tú tienes que aceptar.

—¿Aceptar qué?

—Aceptar que emplee mi magia contigo.

¿Usar magia sobre un mutante? Quién sabe qué podría pasar al hacer eso.

—No puedo hacerlo. Si pierdo el control y me transformo en bestia, el Tribunal tendrá entonces todas las pruebas que necesita para encerrarme.

Él la miró con una firmeza que no aceptaba excusas.

—No te queda tiempo, Evalle. Tienes que cruzar la verja y tomar una decisión. No confías en que el Tribunal apruebe a un mutante y no quieres poner en riesgo a Tzader y a Quinn. Son ellos o yo, porque ellos irán tras de ti. Y cuando eso pase yo te encontraré. ¿Qué va a pasar?

Tres

*E*valle tenía como hábito no mentirse a sí misma. El lado negativo era la desilusión, ¿y cuál era el positivo?

Días como aquel no había más que uno.

En realidad no tenía elección. No si Storm pretendía ir tras ella en caso de que no quedara en libertad después de la reunión del Tribunal. Tenía que prevenir a Tzader y a Quinn a fin de que no arriesgaran sus cuellos para encontrarla.

Sentía un hormigueo en los brazos porque un chisporroteo le recorría la piel.

La energía irradiaba de Storm, latiendo con furia.

Ella alzó las cejas al mirarlo.

—Todavía no he dicho que no. ¿Qué es lo que te pone tan cascarrabias?

Una risa seca se le escapó de los labios.

—Tú. —Negó con la cabeza—. La única razón por la que estás considerando mi propuesta es salvar a tus dos veladores perros guardianes. Tu vida y tu seguridad es importante también.

Ella era capaz de matar al demonio en tres movimientos, pero no tenía habilidad para manejar a un hombre que dijera cosas que le estrujaran tan tiernamente el corazón. Tan solo conocía a Storm desde hacía unos pocos días, pero en ese período tan corto de tiempo la había conmovido más de una vez. Eso era suficiente como para deberle algún tipo de sinceridad, pero ella había aprendido a una edad demasiado temprana los peligros de confiar con demasiada facilidad. Puede que su corazón maltratado quisiera abrir las puertas para él, pero su mente protegía ese órgano tan voluble detrás de una fortaleza de suspicacia.

En lugar de abordar su último comentario, ella dijo:

—Digamos que acepto. ¿Cómo funciona tu magia?

—No puedo compartir eso.

—¿No puedes o no quieres?

Él no respondió, lo cual era una respuesta en sí misma. Storm tenía sus propios asuntos con la confianza, y probablemente esa mujer que había detrás de la muerte de su padre estaba en el centro. Evalle dudaba de que él compartiera algo más acerca de cómo funcionaba su magia.

Sin embargo, sin conocer todos los hechos ella no podía permitirle que la convirtiera en algún tipo de espíritu transmisor.

—Si consiguieras encontrarme y ambos escapáramos con vida, ¿qué es lo que tendría que hacer exactamente para ayudarte a encontrar a esa mujer?

—Como te he dicho, te daré más información después de la reunión del Tribunal.

—¿Quieres que acceda a algo sin conocer todos los detalles?

Él se cruzó de brazos.

—Tictac. ¿Cuál es tu elección?

Ella no tenía elección y él lo sabía.

Movió los hombros para hacer desaparecer cualquier apariencia de animal atrapado y finalmente cedió.

—Aceptaré tu trato, pero me reservo el derecho de cambiar de opinión antes de que hagas nada para liberarme si pierdo mi lucha ante el Tribunal.

Él adoptó una pose reflexiva, luego asintió.

—Aceptaré eso.

Evalle echó un vistazo rápido a su reloj —cuarenta y seis minutos, todavía estaba a tiempo—, miró a su alrededor una vez más y luego levantó la barbilla en señal de impaciencia. Por favor, no quiero transformarme y asesinarlo.

—Vamos a retorcernos o a entonar a lo que sea que hagas.

—Te necesito cerca para este trabajo.

—¿Cuánto de cerca? —Que la llamaran asustadiza, pero toda esa cosa de la magia había destruido cualquier zona de comodidad.

Él suspiró ante un pensamiento silencioso.

—Lo bastante cerca como para poner mis manos sobre tus hombros. No voy a hacerte daño.

Ella sabía que él no le haría daño, al igual que sabía que si llegaba a hacérselo se lo haría pagar con la muerte. Lo cierto era que estar ubicada dentro del espacio personal de Storm en realidad no le molestaba.

No si no miraba su boca y se ponía a pensar cómo era posible que aún recordara el tacto de sus labios al besarla el día anterior.

—Te estás quedando sin tiempo, Evalle.

Que alguien con poderes o capacidad para la magia tuviera control sobre su cuerpo, el cuerpo de un mutante, tenía que ser una mala idea en muchos sentidos. Se había visto obligada a permitírselo hacía poco a una bruja superior llamada Adrianna y no le había gustado nada.

Pero Storm no era Adrianna.

Dio un paso hacia él.

—Hagámoslo.

Él colocó las manos sobre sus hombros con firmeza pero a la vez con suavidad.

—Cierra los ojos.

—¿Por qué no puedo observar? —El pulso le latía salvajemente ante la idea de hacer aquello completamente a ciegas.

¿Y si tenía una reacción? Y si...

—Te quedan veinte minutos para salir de Woodruff Park si no quieres correr, y necesito ocho de esos veinte para practicar mi magia. Cuanto antes terminemos con esto, antes te moverás. ¿Qué piensas hacer?

—¿Estás seguro de que puedes hacer esto sin convertirme en un sapo? —gruñó.

En sus ojos brilló una sonrisa.

—Si lo hago, te besaré y te convertiré en una princesa.

Ella no encontró ninguna réplica inteligente. El único tiempo que había pasado con hombres había sido o bien para luchar a su lado o bien para pelear contra alguno de ellos.

Hasta que apareció Storm.

Sus peores miedos asomaban a la superficie. Puede que si le

permitiera hacer aquello se transformara de repente en un monstruo. Si eso ocurría, podría matarlo en cuestión de segundos. Él lo sabía, pero seguía allí observándola pacientemente sin mayor preocupación de la que podría tener si se enfrentara con un agente de tránsito.

Ella cedió y cerró los ojos.

Él comenzó a masajearle el cuello y los hombros con los dedos.

—Será más rápido y más fácil para ambos si no luchas contra mí.

Ella dejó escapar un largo suspiro y asintió en señal de acuerdo.

Cuando Storm habló de nuevo su voz sonó grave y ronca con palabras que ella no reconoció. La cadencia subía y caía suavemente. Los dedos se movían al ritmo de su voz como entretejiendo el tacto con el sonido. Los músculos de ella soltaron cada uno de sus nudos. La voz de él llenó su mente y se enroscó a su alrededor hasta que sintió un hormigueo en la piel como si diminutas estrellas danzaran a lo largo de sus brazos expuestos. Afilados pinchazos de dolor y placer zaherían su espalda a un ritmo demasiado rápido como para poder distinguirlos separadamente.

Las vibraciones de la voz de él se suavizaron y se convirtieron en una red de sonido que se envolvía y se envolvía alrededor de ella hasta que le pareció estar flotando dentro de una nube convocada por su presencia. Abajo estaba el mundo, envolviéndola en la capa protectora de su voz y de su aroma.

Se sentía segura.

El ritmo de sus palabras comenzó a extinguirse. Ella sintió sus nudillos rozándole la clavícula cuando él levantó el amuleto.

¿Finalmente se lo iba a llevar con él?

—¿Evalle?

Ella murmuró:

—¿Sí?

—Ya está hecho. Abre los ojos. Tienes que irte. La reunión del Tribunal.

«Tribunal... dioses y diosas... medianoche». Eso era lo que tenía que hacer.

Abrió los ojos y se dio cuenta de que ya no se encontraba a un brazo de distancia de él. Él la sostenía contra su pecho, y le frotaba la espalda con suavidad.

El calor se derramaba por todos los lugares donde él la tocaba, calentando su piel desde el interior. Ella se estremeció ante esa sensación tan íntima, sorprendida al sentir cuánto deseaba quedarse allí entre sus brazos teniendo en cuenta hasta qué punto no toleraba ningún contacto en el pasado.

¿Sería aquel un efecto colateral de la magia?

¿Qué más había ocurrido?

Ella se apartó de su pecho y sacudió la cabeza. Eso despejó un poco la neblina de su mente. Tras separarse de sus brazos, pestañeó hasta ver de nuevo con claridad.

¿Buenas noticias? No había matado a Storm.

Aleluya por eso, pero él la examinaba con una expresión de preocupación en la mirada.

No era la expresión que ella deseaba ver después de haberle servido de muñeca para vudú.

—¿Qué ocurre?

—Esto no debería haber pasado —murmuró él para sí mismo. Su teléfono móvil sonó anunciando la entrada de un mensaje de texto.

—¿Qué es lo que no debería haber pasado? —preguntó ella.

Su rostro se cerró tan herméticamente como un banco en vacaciones.

—Un momento. —Miró su teléfono móvil—. Me necesitan en la estación de Brookwood para seguir el rastro de alguien.

—No te marcharás a ninguna parte hasta que me digas qué es lo que ha ocurrido.

—Todo está listo. Seré capaz de encontrarte.

Ella llevaba horas manteniendo a raya con firmeza su ansiedad y ya no le quedaba más paciencia para respuestas vagas.

—¿Sabes qué? Yo no siento nada diferente, así que dudo de que tu magia de curandero haya funcionado.

Eso captó su atención.

—Oh, desde luego que ha funcionado, Eve.

—Me llamo Evalle. No Eve. —*Eve* significaba 'vida' en hebreo. Un disparate, ya que cualquiera entendido en la materia sabía muy bien que *mutante* significaba 'muerte' en cualquier lengua. Ella se cruzó de brazos y le dijo—: Bien. Si no vas a decirme qué es lo que ha salido mal, no esperes mi ayuda más tarde.

Se dio la vuelta para marcharse.

—Espera. —Storm le cogió el brazo con los dedos, luego llevó las manos de ella hasta sus labios y se las besó—. Nada salió mal con la magia. Por ahora lo que tienes que saber es que nunca te haría daño.

Ella quería pensar que su corazón latía como un tambor salvaje porque la estaba irritando al mostrarse tan evasivo, y no por la corriente de vibración loca que la había sobresaltado al sentir el contacto de sus labios en la piel. Él todavía tenía que explicarle qué hacer.

—¿Entonces por qué dijiste «esto no debería haber pasado»?

Él recorrió con la mirada su cabeza y sus hombros.

—La magia ha afectado tu aura.

Ella no era capaz de ver auras porque su ADN no le había ofrecido esa opción, pero recientemente le habían dicho que su aura era plateada. Ella no sabía que Storm pudiera verla.

—¿En qué la ha afectado? ¿Se ha vuelto más brillante o algo así?

—Brillante sería una descripción justa. —Él apretó los dientes como si atravesara un momento de dolor.

—¿Estás bien?

—Estoy bien. —Él soltó una respiración que la hizo pensar que se había hecho daño de alguna forma. Apretó los dientes—. Tienes que moverte.

Pero ahora tendría que presentarse en la reunión del Tribunal brillando como una Harley cromada.

—¿Cuánto tardará en pasarse esta cosa del brillo?

—No estoy seguro. Trataré de tener una respuesta cuando te vuelva a ver.

Eso podría no ocurrir nunca.

—¿No querrás decir *si es que* me vuelves a ver? —No importaba lo excepcional que fuera Storm como rastreador, ella no era capaz de aceptar la idea de que alguien la salvara.

Storm dejó de acariciarle los nudillos con el pulgar y estiró los dedos sobre su mano.

—Iré a buscarte.

—Lo entiendo. Necesitas encontrar a esa mujer tan importante.

Una mujer por la que sería capaz de arriesgar la vida.

¿Qué mujer habría llegado a estar tan cerca de Storm como para tener tanto poder sobre él en el pasado y llevarlo hasta ese punto ahora? ¿Una antigua amante?

¿Y por qué el hecho de saber que la única razón por la que él quería encontrarla era en realidad esa mujer la hacía sentirse como si tuviera un corte y le echaran encima zumo de limón?

Porque su mente vagabundeaba por el país de la Estupidez. Esa tenía que ser la única explicación para ese ridículo sentimiento de irritación por lo que esa mujer significaba para él.

Evalle se hubiera dado un golpe a sí misma si tuviera las manos libres.

No estaba saliendo con Storm.

No estaba saliendo con nadie.

Él le sonrió.

—Hay otra razón por la que tengo que encontrarte.

Ella lo miró con incredulidad.

—¿Tengo pinta de ser una tienda multiservicio donde solucionar todos tus problemas? Se me está agotando la paciencia más rápido de lo habitual esta vez, así que más vale que lo siguiente sea bueno. ¿Qué más necesitas que haga?

Él le soltó las manos, luego puso las manos bajo su barbilla y bajó la cabeza.

—Esto.

Entonces la besó con esos labios sorprendentes que tenía. No le tocó más que la cara.

A ella le había parecido que el beso del día anterior era bastante espectacular. Pero este otro superaba al anterior. Y tenía la extraña sensación de que él podía incluso pasar a otro nivel que la haría derretirse allí mismo. Sus pensamientos se dispersaban en un aluvión de emociones que iban de la sorpresa al ansia y a la felicidad. Se quedaría con la felicidad.

Besar a Storm la hacía sentirse como una mala hierba que no había conocido en la vida más que sequía mientras que sus labios eran una lluvia de verano, que la llenaba de energía vital y la hacía crecer.

Él la hacía querer más, la hacía desear sentir más.

Su boca llegó a zonas que jamás habían sido visitadas por un hombre. Ella tenía poca experiencia para comparar sus besos, pero ese hombre probablemente ganaría un trofeo con sus labios.

El ansia por algo que no quería nombrar se deslizó a través de ella. Storm mantenía su boca cautiva, los labios de ella eran incapaces de escapar.

Entonces él levantó la cabeza.

Durante un momento fugaz, ella quiso pedirle que lo hiciera de nuevo… hasta que se topó con sus ojos. Brasas oscuras que ardían con el deseo de hacer mucho más que besarla.

El teléfono móvil sonó de nuevo y él soltó su rostro.

—Será mejor que te marches ahora, mientras todavía te lo permita.

Bajó la mirada y vio que ella le agarraba la camisa con las manos.

Evalle lo soltó y se echó hacia atrás. ¡La maldita reunión! ¿Acaso la magia que había usado con ella le habría eliminado algunas neuronas?

Siendo justa, ni siquiera ella podía culpar a la magia de su falta de atención.

—Si llego tarde…

—No llegues tarde —le advirtió él—. Tienes tiempo suficiente para recorrer esos kilómetros.

Si pudiera ir tan rápido como el ritmo de su corazón habría sido capaz de dar un salto gigante y aterrizar en el parque, pero no tenía esa habilidad.

Storm caminó con ella hasta las escaleras de la plataforma del aparcamiento que se hallaban frente al edificio de la CNN. Le dijo:

—Hasta luego. —Y tras eso, desapareció en la oscuridad.

Evalle continuó en la dirección opuesta. Le quedaban diecinueve minutos para cubrir la distancia del estacionamiento, cruzar el barrio y llegar a la calle Marietta, y luego ir pitando hasta el parque Woodruff... en la dirección opuesta.

Pan comido. Sería capaz de hacerlo sin sudar una gota en caso de emplear la velocidad sobrenatural de los veladores, pero debía tener cuidado y no permitir que ningún ser humano la viera.

Llegaría con tiempo suficiente para ver a Tzader y a Quinn.

Un aire helado le dio en la cara y las manos. Su instinto de supervivencia la hizo detenerse para comprobar qué energía se le había acercado.

Alguien murmuró unas palabras ininteligibles y silbó a través de un latigazo de viento helado.

Ah. Un merodeador trataba de entablar contacto con ella.

Uno que no conocía. Esos merodeadores fantasma ofrecían información acerca de actividad sobrenatural a cambio de recuperar durante diez minutos su forma humana. Lo único que hacía falta era un apretón de manos rápido con alguien que tuviera poder, como ella. En ese instante la forma de las almas fantasma se solidificaba.

Pero aquel fantasma no poseía habilidades de comunicación básicas sin adoptar su forma corporal. Evalle no podía desperdiciar los veinte minutos que no tenía tratando de averiguar cómo comunicarse con el espíritu.

El sentido del deber golpeó su conciencia, pero dijo:

—Ahora no puedo ayudarte, pero pronto te enviaré a alguien que sí podrá.

En el instante en que la energía se silenció, ella avanzó varios pasos y sintió otra pared de aire frío.

Aquel merodeador se arremolinó en torno al rostro de Evalle y le nubló la visión temporalmente. Le susurró con voz temblorosa:

—Tengo una advertencia que hacerte. Estréchame la mano.

Ella odiaba la idea de dejar pasar de largo alguna información significativa sobre algo que pudiera estar pasando en Atlanta.

Especialmente si llegara a tratarse de algo acerca de otro mutante que se hubiera convertido en bestia.

Pero incluso un merodeador experimentado podría arrebatarle un tiempo del que no disponía. Era por eso que a ella le gustaba trabajar con uno llamado Grady, a quien conocía y era capaz de ir al grano cuando era necesario.

Pero Grady merodeaba alrededor del hospital Grady, de ahí venía el apodo que ella le había dado, y no podría volver a darle un apretón de manos en bastante tiempo. No después de haberle estrechado la mano precisamente la noche anterior.

¿Por qué estarían los fantasmas de esa zona tan exaltados?

Aquel no podía esperar, pero ella no tenía tiempo que perder en algo sobre lo que ni siquiera tenía el control.

Se lo diría a Tzader.

Atravesó la zona fría y lo llamó telepáticamente.

«¿Z? ¿Estás en el parque?»

«¿Dónde estás? —le respondió él—. ¿Tienes algo más importante que hacer que tu reunión? ¿Sabes que está a punto de dar la hora?»

«¡Sí! Dame un poco de confianza.»

Su mente se llenó de silencio. Tzader tenía esa manera de lanzar exabruptos sin pronunciar una palabra.

«¿De verdad crees que me arriesgaría a una bronca del Tribunal?

«No de manera deliberada. —La risa irónica en su voz suavizó su tono—. ¿Qué es lo que necesitas?»

Libertad y paz mental, pero ese destino parecía ser de otro. A dos seres les importaba lo que pudiera ocurrirle, a Tzader y a Quinn. Bueno, a tres si se contaba a *Feenix*.

¿Y qué era de Storm?

Eso era complicado. Ella sabía que le importaba, pero no sabía por qué.

Le dijo a Tzader:

«Hay un grupo de merodeadores muy agitados en la zona inferior del aparcamiento, cerca de mi apartamento. Algo está ocurriendo.»

«No te detengas allí.»

Ella captó el tono de advertencia en su voz, que tenía más que ver con su seguridad que con el hecho de llegar tarde.

«No soy exactamente una criatura indefensa, Z.»

«A Quinn y a mí nos gustaría que te dieras cuenta de que no eres tampoco exactamente una criatura indestructible. Yo me ocuparé de los merodeadores cuando llegues al parque.»

«¿Y qué ocurrirá si se trata de algo importante?»

«Eso tan importante tendrá que esperar hasta que sepa que estás en la reunión del Tribunal.»

No tenía sentido seguir discutiendo con Tzader cuando claramente ya había tomado una decisión.

«Necesito que me hagas un favor y le devuelvas el amuleto a Nicole.»

Tzader murmuró algo desagradable, y luego dijo:

«¿Quieres hacer también un testamento? Después de esa reunión volverás a casa. Brina estará allí apoyándote y hará las cosas bien.»

«Lo sé.»

No lo sabía realmente. Evalle tenía sus dudas acerca de que la reina guerrera convenciera al Tribunal de dejar a una mutante en libertad deambulando por las calles. En lugar de abordar ese tema, Evalle le dijo a Tzader:

«Me será más fácil enfrentarme a ellos si no llevo el amuleto y no estoy distraída con nada más. »

El amuleto estaba caliente sobre su piel. Bajó la vista y lo vio brillar en la oscuridad.

¿Por qué ocurriría eso?

Otro merodeador adquirió una forma vacilante para tratar de abordarla. ¿Qué amenaza habría en la ciudad?

Tzader transigió tras su última observación.

«Está bien. Pero ven aquí de una vez.»

«Estaré allí enseguida, ¿pero y si…?»

«¿Y si qué?»

«¿Y si esta actividad de los merodeadores tuviera algo que ver con el ataque de un mutante, como esos ataques ocurridos en la costa Oeste?»

«Iba a hablarte de eso cuando llegaras aquí. ¿Cómo te has enterado?»

Evalle vaciló ante la idea de delatar a Storm, pero luego recordó de dónde había obtenido él la información.

«Storm me lo dijo. Recibió la noticia de VIPER. ¿Crees que los merodeadores están nerviosos porque hay otro mutante en la ciudad? »

«Tenemos a todo el mundo en alerta y nadie ha oído de ningún otro mutante transformándose. »

«De acuerdo. Voy en camino.»

«Una cosa más, Evalle, ya que no tendremos mucho tiempo cuando llegues aquí. Haznos un favor a los dos y no fastidies a Sen esta noche, ¿de acuerdo? Eso no ayudaría a tu causa.»

«Lo he oído. Seré la perfecta pequeña prisionera.»

Podía haber jurado que oiría suspirar a Tzader, pero es que no necesitaba ningún recordatorio esa noche.

Si no lograba estar en el parque cuando Sen apareciera para escoltarla hasta la reunión, estaría acabada. Como intermediario de VIPER, Sen la teletransportaría desde el parque Woodruff en el centro de Atlanta hasta el Reino Inferior, un universo paralelo donde se reunía el Tribunal. Nada complacería más a Sen que llegara al parque cinco segundos pasada la medianoche.

Él la odiaba.

Y ese odio le era devuelto. Aunque el odio requería una emoción. Él era más bien como un forúnculo en su vida que ella querría punzar con un mazo.

Estaba soñando si Sen creía que se perdería esa reunión.

Un grito desgarró el aire.

Evalle acababa de cruzar un tramo de las viejas vías del ferrocarril cubiertas por la estructura de la zona de aparcamiento. Se detuvo y volvió la cabeza en la dirección del grito. Había varios caminos en el nivel inferior del aparcamiento, junto a la zona de los muelles de carga.

Oyó el ruido de suelas sobre la gravilla. Le pareció que había dos personas luchando.

Un chillido agudo que surgió de repente le puso la piel de gallina. De no haber sido por su visión excepcional, le habría pasado inadvertida la fugaz imagen de dos figuras luchando.

¿Se trataría de un par de borrachos en una pelea o de una disputa relacionada con bandas?

Evalle afinó sus sentidos. No había ninguna energía extraña flotando a través del aire. No parecía estar involucrada ninguna criatura sobrenatural.

El instinto de proteger a los humanos la empujó a dar un paso en esa dirección antes de detenerse. No podía involucrarse. No esa noche. Si llamaba a Tzader, él enviaría a la policía para ocuparse de esos dos humanos.

Sería otro quien tendría que salvar el mundo esa noche.

Se dio la vuelta y se dispuso a avisar a Tzader cuando un gemido agudo y lleno de dolor atrajo su atención de nuevo hacia la pelea.

Esta vez, vio con más claridad la pequeña figura.

Una mujer… estaba siendo golpeada por un hombre corpulento.

Evalle comprobó su reloj. Le quedaban catorce minutos.

Era capaz de prescindir de la información de los merodeadores para llegar a tiempo de ver a Tzader y a Quinn, pero no podía permitir que un monstruo hiriera a una mujer indefensa.

No después de lo que un hombre le había hecho a ella a los quince años.

Evalle se dirigió hacia los lastimosos gemidos de la mujer que estaba siendo atacada. La adrenalina corrió a través de su sangre ante el recuerdo que se había despertado, algo peligroso teniendo delante seres humanos. Debería tener cuidado al darle una patada en el culo al atacante, pero no permitiría que le hiciera daño a esa mujer.

En el peor de los casos, solo tardaría uno o dos minutos en ocuparse del humano. Así que no llegaría tarde al parque.

Ocuparse de un humano sería más rápido que marcar un número de teléfono.

Llamar a la policía, o incluso a Tzader, sería inútil. Evalle dudaba de que la mujer sobreviviera hasta la llegada de la policía, y Tzader trataría de convencerla de marcharse de allí de inmediato para que llegara puntual.

Dobló la esquina del recinto alambrado bajo el aparcamiento al nivel de la calle y pasó a través de una verja abierta. El chasquido de carne contra carne sacudió el aire cuando esa bestia abofeteó a la mujer. La arrastró hacia uno de los camiones de reparto.

Evalle apretó los dientes para avitar arrojar un rayo de poder de telekinesis contra esa serpiente de dos piernas, pues el hombre terminaría hecho pedazos si lo hacía.

Sería un punto de luz en su día, pero a los agentes de VIPER no les estaba permitido jugar a destrozar humanos.

Avanzó corriendo, deseando poder hacer más que limitarse a golpear al hombre y apartarlo el tiempo suficiente para que la mujer escapara. Evalle no tenía con qué atarlo para dejarlo allí a disposición de la policía.

Era una pena que no pudiera darle una dosis de su tratamiento para matones. Ese bastardo tenía la suerte de que hubiera hecho un juramento a Macha comprometiéndose a no emplear sus poderes contra los humanos. De otra manera le arrancaría la cabeza antes de que terminara una frase.

A medida que se acercaba al lugar del altercado, mayores eran los gritos de terror de la mujer, implorando que alguien la salvara. Evalle apretó los puños y se obligó a calmarse mientras recorría los últimos cincuenta metros.

Gritó:

—Suéltala y no te haré daño. —No te haré *demasiado* daño, debería haber dicho.

El bastardo se rio.

—Vamos, cariño. Puedo hacerme cargo de dos gatitas salvajes.

«¿Ah sí? ¿Puedes hacerte cargo también de una bestia?»

Aminoró el paso pero siguió avanzando. ¿Y si le aplastaba las rodillas para que nunca más pudiera volver a hacer daño a otra mujer?

Manteniendo los ojos fijos en Evalle todo el tiempo, él dio un revés a la mujer y la lanzó contra el camión. Ella se golpeó la cabeza con un ruido terrible. El golpe la hizo desmayarse. Él se agarró la entrepierna y sonrió a Evalle mostrando que le faltaba la parte superior de la dentadura.

—Acércate, cariño. Haré que me lo supliques.

Evalle apretó los puños con tanta fuerza que sintió el calor de los cartílagos subiendo por los antebrazos anticipando su transformación para la lucha. Los veladores dejaban de transformarse al llegar a este punto, pero en su caso aquel era tan solo el primer paso de la mutación que la conducía hasta su estado de bestia. No podía permitir eso.

Tenía que calmarse y no dejar que él la provocara.

Tenía todas las cartas a su favor. Él era tan solo un humano.

Inspiró profundamente y echó el cuerpo hacia atrás para recuperar el control. Lo miró con arrogancia subiendo una ceja.

—Creo que más bien serás tú quien me suplique la muerte.

Lo primero que haría sería partirle las rodillas. Eso lo dejaría a merced de la policía.

Él continuaba sonriéndole como si la idiota allí fuera ella.

—No es así como yo lo veo. Digamos que puedo…

Los ojos del hombre se hincharon mientras se doblaba, sorbiendo aire por la boca. Luego se desplomó sobre la mujer.

¿Un ataque al corazón? Era agradable tener suerte por una vez. Murmuró:

—Adiós, miserable porquería de humano.

Ahora podía dejar que Tzader se encargara de aquello.

Algo cayó sobre su cabeza y sus hombros.

Todo se volvió negro. El hedor de limones podridos le impedía respirar. Magia Noirre.

Una emboscada.

Cuatro

*E*valle arremetió contra el mullido saco que le cubría la cabeza y los hombros. Llevó los antebrazos hacia su pecho y empujó con las manos hacia afuera tratando de quitarse de encima lo que fuera que cubriese su cuerpo.

El saco se estiró pero no se soltó.

¿De qué estaba hecho para que no pudiera desgarrarse o romperse?

Si había magia Noirre involucrada, a ella le estaba permitido adquirir su forma de batalla con cambios en los cartílagos y los músculos que le permitieran tener más fuerza. Pero como mutante que era, debía tener cuidado de detener la transformación a tiempo para no convertirse en una bestia de tres metros de altura con garras y colmillos.

Los seres que le habían tendido una emboscada no eran humanos. ¿Qué le decía el instinto? Que se trataba de los Medb, los más feroces enemigos de los veladores.

Evalle convocó su forma de guerrero velador y apretó los puños al sentir el dolor de los cartílagos sobresaliendo de sus antebrazos y su espalda.

Ya llegaría la hora en que aquella banda recibiera su merecido.

Apretó la mandíbula e impidió que la transformación llegara más lejos.

—Bueno, bueno, bueno —dijo una áspera voz masculina, que oía con más volumen a medida que se acercaba—. El hechizo encubierto ha valido la pena, ¿qué me decís, chicos?

Con sus sentidos alerta, Evalle reparó en cada uno de los «chicos» mientras estos avanzaban hacia ella, como si leyera señales luminosas que indicaran la llegada de enemigos en el radar de una pantalla. Su habilidad para la empatía era inconsistente algunas veces, aun por desarrollar, pero en aquel momento funcionaba al máximo rendimiento. Distinguió tres emociones: uno era frío como un pescado muerto, otro trataba de ocultar su terror y un tercero estaba excitado, ansioso por matar.

—Vamos a asegurarnos de que es la correcta antes de entregarla —dijo el mismo tipo, el que a ella le parecía que tenía el alma más fría. Debía de ser el líder. Este añadió—: Si es ella estamos arreglados de por vida.

Evalle necesitaba las cuchillas ocultas en las suelas de sus botas, pero debía evitar el ruido que haría al soltarlas golpeando con los pies. Puso a prueba a sus secuestradores diciendo:

—Solo un cobarde no estaría dispuesto a luchar en igualdad de condiciones y…

Sintió el golpe de una bota en el estómago.

Tragó aire por la boca, pero gruñir y retroceder para mantener el equilibrio fue la excusa perfecta que necesitaba para disimular el ruido que hizo al golpear sus botas contra la calzada.

Dos hombres se rieron. Uno olía a tabaco y respiraba como un caballo de carreras al que le faltase el aliento.

El saco que la atrapaba le llegaba hasta los muslos. ¿Acaso creían que podrían contenerla en una bolsa?

Como si fuera posible.

Claro que, técnicamente, lo habían hecho.

—De acuerdo, chicos —dijo el líder—. Vámonos de aquí y a cobrar.

La ira ascendía en ondas a través de sus brazos y de su cuello.

Nadie la tocó. Ninguno.

La tenían atrapada como a un animal, pero ninguno de ellos tenía huevos como para acercarse. Simplemente debería quedarse allí y obligarlos a moverse.

Mierda. El Tribunal. No tenía tiempo para aquello. Intentó llamar a Tzader telepáticamente. En el instante en que envió el mensaje «Tzader, me han cogido…» sintió unas fuertes punzadas de dolor en la cabeza. Le lloraban los ojos.

La maldita magia Noirre interfería en su telepatía.

—Cógela, Tagot —ordenó el más frío.

Se trataría de un grupo de mercenarios sin habilidades cinéticas, o de lo contrario no se arriesgarían a acercarse hasta ella.

Tagot debía de ser el que ansiaba matarla, porque Evalle advirtió que avanzaba hacia ella con intención letal.

Evalle se concentró en el movimiento. Cuando él estuvo apenas a un paso, ella avanzó rápidamente y luego se echó hacia atrás, lanzando una patada con las botas en su dirección. El roce de la navaja al atravesar la carne y un aullido de dolor le indicaron que había hecho contacto. Ella se cayó hacia atrás y aterrizó con los hombros sobre el pavimento.

Irrumpió el caos, con los tres hombres gritándose unos a otros.

Ella se aprovechó de eso y usó el impulso de la caída para dar una voltereta hacia atrás.

Aterrizó en cuclillas sobre sus pies y logró poner la mano en el puñal de su bota. Ese puñal venía con un extra, porque Tzader tenía un amigo que lo había construido especialmente para ella. No estaba dotado de sensibilidad, como los dos cuchillos que él llevaba, pero era lo suficientemente diabólico como para atravesar un saco infestado de magia Noirre.

Evalle agarró el borde del saco, lo abrió de un tajo, emergió y arrojó el bulto hediondo, cubierto de una sustancia babosa, contra la pared.

Empleó su habilidad cinética para apagar todas las luces de la zona.

Su visión nocturna le permitió distinguir tonalidades azules en esa oscuridad total. Los tres hombres tenían el pelo brillante, tal vez rojo, y llevaban chaquetas tejanas. Incluso el que gritaba y se retorcía de dolor tratando de detener la hemorragia que tenía en el muslo.

¿Le habría dado en la arteria femoral? Suerte.

Pero todavía tenía que liberar a esa mujer.

Ellos se cayeron hacia atrás, pero no tan lejos como ella esperaba. El líder, frío como la piedra, con cabellos de punta y tatuajes en un lado de la cara, blandió un machete de aspecto espeluznante que chisporroteó con magia.

¿De dónde habrían sacado esos mercenarios todos esos juguetes mágicos?

Los Medb.

Debería ser capaz de comunicarse con Tzader ahora, pero antes de que pudiera enviarle un mensaje telepático, oyó la voz de él gritando en su cabeza: «¡Saca tu culo de aquí, Evalle! ¿Qué estás haciendo?»

«He caído en una emboscada. Necesito ayuda. Estoy...»

El tipo del machete blandía el arma de atrás adelante tan rápido como la hélice de un avión. Después de todo tal vez no fuera solo un estúpido mercenario.

Ella interrumpió la comunicación telepática y empleó toda su energía para erigir un escudo invisible justo en el instante en que su atacante esbozaba en el aire un elevado arco.

Él blandió la espada chispeante lo bastante rápido como para partirla por la mitad.

Asestó un golpe tan fuerte a su campo de energía que a Evalle le temblaron los dientes.

Lanzó una mirada al otro matón para asegurarse de que no venía también hacia ella con un arma. Este sacó un pañuelo extragrande de su bolsillo y lo dejó caer sobre el tipo que sangraba y que aullaba. De repente, todo brilló como cuando se atiza carbón en el fuego y luego se convirtió en un montón de cenizas.

¿Qué tipo de pañuelo era ese?

El de la cara tatuada se balanceó de nuevo.

Ella notaba en los hombros el choque de los ataques constantes del machete. Apoyó un pie detrás de ella y se impulsó hacia adelante, pues estaba perdiendo terreno.

¿Él sería capaz de traspasar su pared de poder?

Tzader gritó: «¿Puedes correr?».

«No. Me matará si hago caer mi defensa.»

«¿Dónde estás?». Tzader lo preguntó con una voz cargada de furia.

«Todavía bajo la zona de estacionamiento…»

Otra descarga de ataques golpeó su pared de defensa desde atrás.

¿Se le habría acabado el tiempo? ¿El Tribunal se mostraría comprensivo si Tzader se comunicaba con Brina antes de la reunión y le explicaba lo ocurrido?

El de la cara tatuada seguía acosándola con el machete. Evalle se esforzaba por dar todo lo que tenía para mantener su pared protectora, pero él pronto lograría atravesarla.

Esa cuchilla tenía una energía imponente.

De pronto un poder surgió a través del aire e impactó contra su piel.

Hubo un estallido de luz, que hizo destellos contra las paredes de los edificios en sombras.

Su atacante y el compañero de este dieron un vistazo y se marcharon huyendo.

Evalle bajó los brazos, que ahora le dolían por la paliza que había tenido que darles. Respiró larga y profundamente y dejó que su cuerpo recuperara su forma normal. Sentía dolor en el pecho y en las piernas. No tenía ni idea de cómo la había encontrado Tzader ni de cómo había llegado tan rápido ni qué había hecho para asustar a esos tipos, pero estaba preparada para abrazarlo al darse la vuelta.

Ah, mierda. ¿Podía empeorar todavía más su noche?

Sen se hallaba allí de pie, con los brazos cruzados y una expresión de disgusto en su rostro que rivalizaba con la habitual mirada de odio que normalmente le dirigía.

Tratándose de él tenía explicación que hubiera aparecido allí tan rápido. Sen tenía la habilidad de teletransportarse allí donde quería.

No podía creerse que tuviera que estar agradecida a Sen por haberla sacado de aquel lío.

Era mucho más alto que ella y el doble de ancho, y vestía una camiseta gris y tejanos negros. En ese momento llevaba el pelo muy corto, pero si quería al día siguiente podría llevarlo por la cintura. Estaría bien saber quién era o de dónde procedía, con esos ojos almendrados de diamante azul. O quién tenía el poder de obligarlo a hacer de intermediario entre VIPER y los seres sobrenaturales que VIPER tenía como agentes en su coalición.

Se trataba de un trabajo que obviamente aborrecía.

Tzader le había advertido de que se portara bien, así que dijo:

—Me cuesta creer que vaya a decir esto, pero me alegro de verte.

En la mandíbula de Sen se tensó un músculo.

—Malgastas suficiente oxígeno simplemente con estar viva. No pienses que esta pequeña actuación teatral me engañará.

—¿Actuación? ¿Acaso no podía sentir el olor de la magia Noirre? —Ella olisqueó y miró a su alrededor. ¿Dónde estaba el saco? No había ningún olor a magia Noirre ahora, pero ella no podía echarse atrás—. Me tendieron una emboscada. Me atacaron...

—Sí, ya, cuéntaselo al Tribunal. —Sacudió una mano.

Ella se protegió el estómago con fuerza, preparándose para el primer estado de teletransportación. ¿Acaso no podía preguntarle si estaba lista antes de hacer eso? En cuanto Sen la teletransportase ya no tendría forma de contactar con Tzader.

¿Esos tres hombres estarían tratando de atrapar a cualquiera con poderes o a ella en particular? ¿Qué habría querido decir el líder al mencionar que debían asegurarse de si ella era la correcta?

¿Se refería al velador correcto? ¿Al mutante correcto? ¿Al agente VIPER correcto?

¿O a alguna otra cosa?

Si tenía la oportunidad, debería contarle a Brina el ataque antes de que diera comienzo la reunión. Por mucho que Evalle detestara a Sen a todos los niveles, al menos había acudido a buscarla en lugar de esperar en el parque.

No porque le preocupara que llegara tarde, sino porque debía tener la orden de llevarla a tiempo. En cualquier caso, en aquel momento ella se alegraba de que así fuera.

El tono de superioridad de Sen se oyó a través del remolino de colores al girar como un torbellino, pero ella no podía verlo.

—Una cosa más, mutante.

—¿Qué? —dijo ella siendo amable, o al menos intentándolo. Era difícil mostrarse civilizada cuando sentía que se desgarraba por dentro.

—Yo estaba en el parque a la hora exacta —dijo. Luego hizo una pausa para que se aposentara su afirmación—. Como llegaste tarde, no tuve más remedio que ir a buscarte. Llegas un minuto tarde de acuerdo con el calendario de los humanos, pero en el mundo del Tribunal, el tiempo se extiende. Ya llegas cuarenta y cinco minutos tarde.

Cinco

*E*n cuanto terminó el vértigo de la teletransportación y su siguiente inspiración tuvo un sabor antiguo y peligroso, Evalle supo exactamente dónde estaba: en el Reino de Nether. Se sostuvo la cabeza con las manos, luchando contra las náuseas. Jodido Sen. No le concedería el placer de verla vomitar frente al Tribunal.

Abrió un ojo para echar un vistazo.

La última vez que había visitado el Reino Inferior, se halló en medio de la hierba que habría cubierto un llano circular del tamaño de una manzana en una ciudad. Esta vez, sus pies habían aterrizado sobre una superficie de piedra que brillaba con un color lavanda y plateado. Miró más lejos para localizar la tarima donde se hallaban los dos dioses y la diosa que presidirían la reunión.

El Tribunal ya había comenzado y nadie se mostró contento de verla, ni siquiera Brina. Especialmente Brina, cuya imagen holográfica, con su cabello rojo llameante a la altura de la cintura y su vestido verde vibrante, transmitía una tensa energía.

El silencio colgaba como una guillotina a la espera de rebanar un cuello.

El trío de la tribuna la miró. Pelé, la diosa polinesia, llevaba una guirnalda de flores púrpura y fucsia sobre los pechos. Y más flores envolvían la parte inferior de su cuerpo con una falda que llegaba hasta el suelo. Estaba de pie entre Ares, el dios griego de la guerra, que llevaba su atuendo de batalla, y Loki, el dios escandinavo de las diabluras, que mostraba su imponente pecho desnudo y llevaba tan solo unos pantalones de harén de seda azul.

Las estrellas cubrían el cielo negro de un extremo al otro del Reino Inferior, creando el fondo perfecto para seres tan brillantes.

Los ojos exóticos de Pelé estudiaron a Evalle con la misma consideración que tendría un ave exótica al examinar los méritos de una babosa. Habló con una voz modelada de miel y oro.

—Te has retrasado ante este Tribunal, mutante. ¿Por qué?

Evalle cometió el error de tomarse un segundo para decidir cuál era la mejor respuesta, lo cual permitió a Sen ser el primero en hablar.

—No tiene excusa, diosa.

—Espera un momento —soltó Evalle, clavando los ojos en Sen—. Me lo ha preguntado a mí.

Sen encogió un hombro con negligencia.

—No te gustará lo que ocurrirá si mientes durante una reunión del Tribunal.

Loki había estado haciendo rodar una bola de poder entre sus manos. La esfera retumbó y brilló con luces caleidoscópicas en su interior. Se detuvo para intervenir:

—El cuerpo de aquel que diga una mentira se volverá rojo brillante.

Evalle no tenía planeado mentir ni ahora ni en ningún otro momento ante el Tribunal porque se imaginaba que ellos simplemente sabrían si estaba contando una mentira.

Pero era la primera vez que oía aquello de volverse rojo.

Ares se inclinó hacia delante, afilando la mirada.

—¿Tu aura no era plateada la última vez que estuviste aquí, mutante?

Todos miraron boquiabiertos a Evalle.

Brina abrió los labios en un gesto de sorpresa.

Evalle consideró esa extraña pregunta. Él no había dicho nada acerca de que su aura se viera más brillante. Respondió sinceramente:

—Hasta donde yo sé, sí.

Ares frunció el ceño.

—Entonces, ¿por qué ahora se ha vuelto dorada?

¿Dorada? ¿Storm había vuelto dorada su aura?

Evalle lo mataría si sobrevivía a aquello. ¿Cómo se suponía que iba a encontrar una explicación para eso sin revelar que Storm había empleado su magia con ella? ¿Qué le había hecho?

—Yo no he cambiado mi aura. No puedo ver auras y desde luego no sé cómo transformar una.

Eso no calmó lo más mínimo al dios Ares.

Evalle añadió:

—He estado cerca de muchos tipos de criaturas diferentes, y eso puede haber afectado de alguna manera a mi aura.

Su piel no se puso roja, así que moverse de puntillas en torno a la verdad parecía funcionar. Soltó la respiración.

Loki hizo malabarismos con dos bolas de poder y suspiró con intensidad, claramente molesto por tener que estar allí.

—Dorada, plateada, lo que sea. No es ese el motivo por el que estamos aquí.

Evalle aprovechó ese pie para cambiar de tema y alejar la atención de asuntos delicados. Nunca había sido buena simulando sumisión, pero trató de sonar humilde cuando habló.

—Tengo el mayor de los respetos por los miembros del Tribunal y por Brina. —Sí, dejó intencionadamente a Sen al margen de ese comentario—. Me disculpo por llegar tarde, pero cuando acudí en ayuda de un ser humano en peligro, tres hombres que ejercían la magia Noirre me tendieron una emboscada y estaba luchando por mi vida cuando Sen llegó para acompañarme. Como miembro de VIPER, hice el juramento de proteger a los humanos aun al precio de poner en riesgo mi propia seguridad.

Evalle sorprendió a Sen mirándola con expresión de curiosidad. ¿Estaría sorprendido de que no se le pusiera la nariz roja?

Echó un vistazo rápido a Brina, cuya imagen se hallaba de pie por encima de Evalle, entre ella y el estrado. Brina no parecía contenta al principio, pero ahora sus ojos expresaban... ¿orgullo?

Ese aliento de esperanza clamó dentro del pecho de Evalle.

El Tribunal debió de tranquilizarse con la explicación, porque Pelé continuó hablando:

—La última vez que nos vimos te hablamos de una mujer mutante embarazada que se transformó en bestia y mató a un humano. Hasta entonces, los únicos mutantes que se habían transformado y matado humanos eran hombres. Se te dio la oportunidad de encontrar una prueba que demostrara que tú, como mutante, no representas un riesgo para los humanos. ¿Dónde está esa prueba?

Evalle no tenía nada que pudiera considerarse una prueba. Había estado entretenida ayudando a VIPER a salvar el mundo.

Brina, con su cadencia irlandesa, preguntó:

—¿Puedo intervenir?

Loki respondió.

—Por supuesto, cualquier cosa para avanzar con esto y evitarme malgastar más tiempo de eternidad aquí.

Eso provocó un bravo gruñido por parte de Ares.

—Si ser inmortal te resulta un inconveniente estoy dispuesto a dar fin a tu sufrimiento ahora mismo.

Loki se inclinó hacia adelante para hablar por encima de Pelé.

—Eso me resultaría divertido durante los cinco minutos que tardara en destruirte.

Pelé levantó la mano y agitó sus dedos. Un relámpago salió de las yemas de sus dedos y atravesó el cielo. El Reino Inferior se cubrió de truenos.

—¡Ya basta!

Evalle contuvo la respiración. Vaya suerte la suya si uno de los dioses del Tribunal se ponía como un basilisco. Eso acabaría siendo también por su culpa.

Como si nada hubiera ocurrido, Brina se dispuso a decir tranquilamente lo que tenía que decir.

—Todavía hay preguntas que no nos hemos respondido acerca de los mutantes…

«¿Cómo?» Evalle no necesitaba la ayuda de Brina para que la acabaran colgando.

—… pero Evalle ha demostrado ser un valioso miembro de los veladores. Ha puesto a la humanidad y a nuestra tribu por encima de sus propias necesidades, y eso ha ido en detrimento de su capacidad para poder entregaros pruebas tangibles. Y puesto que nosotros somos pruebas vivientes de lo intangible en el mundo de los humanos, ¿acaso no podemos aceptar sus acciones como una prueba intangible de su confiabilidad?

«Bien hecho, Brina. Eso me gusta mucho más.»

Brina no había acabado todavía.

—Evalle también formaba parte del equipo de VIPER encargado de encontrar y devolver la piedra Ngak antes de que amaneciera en Atlanta ayer por la mañana. Ella actuó abnegadamente, arriesgando su vida para detener al señor de la guerra kujoo, y cuando tomó posesión de la piedra Ngak...

En el estrado se oyó una exclamación colectiva.

—... Evalle entregó la piedra voluntariamente para que fuera colocada en la cámara acorazada de VIPER —continuó Brina—. ¿Es necesario que señale que muchos de los nuestros no habrían querido renunciar a un artefacto tan poderoso? Como reina guerrera de los veladores, yo considero a Evalle una de los mejores.

¿En serio? Evalle no podía creer lo que oía, pero la voz de Brina sonaba sincera y apasionada. Tzader había afirmado una y otra vez que Brina siempre estaba dispuesta a apoyar a sus veladores. A todos ellos.

Ares parecía impasible ante la declaración de Brina.

—¿Y qué pasa con los siete mutantes que se han transformado y han atacado a humanos en los últimos días?

«¿Siete? —Evalle se dirigió a Brina con la mente—. Yo solo he oído hablar acerca de los ataques de la costa Oeste. Ahora no es el momento de que me encierren bajo custodia si hay un estallido de ataques de mutantes. Sé que el Tribunal no lo verá de esta forma, pero yo podría ayudar a controlar este estallido. Los veladores son los brazos más fuertes de VIPER, pero no pueden unir sus poderes para enfrentarse a un mutante, no después de lo ocurrido en Charlotte.»

Dos meses atrás, nueve veladores se habían unido para detener a un mutante. Deberían haber sido capaces de contenerlo, pero este se transformó y le rompió la cabeza a uno de los veladores antes de que ninguno de ellos tuviera la oportunidad de romper el vínculo que habían establecido.

Cuando los veladores están vinculados, si uno de ellos muere los otros también.

«Estoy de acuerdo.» Brina se dirigió a Ares. Con esos nuevos descubrimientos acerca de los mutantes, necesitamos más que nunca las habilidades de Evalle en VIPER.

Con un resoplido de disgusto, Ares dejó ver lo que pensaba acerca del valor que representaba Evalle.

Pelé y los dioses hablaron entre ellos durante varios minutos, pero Evalle comenzó a sentirse optimista acerca de la posibilidad de que la devolvieran a VIPER el tiempo suficiente para abordar ese problema. Tal vez se había estado preocupando innecesariamente.

Preocupada sonaba mejor que aterrada.

Cuando el trío de entidades terminó de hablar, Loki se apoyó contra una de las columnas que decoraba el estrado, y Ares golpeteó con los dedos la empuñadura de la espada enfundada en su cadera.

Pelé no prestó atención a los dioses cuando habló. Tenía una voz suave, pero su poder se adivinaba debajo de ese tono femenino.

—Evalle ha cometido una transgresión mucho mayor.

¿Qué demonios…? Evalle sintió un golpe de aire encima de su cabeza enviado cinéticamente por Brina para amonestarla por su vocabulario. Lo siento.

Brina preguntó a Pelé:

—¿Qué transgresión?

—En el último encuentro, se le dijo a Evalle que no podía asociarse con otro mutante. Y hemos sabido que cuando iba a la caza de la piedra Ngak se comunicó con Tristan, el mutante que había escapado.

Ese condenado de Sen la habría delatado a pesar de que él conocía muy bien las circunstancias. Ella además había conseguido enviar de vuelta a Tristan a su jaula hechizada en Sudamérica a pesar de que él le suplicaba que en lugar de eso lo matara.

Evalle había odiado tener que hacerle eso. Tristan solo había querido lo mismo que quería ella, lo mismo que querría cualquiera: ser libre. La muerte habría sido una alternativa más humana, pero ella tampoco se sintió capaz de matarlo a sangre fría.

Tristan se reiría de ella si ahora estuviera delante, y ella no podría culparle, a pesar de haber hecho lo que debía al enviarlo de regreso a su jaula.

Pelé preguntó a Evalle:

—¿Niegas haberte comunicado con ese otro mutante?

Evalle dijo:

—No. Hablé con él, ¿pero el hecho de que lo haya enviado de vuelta a su jaula no vale de nada?

Ares señaló:

—Vale para que te dejemos con vida.

Brina mantenía sus manos unidas frente a ella, con apariencia dócil para unos ojos inexpertos, pero no era una reina guerrera solo por su título. Cuando habló sus palabras sonaron llenas de autoridad.

—Evalle se comunicó con Tristan únicamente para conseguir información valiosa que fue clave para recuperar la piedra Ngak de manos de un depredador peligroso. Si no lo hubiera hecho, puede que los kujoos hubieran destruido gran parte del mundo de los humanos. Gracias a los esfuerzos de Evalle la piedra está ahora a buen recaudo en la cámara de seguridad de VIPER.

Ares se cruzó de brazos mostrando sus abultados músculos y rechazó la explicación de Brina.

—No se dictó ninguna cláusula en nuestra reunión previa cuando a este mutante se le ordenó que no se asociara con otro mutante. Ella debería haber solicitado una excepción en los términos antes de haber dado su consentimiento, y ese es el mínimo de los cargos. Cualquier ayuda que haya dado para la recuperación de la piedra Ngak no justifica que ponga en libertad a mutantes en el reino de los humanos.

«Yo no pongo en libertad a mutantes, Brina». Evalle se comunicó con su reina a través de la mente.

«Te creo», le respondió Brina, para luego dirigirse al Tribunal.

—¿Qué prueba existe para sostener esa acusación contra Evalle?

Loki, que se seguía divirtiendo lanzando fuegos artificiales en miniatura al pasar de una mano a otra una bola de fuego del tamaño de una pelota de béisbol, intervino:

—Vayamos al grano. Le dijiste a Tristan que querías ver a todos los mutantes libres.

—Fue Tristan quien dijo eso, no yo —discutió Evalle.

Brina le lanzó una mirada que prometía un buen castigo en el caso de que le hubiera soltado un puñado de mentiras.

Evalle levantó las manos y dejó las palmas abiertas a los lados.

«¿Acaso estoy brillando como una farola roja? Yo jamás le dije eso».

Obviamente Sen había contado su propia versión de los hechos ocurridos esa noche, modificándola a su voluntad.

Pelé le preguntó a Evalle:

—¿Qué le dijiste a Tristan sobre los mutantes?

Cualquier cosa que no fuera verdadera la quemaría. Evalle dijo:

—Le dije que quería ayudar a los mutantes para que no tuviéramos que ser encerrados ni destruidos.

Loki intervino:

—Yo no veo la diferencia.

La voz de Ares estalló.

—Es culpable de la acusación.

Evalle discutió.

—No, sí hay una diferencia, porque lo dicho se ha sacado de contexto.

Sacudiendo la cabeza, Pelé soltó:

—El contexto no importa. En nuestro mundo, las palabras son tan peligrosas como cualquier arma y deben usarse con cuidado.

Loki manifestó:

—Ella influyó en el mutante Tristan, que liberó a otros tres de su cautividad. Ahora tenemos más bestias transformándose y matando humanos. Al parecer esto podría ser parte de un plan de Tristan para liberar a todos los mutantes.

Aquello era tan aterrador como increíble. Encerrarla no sería nada. Ellos podrían eliminarla si creían que había tenido algo que ver con los mutantes que ahora estaban transformándose y matando.

—Y si ese es el caso, ¿por qué no habéis traído a Tristan para interrogarlo?

Pelé miró con rabia a Evalle y el poder que a esta le llegó fue tan fuerte que la obligó a retroceder un paso.

—Macha ordenó que los mutantes fueran enjaulados. Nosotros desconocemos la localización de Tristan.

Evalle lanzó una mirada interrogante a Brina, luego su atención regresó a Pelé.

—Yo pedí a la piedra Ngak que devolviera a Tristan a su prisión original.

Pelé reparó en la mirada de Evalle.

—Brina debe juramento a su diosa. Solo puede divulgar información voluntariamente.

Brina negó levemente con la cabeza.

—Lamentablemente, no puedo compartir ninguna información acerca de los mutantes capturados, oh diosa.

Pelé le dijo a Evalle:

—No podemos localizar a Tristan sin la ayuda de Macha, y ella no la está ofreciendo. Puesto que Tristan no ha caído bajo la jurisdicción de ningún panteón específico que sea parte de la coalición, no podemos exigir su presencia.

En otras palabras, Tristan estaba completamente a salvo del Tribunal.

Por ahora.

Evalle sintió escalofríos en la columna vertebral, pero a la vez un rayo de ira candente por la injusticia de que hubieran retorcido sus palabras para hacerla responsable. Sin pensar en pedir permiso para hablar, intervino:

—Entonces, ¿Tristan comete un crimen y ni siquiera tiene que responder por ello, pero yo sí?

«No aprietes, Evalle. No actuarás en tu favor si los irritas.»

«Tengo que apretar, Brina. Están muriendo seres humanos y tengo la sensación de que algo está pasando para que tantos mutantes se transformen a la vez. Necesitamos saber qué ocurre, y yo soy la más indicada para averiguarlo. Pero no puedo conseguir esa información ni ayudar a detener esos ataques si el Tribunal me arrastra hasta aquí cada vez que se produce un ataque.»

La estruendosa voz de Ares hizo temblar el suelo.

—La insolencia no se tolera aquí, especialmente si viene de una bestia.

Evalle mantuvo las manos a los lados, cuando lo que en realidad quería era darle un puñetazo al dios.

—Yo no me transformé ni maté a un ser humano. Y yo no solté a los tres mutantes capturados. Y yo no tengo nada que ver con esos otros que están ahora transformándose y matando. ¿Por qué debo ser la responsable de las acciones de otros?

Brina intervino:

—Me disculpo por su falta de respeto…

Pelé levantó una mano señalando claramente que el turno era suyo. Mandó callar también a Ares con una mirada severa y luego se dirigió a Evalle:

—Una cuestión es clara. Los mutantes son un elemento desconocido en nuestro mundo, además de una raza no reconocida. Hasta que alguien logre determinar su origen o sean aceptados dentro de un panteón, su estatus no cambiará.

Evalle merecía un reconocimiento por el logro de no poner los ojos en blanco. ¿Qué deidad iba a estar dispuesta a invitar a los mutantes a un panteón haciéndose de esta manera responsable de seres poderosos que podían transformarse involuntariamente en bestias y matar todo cuanto hallaran a su paso?

Ignorando el suspiro eterno de Loki, Pelé continuó:

—Cuando otros mutantes se transformaron y mataron, fueron capturados o destruidos. Tú eres la única mutante a quien hemos permitido permanecer junto a los veladores, en lugar de meterte en una jaula como a una bestia salvaje.

Evalle sintió un escalofrío de ira subiendo por su columna al ser comparada con un animal rabioso.

Sin detenerse, Pelé dijo:

—Se te ha permitido una gran libertad durante los últimos cinco años porque tú eras la única mujer mutante identificada hasta que hemos descubierto esta mutante nueva. El hecho de que estuviera embarazada sugiere la posibilidad de que los machos mutantes estén buscando hembras para procrear. Esto por sí solo es razón suficiente para solicitar que seas llevada a un lugar seguro.

Evalle tuvo que emplear bastante esfuerzo para obligar a su rostro a permanecer neutral ahora que oía a Pelé señalando que ella podía ser una especie de imán para machos mutantes. De buen grado se hubiera ofrecido a neutralizar a esos mutantes, pero Pelé no había terminado.

—¿Se te está responsabilizando de las acciones de otros? Tal vez. El hecho de asociarte con un mutante en fuga esta semana y de haber afirmado que te gustaría que todos los mutantes fueran libres deja la responsabilidad de las tres fugas recientes de otros mutantes directamente a tus pies.

Eso prácticamente anulaba cualquier posibilidad de escapar de allí con libertad.

Se dirigió mentalmente a Brina: «Vivo con el hacha proverbial colgando sobre mi cabeza cada día porque, tonta que soy, protejo a los humanos aunque mi vida no cuente para nada».

«¡No es verdad! —Brina gritó en la cabeza de Evalle, esta vez con un acento irlandés más fuerte—. Tú eres un velador y encontraremos la manera de sacar este peso de tus hombros.»

Evalle mantuvo su expresión neutral al responder: «Aprecio tu sinceridad, pero la única manera de hacer eso pasaría por desafiar a este Tribunal. Yo nunca pondría la tribu entera de los veladores en conflicto con VIPER o con una decisión del Tribunal, así que estoy obligada a responder por los crímenes de otros hasta que logre averiguar de dónde vienen esos mutantes... Ahora bien, si pretenden encerrarme no me entregaré tranquilamente».

Brina se dirigió al Tribunal:

—Yo creo que Evalle no está a salvo caminando entre los humanos pero también creo que ahora la necesitamos. Ella es un valioso recurso del que ni VIPER ni los veladores podemos prescindir. No ahora que ha salido a la superficie esta nueva amenaza.

Evalle quería sonreír y lanzar un grito con un puño levantado por Brina, pero mantener la boca cerrada y no mostrar ninguna reacción emocional sería la mejor ayuda que podía prestar a su reina guerrera.

Ares avanzó unos pasos, su expresión habitualmente ceñuda se mezclaba ahora con su irritación.

—Una vehemente defensa a favor del mutante, desde luego, pero si le permitimos permanecer libre, ¿tú pagarás el precio de que este Tribunal te juzgue si se demuestra que estás equivocada?

Su descarado desafío golpeó a Evalle como un puño frío. Ares se atrevía a sugerir que Brina pusiera el cuello en la soga junto con Evalle, pero la reina guerrera no podía hacer esa promesa, porque...

—Lo haré —confirmó Brina.

Evalle gritó dentro de la mente de Brina.

«¡No! No puedes arriesgar el futuro de los veladores por mí.»

«¿Acaso no cumplirás tu promesa?»

«Por supuesto que lo haré, pero yo soy, yo soy...»

«¿Qué es lo que eres, Evalle?»

«Una mala apuesta.»

«No, tú eres un velador que ha jurado proteger a su tribu, exactamente igual que yo. Juré proteger a cada uno de los veladores, y eso te incluye a ti. Aunque este Tribunal no te reconozca como uno de nosotros, yo sí lo hago. Lo hago.»

Evalle tragó saliva ante ese regalo que era la confianza de Brina, pero esa era una razón más para sentirse acorralada. Le dijo a Brina: «Yo... —Soltó el aire, decidida a sacar las palabras. No podía poner en riesgo a la persona más importante para el futuro de los veladores—. Permitiré que me encierren».

«No lo harás. Yo no lo permitiré.»

Evalle nunca volvería a dudar del apoyo de Brina y nunca fallaría a su reina guerrera, empezando por intentar convencer al Tribunal de que no pusiera a Brina en peligro.

Ares declaró:

—Admiro tu lealtad por el mutante, Brina de Treoir, pero no sería seguro permitirle volver junto a los humanos.

—¿Puedo volver a hablar? —preguntó Evalle a Pelé.

Ares ignoró a quién se dirigía Evalle y le soltó un gruñido.

—Habla una última vez y acabemos con esto.

Los hombros de Brina se movieron como si fuera a tomar

aliento, preparándose para intervenir una vez más, pero Evalle respondió primero.

—¿No hay alguna forma de limpiar mi nombre de una vez por todas? Lo único que pido es la oportunidad que cualquiera de vosotros querríais si estuvierais hoy en mi lugar.

La furia se acumuló a través del aire y la imponente mirada de Ares se volvió negra. Advirtió a Evalle:

—No te compares conmigo. Yo soy un dios.

Evalle vio escabullirse su última oportunidad con esa ira.

Loki dejó de jugar con sus diminutos juegos artificiales y lanzó una mirada a Ares, que no advirtió la sonrisa astuta que iluminaba los ojos de Loki.

—Yo digo que accedamos a la solicitud del mutante.

Evalle se quedó boquiabierta ante el inesperado apoyo de Loki, aun si la verdadera razón detrás de ese comentario fuera provocar a Ares, que se dispuso a empuñar su espada.

Como moderadora de aquel Tribunal, Pelé dio un paso atrás, colocándose de nuevo entre los dos dioses.

—Primero deberá responder por los tres mutantes que se fugaron.

Loki asintió.

—De acuerdo. Permitamos que aquel que entregue a VI-PER los tres mutantes que se escaparon quede libre de anteriores transgresiones. Eso servirá como prueba de que es segura para los humanos y solucionará el problema del mutante perdido.

Esa era una respuesta, o mejor dicho la respuesta, a los problemas de Evalle. ¿Cómo encontraría a los fugitivos? Y si los encontraba, ¿cómo podría condenar a alguien a vivir en una jaula cuando ella sería capaz de luchar a muerte con tal de evitarlo?

—En cuanto a esos tres…

—¡Silencio! —gritó Ares.

—Dejad hablar al mutante —dijo Loki con el tono de benefactor más amable que nadie le había oído jamás.

Evalle atribuyó la intervención de Loki de nuevo al hecho de ser el antagonista de Ares, pero eso era problema de Pelé, y no de ella.

Pelé asintió.

—Puedes hablar.

Evalle dijo:

—Gracias. Si los tres mutantes vienen conmigo voluntariamente, me gustaría pedir una cláusula para tener la oportunidad de que defiendan sus casos ante la corte del Tribunal.

Brina no se movió, pero enderezó su postura.

Ares soltó:

—No.

Loki exhibió una sonrisa satisfecha.

—No veo ningún problema con eso.

—Esto no puede someterse a votación —discutió Ares.

—Oh, pero deberá ser así —dijo Pelé, interviniendo antes de que las cosas empeoraran. Dio la espalda a Brina, a Evalle y a Sen para hablar en privado con los dos dioses. Ares miraba con odio letal a Loki, que no dejaba de sonreír.

Evalle se dirigió a Brina mentalmente: «La única forma de que pueda entregar a tres mutantes, si es que eso es posible, será que Macha garantice su seguridad mientras esperan para hablar ante el Tribunal y no los meta directamente en prisión. Y si uno de los tres mata en defensa propia quiero que se los libere».

«Tu propia libertad está siendo cuestionada en este momento», le recordó Brina.

«Ninguna libertad es más valiosa que la mía. Sé que hay mutantes que han matado en los últimos dos días, pero eso no significa que todos seamos enfermos asesinos. Si un mutante se presenta ante esta corte y afirma que ha luchado para defender su vida y no se enciende como una farola roja, estará diciendo la verdad y merece ser protegido.»

Brina asintió débilmente. «Concederé su libertad a un mutante si el Tribunal lo considera inocente de asesinato y jura lealtad a los veladores.»

Evalle soltó la respiración. Sus oportunidades de encontrar a los tres mutantes en fuga serían mínimas si no tuviera a sus compañeros veladores y a Storm para ayudarla.

Cuando Pelé se dio la vuelta, se dirigió a Evalle.

—Hemos llegado a un acuerdo y apoyamos la oferta de Loki.

Solo por un voto, a juzgar por la expresión disgustada de Ares.

Evalle ya había aprendido la lección por no haber aclarado las reglas la última vez.

—¿Hay algo que pueda o que no pueda hacer mientras voy en busca de los tres mutantes desaparecidos?

Brina sabría dónde estaban los tres antes de escapar, ya que había sido ella quien ordenó encarcelarlos. Si Evalle pedía que la enviaran a esas localizaciones junto con Storm les podría seguir el rastro desde allí.

Evalle brilló ante aquel pensamiento hasta que Pelé dijo:

—No debes requerir ayuda de nadie que esté con VIPER, ya que los mutantes en fuga no son problema de VIPER y sus recursos deben ser empleados en defender a los humanos de sus problemas actuales. Tampoco puedes pedir a Brina que comparta lo que sabe, ya que está bajo juramento de silencio respecto a los mutantes.

—Entonces es una tarea imposible —murmuró Evalle, aunque a Brina y las otras entidades no se les escapaba nada de lo que se hablara en su reino.

Sen estaba lo bastante cerca como para oírla también, y sus labios se curvaron con evidente deleite.

Loki levantó un dedo, como si fuera Aristóteles instruyendo a sus estudiantes.

—No tan imposible. Te daremos tres dones, que servirán mientras sean usados con el cometido explícito de recuperar a los mutantes. De lo contrario, el poder se volverá contra ti. Cada don debe ser único y no puede ser repetido una vez se solicite. Y no usarás ninguno de esos dones para matar a menos que no tengas otra alternativa.

Evalle frunció el ceño.

—¿Cuáles son los tres dones?

—Te corresponderá decidirlo a ti cuando surja la necesidad. Deberás usar estos dones únicamente para cumplir con tu acuerdo. Si usas incorrectamente uno de ellos serás penalizada severamente.

Se necesitaría ser un mago para descubrir la verdad oculta bajo las palabras de un dios o una diosa. Evalle depositó los tres dones mentalmente y se disponía a preguntar cómo pedir ayuda cuando Loki añadió una advertencia más.

—Y ahora podrás pedir ayuda a una persona. ¿Acaso no es un acuerdo generoso? —Loki sonreía, sumamente complacido consigo mismo.

Aquello parecía un engaño.

Ares levantó la mano, y un elegante reloj de arena apareció sobre su palma.

—Cuando le dé la vuelta, tendrás hasta que caiga toda la arena, luego enviaremos a Sen a buscarte. Cuando tu tiempo se acabe, el reloj de arena llevará a Sen allí donde estés. Si fallas a la hora de entregar a los tres mutantes desaparecidos, usaremos a todos los agentes de VIPER a la vez para dar caza a todos los mutantes que existen y destruirlos.

«Eso me incluiría a mí», reconoció Evalle en silencio.

La suerte estaba echada. Ares no tenía intención de pasar un solo minuto más oyendo más argumentos a favor de ella. Evalle no podría conseguir nada más que lo obtenido hasta el momento. No tenía más alternativa que la de continuar y resolver cuál sería el siguiente paso... si realmente podía encontrar a los mutantes en fuga.

Y había una sola criatura que sabía dónde se hallaban los otros mutantes. Ya que le habían dicho que podía pedir la ayuda de una persona, tal vez podrían traer allí a Tristan.

Eso parecía justo. De ese modo, Brina no tendría que dar a conocer su localización y ella misma podría enviarlo de vuelta a su jaula después de que respondiese las preguntas de Evalle.

¿Cuáles eran las posibilidades de que Tristan respondiera sinceramente?

Bastante altas si se ponía de color rojo cada vez que mentía. Nadie podía desafiar al Tribunal a menos que se tratara de un dios o una diosa y esa posibilidad terminaría en una matanza.

«Y Tristan no puede atacarme aquí.»

Aquella idea tenía un buen potencial.

—Lo entiendo —dijo Evalle, y luego añadió—: ¿Pero cuánto tiempo tarda en vaciarse el reloj de arena?

Loki dijo:

—Más de un día y menos que una eternidad.

Eso no ayudaba. Renunció a aquello y continuó con algo más útil.

—Quiero que toda la responsabilidad del éxito o del fracaso de esta misión pese sobre mis hombros, y no sobre los de Brina.

Ares ladró:

—Denegado.

Las palabras de Brina llegaron a la mente de Evalle a través de un susurro. «Hazlo lo mejor que puedas. No espero más.»

El poder de esa fe fue para Evalle como un golpe en el pecho. Por un momento sintió que no podía hablar.

Brina susurró rápidamente en la mente de Evalle: «El Tribunal no está tan bien informado como le gustaría creer. Ha habido dieciséis mutantes que se han transformado y han matado en las últimas cuarenta y ocho horas. Han matado setenta y seis humanos. Pero compartir eso con el Tribunal los convencería de que tú tienes la culpa de este estallido y no te dejarían en libertad».

«¿Todos esos mutantes están muertos?»

«No. Hay ocho todavía sueltos.»

Ares dio la vuelta al reloj de arena y la arena comenzó a derramarse en una delgada corriente.

Brina se manifestó todavía más rápido en la cabeza de Evalle: «Tienes razón acerca del peligro que supone que los veladores se vinculen para luchar contra los mutantes. Yo no puedo revelar mucho acerca de los mutantes porque estoy bajo juramento, pero puedo decirte que tú eres diferente a cualquiera y el más poderoso de los mutantes que he encontrado en mucho tiempo. Te necesito para averiguar por qué está ocurriendo esto y para ayudar a Tzader a entender cuál es la mejor manera de defenderse de este estallido».

«Me necesitas para que dé caza a los míos.»

«Sí.»

Ahora Evalle entendía por qué Brina había aceptado garantizar la seguridad de esos tres asegurando que serían escuchados por el Tribunal.

Evalle se aclaró la garganta.

—La persona a quien me gustaría pedir ayuda es Tristan. Él

debe de saber dónde fueron los mutantes tras escapar. —Ahora habría que ver si Brina la ayudaría teletransportándolo hasta allí—. Si Brina pudiera...

Con una voz alegre, Loki dijo:

—Por descontado. Brina, teletransporta a Evalle hasta donde se halla Tristan.

¿Cómo? Evalle miró a Sen, que no habría estado más feliz si el Tribunal la hubiera golpeado con un rayo.

Brina se volvió para mirar a Evalle, con ojos inundados de pánico y preocupación.

Loki ordenó con voz estridente:

—¡Hazlo ahora!

Evalle sacudió la cabeza, diciendo:

—Tristan me matará...

La luz se hizo borrosa y el mundo comenzó a dar vueltas con miles de colores mientras a Evalle se le retorcía el estómago. Ya iba en camino hacia un lugar desconocido.

Enfrentarse al fracaso la enfermaba más que el vértigo, especialmente si aterrizaba justo frente a Tristan. Había luchado contra él una vez y lo había superado, pero eso había sido porque él la necesitaba con vida.

Esta vez la querría ver hecha pedazos.

La voz de Brina le susurró: «Solo tengo segundos hasta que el Tribunal me llame de vuelta. No uses tus poderes sobre la jaula de Tristan o estos se volverán contra ti multiplicados por dos. Creo en ti». Tras decir esto desapareció.

La muerte la esperaba al final de aquel viaje... ¿pero qué destino les esperaría a Brina y a los veladores si Evalle fallaba y no lograba recuperar a los mutantes en fuga?

Seis

*H*aciendo acopio de fuerzas para asumir el papel de mensajera de malas noticias, Kizira avanzó a través del corredor arqueado que conducía hasta la cámara privada de la reina Flaevynn en el reino de TAur Medb. Como una de las brujas más poderosas del aquelarre de Medb, Kizira debería estar avanzando por ese corredor con el mutante Evalle Kincaid, y no con las manos vacías.

Pero usar a esos mercenarios para secuestrar al mutante no había sido la estúpida idea de Kizira, sino de la propia Flaevynn.

Señalarlo no la salvaría.

En cuanto a ideas pobres o pensamientos privados que pudieran traicionarla, era hora de apartar mentalmente todo lo que no quisiera que fuera descubierto a través de una intromisión telepática no deseada.

La reina disfrutaba entrometiéndose a través de las mentes de sus subordinados.

La manera más simple que Kizira había encontrado para proteger sus secretos más íntimos había sido la de apartar sus verdaderos pensamientos, y después dejar que en su mente fluyera una historia ficticia con falsos recuerdos cotidianos que ella había comenzado a crear trece años atrás.

Con la práctica constante, Kizira endureció su mirada haciéndola parecerse a la de aquellos encargados del cumplimiento de las órdenes de su reina. Permitió que su personalidad ficticia tomara el lugar, esa personalidad que se sentía orgullosa de ser la mejor asesina de Medb y una leal servidora del aquelarre, contenta de cumplir con su rol y sin ninguna intención de fracasar en aquella endiablada... operación.

«Intenta eso de nuevo.»

... sin aspiraciones de gobernar algo tan vasto como un reino o, en este caso, el dominio de una reina.

Cuando Kizira se aproximó a las puertas doradas, el guardia no la miró a los ojos ni movió un solo músculo, y tenía muchos para mover. Llevaba únicamente una cota de malla que le llegaba por encima de las rodillas y permitía un acceso rápido a los antojos de la reina. Flaevynn escogía sus guardias por la belleza de sus rostros y sus poderes físicos, y también por sus habilidades en la cama.

Eran infaliblemente leales.

Si la mirada de un guardia se desviaba hacia otra mujer, la reina lo condenaría a la ceguera y lo desterraría a vivir entre los humanos.

Pero si el guardia estaba lo suficientemente loco como para tocar a otra mujer, la reina le cortaría los dedos y haría con ellos un collar que el hombre debería llevar puesto estando encadenado y obligado a contemplarla mientras ella practicaba el sexo con otro guardia.

«No hay ninguna amenaza para ti, joven.» Kizira había conocido al mejor de los hombres, y no había nadie que llegase a los talones de Vladimir Quinn.

Ella se mordió la mejilla por dentro ante ese desliz.

Quinn no formaba parte del mundo de ficción donde ella permitía las incursiones. No podía arriesgarse a que Flaevynn descubriera lo que había ocurrido entre él y Kizira trece años atrás.

Para mantener a salvo ese secreto, Kizira tenía que concentrarse. Inspiró varias veces y se sumergió en su mundo imaginario. Agudizó su concentración y repitió silenciosamente que lo único que le importaba era proteger el imperio del aquelarre Medb. Su mayor deseo era ver cumplida la maldición del druida Cathbad que pesaba sobre los veladores, para ver entregada a su reina la isla de Treoir, sede del poder de los veladores.

Esa maldición provenía del primer Cathbad, que había vivido dos mil años atrás, y no del actual Cathbad sentado en el calabozo de TAur Medb.

Flaevynn discutía que no se trataba de una maldición que recayera sobre los Veladores, sino de una maldición sobre las reinas Medb, y era cierto que su punto de vista resultaba válido. Como consecuencia del poder que había tras esa maldición, cada reina Medb podía vivir únicamente seiscientos sesenta y seis años.

Ni un día más ni un día menos.

Flaevynn había despotricado interminablemente contra el hecho de no saber si Treoir sería capturado durante su vida o durante el próximo gobierno de una reina Medb. Los detalles concretos de la maldición habían pasado en secreto exclusivamente de un druida de Cathbad a otro. La ira de Flaevynn se había desatado como la de un volcán un año atrás cuando el actual Cathbad se había negado a compartir lo que sabía.

Ella había decidido mantenerlo en prisión hasta que él revelara todo lo que sabía.

La reina quería poseer a Treoir ahora, pero el peligroso juego que había lanzado durante los últimos meses para acelerar una fecha fijada hacía miles de años significaba alterar el destino.

Kizira apoyaría sin compasión el propósito de Flaevynn de conseguir el reino de Treoir y ganar su inmortalidad por una simple y única razón: Kizira planeaba obtener la isla de los veladores y su castillo para sí misma. Ganar la inmortalidad, el poder de los veladores y todos los poderes de Medb antes de que Flaevynn pudiera hacerlo era la única esperanza de Kizira, porque solo eso le permitiría desembarazarse del yugo de Flaevynn y proteger a aquellos que amaba… incluso a aquel que resultaba ser su enemigo declarado.

A dos pasos de la entrada de la cámara de Flaevynn, Kizira dio la orden silenciosa de que se abrieran las puertas y pasó a través de ellas mientras estas giraban ampliamente.

Fue un alivio no encontrar en la cámara de su reina hombres desnudos encadenados a su trono como perros a la espera de que se requiriesen sus servicios.

La reina Flaevynn se hallaba de pie a un lado de la habitación con los brazos en alto, cantando suavemente frente a una pared de piedras preciosas que conformaban un fondo cegador para el agua que caía en cascada. Desde diamantes hasta esmeraldas y rubíes, no había una sola piedra más pequeña que el puño de Kizira. La luz de cien velas estrechas, que rodeaba la habitación, destacaba los ángulos agudos y enviaba un caleidoscopio de color a través de la pálida piel de Flaevynn, con su cabello negro que le llegaba por la cintura y su vestido largo de un brillo iridiscente.

Pocas mujeres en ese reino sobrenatural la igualaban en belleza, especialmente dado que la reina ordenaba la muerte de cualquier mujer que pudiera rivalizar con ella.

Cuando el canto cesó, Kizira tomó aire y se preparó para enfrentarse a la ira de Flaevynn por su fallo, pero las puertas se abrieron de golpe.

Gruin, el guardia mayor de todos, irrumpió en la habitación, con el cabello largo a la altura de las rodillas flotando detrás de él y con su rostro de barba entrecana salpicado por la ira.

—¿Qué es eso que he oído de que la bestia ha sido soltada?

Flaevynn se dio la vuelta sobre un colchón de aire. En sus ojos color púrpura había un destello de brillantes llamas naranjas.

—Ten cuidado con tu tono, anciano. —Volviendo su mirada hacia Kizira, preguntó—: ¿Por qué vas vestida de forma tan vulgar?

Kizira no creía que sus tejanos negros y su blusa de seda azul marino fueran ropas vulgares, pero se encogió de hombros y respondió:

—Me resulta más fácil moverme sin ser detectada entre los humanos cuando llevo ese atuendo, su alteza. Estoy dispuesta a vestirme como sea necesario para servirla lo mejor posible.

Gruin avanzó adelantando a Kizira, que solo había dado dos pasos en el interior de la habitación. Le lanzó una mirada oscura, señalándola a ella como la responsable de haber soltado esa niebla dotada de sentidos en el mundo de los humanos.

«Como si yo tuviera alguna elección cuando Flaevynn me obliga a hacer algo, viejo amigo.»

Gruin hizo un gesto de desprecio a Kizira con la barbilla y avanzó frente al trono de su reina. Al detenerse abruptamente, el dobladillo de su bata de un rojo cereza azotó sus delgados tobillos.

—¿Es verdad o no?

Flaevynn ahora holgazaneaba sobre el sillón de oro y ónix con forma de dragón. Sus ojos brillaban con la confianza de un depredador y en su voz había un tono de amenaza.

—Sabes la respuesta a eso o de lo contrario no estarías aquí. Como puedes ver, mi sicaria ha venido a darme un informe. Ocúpate de tus asuntos y date prisa, anciano.

Él apretó tanto la boca que parecía una pasa de uva.

—Este reino existe para protegernos a todos mientras cumplimos con nuestros deberes de acuerdo con el cronograma que queda por delante. La niebla hostil no debía usarse tan pronto. Nos pones en peligro a todos adelantándote sin conocer la profecía en su totalidad.

—Se trata de una maldición, no de una profecía —le gruñó Flaevynn—. No me quedaré aquí sentada tranquilamente mientras mi muerte se aproxima y otra reina queda condenada a mi destino.

Kizira dudaba de las intenciones altruistas de Flaevynn respecto a las futuras reinas.

Mostrándose resuelto ante la mordedura cáustica de Flaevynn, Gruin discutió:

—Soy tu consejero…

Flaevynn lo interrumpió:

—No recuerdo haber solicitado tu consejo, anciano. —Lo señaló con una larga uña negra rociada de diamantes.

Él retrocedió un paso, luego se quedó helado como si sus pies no pudieran moverse.

—Soy un anciano… protegido por Cathb…

Flaevynn giró su dedo dibujando un diminuto círculo.

Kizira nunca había oído que un anciano fuera asesinado, ya que el castigo por herir a uno de ellos era severo, pero con Cathbad en el calabozo no había nadie suficientemente poderoso como para intimidar a Flaevynn.

Gruin abrió los labios de golpe. Comenzó a atragantarse

mientras la lengua se deslizaba hacia afuera, estirándose hasta que la carne rosada se estrechó hasta alcanzar el grosor de un lápiz. Un grito estrangulado salió de su garganta cuando su lengua comenzó a dar vueltas en círculo formando un nudo. Como de la nada, apareció un delgado pincho de metal que pasó a través de su lengua entre el nudo y su boca.

La sangre de la herida corrió por su barbilla, salpicando el aire con un olor cobrizo.

Cayó de rodillas, escarbándose la garganta con los dedos. Las lágrimas se derramaban por sus mejillas arrugadas. Un sonido lastimoso acompañaba sus constantes náuseas. Su rostro se volvió de un rojo intenso justo antes de caer hacia delante sobre el suelo de mármol y dejar de moverse... y de respirar.

Kizira sintió los ojos de Flaevynn clavados en ella, observándola... juzgándola. La reina castigaba la debilidad. Cualquier ayuda que Kizira pudiera haber ofrecido no habría hecho más que empeorar la suerte del anciano y también la suya propia.

Recurriendo al don que había desarrollado hacía tanto tiempo para poder sobrevivir, Kizira sonrió a Flaevynn al señalarle:

—No había considerado la idea del pincho. Efectivo y brutal. Bien hecho.

Flaevynn pareció satisfecha, casi sonriente. Bajó la vista hacia la forma inerte, hizo un sonido de asco y chasqueó los dedos.

El anciano se sacudió, luego empezó a jadear y a toser. Se esforzó por ponerse de rodillas, respirando con dificultad por la boca abierta ahora que su lengua fue liberada. Sus delgados labios estaban cubiertos de sangre.

Flaevynn le indicó:

—Te permito volver a respirar para que lleves mi advertencia a los otros ancianos. No te metas donde no se te necesite ni seas invitado. —Lo miró mientras él se alejaba hacia la entrada, donde había dos guardias que parecían antiguos espartanos. Cada uno de ellos agarró al anciano de un brazo y se lo llevaron entre los dos.

Flaevynn movió la mano hacia la derecha del trono y la sostuvo allí hasta que apareció un joven de cabello negro y cuerpo perfecto. Llevaba chaparreras de cuero y una gargantilla de plata. El collar de castigo consistía en clavos unidos que se clavarían en el cuello del hombre cuando alguien tirara de la cuerda de plata trenzada que colgaba de la gargantilla.

La reina dio a la cuerda un ligero tirón y el collar dejó manchas rojas de sangre en la piel del joven.

Él apenas se encogió, y, como un animal bien entrenado, volvió su cuerpo hacia el trono de la reina.

Flaevynn creía que un suministro constante de jóvenes en su cama la harían mantenerse hermosa y deseable, pero no tenía control sobre el envejecimiento... ni sobre el último día de su vida predestinada.

Nadie tendría ese dominio hasta que conquistara la isla de Treoir.

—Has regresado antes de lo que esperaba —dijo Flaevynn, al tiempo que soltaba la correa. Pasó la mano por los abdominales esculpidos de aquel hombre que le servía de juguete—. Ya que no te has tomado el tiempo de cambiarte de ropa para presentarte ante mí de manera apropiada, solo puedo suponer que has corrido a mi encuentro para darme buenas noticias. ¿Cuántos mutantes nos quedan por recuperar?

Kizira avanzó hasta quedarse de pie ante una alfombra de tigre blanca con los pies separados y las manos cogidas detrás de la espalda. No podía retrasar aquello por más tiempo.

—Todavía tenemos que localizar y capturar a los cinco mutantes.

La mirada de la reina ardió de furia.

—¿Qué ha ocurrido, Kizira? Dijiste que los cazadores de recompensas a los que entregamos el hechizo podrían traernos a la mujer mutante.

«No, yo dije que la emboscada era una apuesta que yo no recomendaba y que los hombres no estaban bien cualificados.» Pero alguien tenía que cargar con la culpa del fracaso.

—La perdieron.

—¿Que la perdieron? ¿Cómo se pierde a un mutante? ¿Cómo se hace eso?

Kizira mantuvo la calma. La ira de Flaevynn podría acobardar a un ejército de guardias y ella sería todavía más dura si alguien mostraba cualquier síntoma de vulnerabilidad. Kizira advirtió la esperada intromisión mental de su desconfiada reina y llenó su cabeza con angustia por haber decepcionado a su soberana.

Repugnante pero efectivo, ya que la intrusión desapareció.

Kizira soltó un suspiro comprensivo, y explicó:

—Nuestros cazadores casi tenían a la mujer mutante dominada, pero Sen, el intermediario de VIPER, la teletransportó. Teníamos los mejores cazadores de recompensas, pero ninguno es como Dakkar. Lo habríamos usado a él si no hubiera rechazado el contrato.

—Ofrécele más.

—Lo intenté. Se negó incluso a discutirlo.

Flaevynn golpeó con la mano el brazo de su trono.

—¿Qué tipo de cazador de recompensas se atreve a rechazarnos?

—No quiere poner en peligro su situación con VIPER.

La reina silbó.

—VIPER tiene tan solo el poder de aquellos que le dan soporte. Cuando Brina o Treoir caigan, también caerán los veladores, su poder y la columna vertebral de VIPER. Entonces veremos quién gobierna el mundo. Ninguno de ellos será mi problema si me trae la piedra Ngak.

Otro proyecto arriesgado con el que Kizira estaba en contra.

—La piedra Ngak es conocida por dirigir su propio destino y por ser altamente impredecible. Si tomaras posesión de ella, la piedra podría volverse contra ti y quizás… podría matarte.

Esa era la única razón por la cual Kizira lamentaba perder la piedra.

Kizira evitó prestar atención a lo que su reina estaba haciendo con su sirviente. Dirigió la mirada a los brillantes ojos amarillos de la cabeza del dragón que se cernía por encima de Flaevynn como si se atreviera a todo menos a tocarla.

—Si no hay nada más, su alteza, la dejaré de nuevo a solas.

—Todavía no te he despedido —le soltó Flaevynn—. ¿Cómo planeas capturar a los mutantes? Te di permiso para soltar la niebla que los obligaría a transformarse y adquirir su forma de bestias. ¿Qué más necesitas?

¿Permiso? Ella le había ordenado que soltara la niebla, una niebla antigua con capacidad sensible que volvía hostil todo lo que tocaba. Pero contradecir a su reina podía traer consecuencias más funestas que la de tener la lengua atada y atravesada por una estaca.

Kizira respondió:

—La niebla solo está haciendo mutar a los rías. Los rías se transformaron en bestias de manera parecida a como se transforman los mutantes, pero los rías carecen de la sangre de los veladores que tiene poderosas habilidades. Usar la niebla ahora ha sido un error.

Uno de los pocos detalles concretos que Cathbad había compartido acerca de la maldición fue la advertencia de que había que esperar a que los cinco mutantes fueran localizados antes de soltar la niebla para forzar intencionadamente a los rías a alterarse antes de atacar a los Treoir.

Kizira le recordó a Flaevynn:

—De acuerdo con la maldición de Cathbad, deberíamos esperar…

—¡Cállate! —La habitación se sacudió y el agua que había en la base de la cascada empezó a bullir por la rabia de Flaevynn.

Una fuerza invisible golpeó a Kizira por detrás de las rodillas, haciendo que sus piernas se desplomaran. Cayó al suelo, y apretó los dientes con fuerza para evitar insultar a Flaevynn por el dolor que abrasaba sus muslos.

Algún día…

Esforzándose por controlar su temperamento, Kizira se tragó un gruñido y se concentró en su capacidad de humildad. En cuestión de segundos el sudor le brillaba en la piel. Aquello tenía que ver con la Flaevynn que ella conocía, era la reacción que podía esperar. Y eso era lo que la había movido a llevar pantalones y camisa en lugar de un vestido voluminoso.

Cuadró los hombros y se enderezó.

La reina señaló con un dedo a Kizira. Su uña negra se alargó dos centímetros mientras hablaba.

—Te dije que no teníamos que esperar más. Ha llegado la hora de acabar con esta estúpida maldición. Lo único que necesitas es preocuparte de localizar a los cinco veladores mutantes.

Kizira bajó la cabeza, más que nada para evitar que se viera cómo estaba apretando los dientes.

—Lo he entendido, su alteza. No pretendía desafiarla.

No todavía.

—¿Has convocado la niebla en todas las ciudades que comentamos?

¿Ella realmente pensaba que sería capaz de regresar allí sin hacer eso?

—Sí —respondió Kizira, levantando la cabeza. —Seguí exactamente tus instrucciones. Generé nieblas hostiles aromatizadas con azufre para enmascarar su origen de magia Noirre. Las primeras ciudades penetradas fueron las que están a lo largo de la costa, en zonas donde ese tipo de condición atmosférica ya existe, para impedir que VIPER descubriera demasiado pronto que la niebla es la causa de la transformación de los rías.

—VIPER no tiene forma de disipar la niebla sin la ayuda de Medb.

Eso es lo que nosotros creemos, pero en nuestro mundo cabe siempre la posibilidad de lo inesperado. Y el antiguo hechizo solo podría ser usado una vez, pero eso tampoco le importaba a la reina.

—Por supuesto que no, su alteza, pero nos beneficia impedir que progresen en su defensa contra nuestro ataque siempre que podamos.

—¿La niebla ha llegado a Atlanta, donde está la mujer mutante?

Kizira asintió, disfrutando de una breve fantasía en la que Flaevynn estaba descuartizada.

—Llegará pronto. Conjuré la niebla en zonas del norte de la ciudad esta mañana. Eso permitirá que la niebla llegue hasta Atlanta y es preferible que originarla allí, pues eso habría alertado a VIPER demasiado pronto. Me preocupaba que si se convertían demasiados rías, se llamara la atención de todos los recursos de VIPER en Norteamérica.

Rías era el nombre que se daba a los descendientes de una línea de bestias cuyo origen se remontaba a mil años atrás con el famoso guerrero Cú Chulainn, que poseía habilidades sobrehumanas, como quedaba demostrado por su *ríastrad*, un modo de combate furioso durante el cual se transformaba en un monstruo inidentificable que mataba todo cuanto hallara en su camino.

Flaevynn tosió como si VIPER no fuera más que un pequeño inconveniente.

—Los rías dejarán de ser una preocupación en cuanto los mutantes se vean expuestos a las fuerzas de la niebla sensible que les haga adoptar su forma de bestias.

Kizira advirtió:

—VIPER y los veladores creen que todas las formas humanas que se transforman en bestias son mutantes. Si los rías continúan transformándose demasiado pronto, no tendrás un ejército de ellos cuando estés preparada para asaltar el castillo de Treoir.

—Eso es ridículo. ¿Por qué no?

—Porque VIPER se pondrá a matar rías tan pronto como los descubra, y VIPER no es la única fuerza capaz de destruirlos. Hay un grupo de humanos con armas tradicionales altamente poderosas que está destruyendo también a las bestias. Puede que ellos maten a los mutantes que buscamos antes de que logremos localizarlos.

Flaevynn sacudió la cabeza y se rio.

—Cabría pensar que la falta de ojos verdes brillantes sería una indicación de que los rías no son mutantes. —Suspiró—. Los veladores no son el faro más brillante de la noche.

Solo un masoquista corregiría a la reina, pero Kizira sostenía que los veladores eran sus enemigos más poderosos y que no había que subestimarlos. Si no fuera que Flaevynn no había salido de TAur Medb desde que Kizira había asumido el papel de sicario a sus dieciocho años, se habría dado cuenta de eso.

Flaevynn hubiera fruncido el ceño, pero arrugar esa piel perfecta estaba fuera de consideración. Murmuró:

—La niebla debería servir de manto a los rías.

Kizira le aclaró:

—La niebla cubre a las bestias hasta que estas se salen de ella.

—No me vengas con problemas —le advirtió Flaevynn—. Quiero a esos mutantes veladores. Ahora. Forma una banda de niebla más ancha, haz algo, pero entrégamelos o encontraré a otro que pueda hacerlo.

«¿Cómo quién?» Kizira apretó la boca con fuerza para evitar gritar ante eso. Flaevynn no tenía a nadie con el nivel de poderes de Kizira para enviar fuera a cumplir sus órdenes. Al menos nadie que Kizira hubiera conocido. El pánico de Flaevynn ante la idea de una muerte inminente la había hecho enloquecer más de lo habitual. Si Flaevynn tuviera a otro que luchara sus batallas, ordenaría a Kizira que permaneciera en TAur Medb.

Kizira no podía arriesgarse a eso, no ahora que la seguridad de otra vida dependía de su habilidad para ir y venir a su antojo.

«¡Para! No pienses en eso…» Kizira trató de dominar su mente para recuperar su calma habitual. Ella era la asesina de mayor confianza de Flaevynn, aquella que adoraba a la reina.

Instruyendo a su rostro para que permaneciera pasivo, Kizira dijo:

—Yo entregaré a los cinco mutantes.

—Entonces hazlo. Tienes cuarenta y ocho horas para entregarme dos mutantes. No toleraré otro fallo. Hay mucho espacio en el calabozo con ese druida.

Allí estaba Kizira abriendo el vestíbulo para encontrarse con Cathbad.

—Entendido, su alteza. Hablando de Cathbad, ¿me permitiría hablar con él para ver si puede orientarme acerca de cómo localizar a los mutantes con mayor rapidez?

El rostro de Flaevynn se retorció de odio.

—¿Crees que te dirá a ti lo que se niega a compartir conmigo? ¡Su propia esposa!

Era difícil entender por qué un hombre encerrado en un calabozo por su esposa mientras esta tenía sexo con todos los penes del reino sentiría el menor asomo vengativo, ¿verdad?

Kizira se esforzó por mostrar una devoción sincera en su respuesta y sonar como si tuviera miedo de Cathbad.

—Estoy dispuesta a asumir el riesgo de encontrarme con él si eso pudiera ir en su beneficio, su alteza.

La respuesta suavizó a Flaevynn, que se echó hacia atrás en su asiento y sonrió al joven macho que se hallaba cerca de ella. Deslizó la mano por su abdomen hasta su…

Kizira no tenía estómago para soportar un minuto más de aquello. Apretó los dientes.

—Cuanto antes vea a Cathbad, mejor.

Flaevynn gritó:

—¡Ve!

Antes de que Kizira pudiera formular un solo pensamiento la habitación se desvaneció a su alrededor. Aleluya. Pasó un momento suspendida entre el tiempo y la realidad antes de que sus pies se acomodaran en el suelo de piedra. Habría preferido ser ella misma quien se teletransportase, pero no podía llegar al calabozo sin que eso fuera a través de Flaevynn. La reina había hecho prisionero a Cathbad tras convencerlo de que ella había enviado a Kizira al calabozo. Cuando él se dirigió allí para verla, la reina lo encerró en una sala sobre la cual tenía poder.

Cuando logró enfocar la habitación, Kizira se enfrentó a Cathbad el druida, que ya era el número cincuenta en llevar ese nombre.

Más semejante a un hombre en mitad de los treinta que a un anciano de más de seiscientos años, se hallaba sentado en calma descansando sobre una silla acolchada de escritorio. Lejos de ser una anticuada celda de mazmorra, su alojamiento estaba iluminado por numerosas velas, aunque carecía de ventanas al exterior.

¿Qué habría visto en aquel reino a excepción de la niebla gris verdosa que envolvía TAur Medb, la torre de Medb?

Había estanterías de libros alineadas en la pared de la celda, y estas contenían valiosos tomos que habían pasado de un druida a otro desde Cathbad el druida original. Había un armario que contenía dos batas idénticas a la bata negra que llevaba puesta. Ella lo sabía porque había sido quien se las había llevado en un tiempo en que la dejaban visitarle, al principio de su cautiverio.

Él se giró hacia un lado para mirarla a la cara y se rascó la barba negra cuidadosamente recortada, examinándola con ojos de halcón. El pelo negro y ondulado le llegaba por los hombros.

—Me alegro de verte, hija.

—Hola, papá.

—Me sorprende que Flaevynn te haya permitido visitarme. ¿Ha cambiado algo entre las dos?

—No. Continúa odiándome tanto como el día que me parió.

Siete

Kizira se enfrentó al dilema habitual con Cathbad: ¿debía abrazarlo o mantener tanta distancia como fuera posible entre ellos? A diferencia de lo que le ocurría con Flaevynn, sentía un vínculo hacia su padre y bailaba a lo largo de una delgada línea entre el cariño y el respeto, con cuidado de no dar un paso hacia el lado equivocado y caer bajo el dominio de su poder letal.

Exactamente de la misma manera que un bebé de tiburón debería respetar las mandíbulas de sus padres, que podrían llegar a considerar a su recién nacido como comida si circunstancias funestas lo requiriesen.

Ella le sonrió, ignorando de momento su dentadura.

—Tuve que convencer a Flaevynn de que arriesgaría mi vida para enfrentarme a ti con el fin de ayudarla. Todavía no le has caído en gracia.

—Y puede que nunca vuelva a caerle en gracia —dijo él con un acento irlandés tan viejo como las cervezas irlandesas que adoraba. Sus hermosos ojos de un púrpura azulado brillaron con una sonrisa conspiratoria cuando se encogió de hombros—. Me odia más que tú por dejarla embarazada para cumplir la maldición, pero debería estarnos agradecida a ambos. El hecho de que no tener hijos le impediría obtener el castillo de Treoir.

Más acertijos en torno a esa maldita maldición.

—¿Por qué?

—Ah, niña, sabes que no compartiré más de lo estrictamente necesario sobre la maldición, no ha llegado la hora. Pero te diré que si ella no te hubiera dado a luz, no tendría la menor oportunidad de conquistar Treoir.

—Pero Flaevynn piensa que darme a luz fue como poner el primer clavo en su ataúd. Cree que sería inmortal si no fuera por mí.

—Es una mujer testaruda que debe aceptar que su destino no es diferente al de cualquier otra mujer nacida para casarse con un Cathbad. Si no se hubiera casado conmigo como ordenaba la maldición, no habría llegado a vivir tanto. Una *geasa*, un hechizo celta que viene junto a la maldición, la protege... al menos un poco más.

Kizira sonrió y le preguntó:

—¿Estás seguro de que Flaevynn vivirá tan solo seiscientos sesenta y seis años?

—Sí. Este es su último año como Flaevynn la reina Medb, tanto si lo desea como si no.

Kizira tenía tan solo una palabra reservada para el día en que Flaevynn arrojara su último escupitajo de veneno: fiesta.

En cuanto eso ocurriera, Kizira sería libre para visitar... se escabulló mentalmente, desviando sus pensamientos hacia la maldición, antes de que un rostro y un nombre tomaran forma en su cabeza.

—Flaevynn cree que si prioriza el plan que tú nos expusiste para este año logrará hacerse con Treoir antes de que se acabe su tiempo.

Cathbad soltó una risita por lo bajo.

Kizira se acercó hacia donde él se hallaba sentado, se apoyó sobre el escritorio y miró a su padre, cuyo atractivo perfil podría rivalizar con el de cualquier humano que fuera modelo de ropa de diseño. Él era lo más cercano que tenía a un padre real, pero sabía que el druida no tendría reparo en utilizarla si eso beneficiaba su causa. La vida de una sacerdotisa de Medb venía acompañada de pocos momentos donde tuviera libertad de decisión. Pero ella alimentaba la esperanza de que llegara el día en que tuviera control sobre su futuro, una vida normal lejos de todo aquello.

¿Normal? ¿Cómo sería eso?

Una vida como esa que disfrutaban los humanos junto a sus seres queridos...

Y pensando en eso corría el riesgo de abrir las puertas a sus pensamientos. Levantó paredes mentales y regresó a su tarea con la única persona que podría ser capaz de ayudarla.

Ahora mismo ella era la única esperanza que Cathbad tenía para escapar de su calabozo, y, al igual que él, ella también lo usaría en su beneficio si era necesario. Kizira miró a su padre con simpatía.

—Lamento que Flaevynn te encerrara aquí la primera vez que fallé a la hora de entregar a la mujer mutante.

—Ya te lo dije antes, no fue culpa tuya. —La observó con detenimiento—. Me culpa por enviar a su hijo contigo. Yo sabía que tú harías todo lo posible para protegerlo.

Kizira esperaba que no fuera culpa suya que su medio hermano hubiera muerto cuando ella y sus señores hechiceros atraparon a esos tres veladores en Utah dos años atrás, pero no echaba de menos a ese pervertido sexual que su madre había dado a luz, con un padre que por otra parte no era el suyo.

Como ella no quiso decir nada que pudiera hacerla tropezar en un sentido o en otro, Cathbad añadió:

—Flaevynn cree que le revelaré la maldición al completo si me deja encerrado aquí, pero está jugando muy mal su mano en esta partida. Y hablando de estar aquí, por mucho que me alegre de verte, creo que ya tienes suficientes problemas.

—Flaevynn ha ampliado el margen de tiempo para encontrar a los cinco mutantes. Me está volviendo loca para que les dé caza y me ha obligado a soltar la niebla hostil.

Cathbad se cubrió los ojos con una mano y se echó hacia atrás.

—Le he advertido repetidamente que si altera el curso de cualquier hecho significativo puede cambiar el porvenir. Ella está tratando de adivinar el resto de la maldición en lugar de liberarme y aceptar hacer lo que yo le indique. Corre el riesgo de arruinar su oportunidad… y la mía… de obtener la isla de Treoir.

—Si me cuentas la profecía entera que envuelve la maldición yo podría ayudarte. Podría ayudaros a los dos.

Él se inclinó hacia delante, apoyando los codos sobre las rodillas.

—Fue el error garrafal que cometí al revelar demasiado antes de tiempo lo que está provocando este problema. Me enviaron ante Flaevynn cuando la barba apenas comenzaba a asomar en mi barbilla. Creí que era lo bastante hombre, pero no estaba preparado para una sexualidad tan poderosa como la de Flaevynn.

—Por favor, ahórrame los detalles. —Kizira necesitaría lavar su mente con ácido si contaba más.

Él se rio.

—Solo estoy diciendo que no habríamos tenido este problema si ella no hubiera registrado mi mente cuando… en fin, cuando tenía la guardia baja y ella pudo descubrir su verdadera fecha de nacimiento. Flaevynn debería creer que le quedan más años por delante, en lugar de saber que se enfrenta a su último año de vida.

—Por eso siempre ha estado obsesionada con los veladores, pero mucho más desde entonces, ¿verdad?

—En parte sí —murmuró él de manera críptica—. Los problemas con los veladores se remontan a la época de la primera reina Medb. Como cualquier otra descendiente de la reina, Flaevynn nació con un odio profundo y con el deber de recuperar la isla que en otro tiempo fue propiedad de Medb.

—¿En serio? ¿Treoir perteneció a Medb en el pasado? —Kizira sabía mucho pero no todo acerca de la historia de Medb, pero los Cathbad se aferraban a la información como un depredador se aferraría a la presa capturada. Cuando él asintió en respuesta, ella preguntó—: ¿Al principio los Medb vivían allí?

—No exactamente, pero los Medb no tendrán otro lugar donde vivir seguros salvo esta torre hasta que no tomemos el control de esa isla.

Ella podía intuir cuántas guerras se entablarían por un tesoro como Treoir, que tenía la reputación de ser uno de los lugares más magníficos entre todos los reinos ocultos. Eso explicaba miles de años de batallas sangrientas contra los veladores, que deseaban proteger Treoir, y los Medb, que estaban decididos a poseer la poderosa isla.

—¿Cuál de mis ancestros lo perdió?

—Existe una historia intrincada que me he pasado los días

intentando desenmarañar, pero todavía no he conseguido tejer los hilos del tapiz. Creo que hay en juego algo todavía más poderoso que el simple hecho de obtener la isla.

—¿Y Flaevynn no sabe de qué puede tratarse?

Él suspiró.

—No. No le importa lo más mínimo la historia, solo le interesa el presente y su inmortalidad. Intercambié con ella otra parte de la maldición por mi biblioteca Cathbad. Nunca había estudiado tanto como desde que estoy aquí abajo. Estoy recomponiendo lo que ocurrió en el pasado con la esperanza de entender la verdad de lo que ocurrirá en el futuro.

—¿Por qué tus antepasados no te contaron todo lo que necesitabas saber cuando te dejaron en herencia la maldición?

Cuando él sonrió, su rostro se suavizó con una calidez humana que habría desarmado a aquellos lo bastante tontos como para dejarse engañar.

—Los Cathbads no somos más dignos de confianza que las reinas Medbs. Yo también querría poseer Treoir durante mi vida, pero no cometeré los errores de Flaevynn. Si ella me hiciera caso, podríamos tomar la isla de Treoir, el poder de los veladores y a continuación matarlos a todos una vez sean vulnerables.

Kizira se aferró a los bordes del escritorio, pero disimuló un pinchazo de dolor al pensar en la muerte de un velador en particular.

—Pero Flaevynn teme que tú le ganes la partida y le robes todo el poder, para luego matarla.

—Cierto.

—¿Cómo lograremos que te libere para que podamos salvar este reino antes de que ella nos destruya a todos?

—No tengo la respuesta… todavía. Sigo reflexionando sobre el hecho de por qué un poderoso druida lanzaría sobre nosotros una maldición que se fuera desplegando a lo largo de tantos años. Siento que me voy acercando a la verdad.

—¿Cuál es tu suposición?

Él puso un codo sobre el escritorio y apoyó la cabeza sobre sus dedos.

—Basándome en los diarios de los antiguos Cathbads, creo

que cada generación de druidas Cathbads y reinas Medbs ha sido más poderosa que la anterior, y este hecho debe de ser el centro del misterio. Un misterio que exige más tiempo del que tú tienes hoy. Todavía no me has dicho por qué estás aquí, además de para iluminarle el día a un hombre viejo como yo.

Los labios de Kizira se curvaron en una sonrisa cuando le oyó referirse a sí mismo como a un hombre viejo.

—La niebla hostil está obligando a los rías a transformarse adquiriendo su forma de bestias en el mundo de los humanos. VIPER y un grupo paramilitar están matando a las bestias cuando se transforman. Me preocupa que no tengamos un ejército suficiente de rías cuando llegue el momento de la batalla.

—Oh, habrá más que suficientes —dijo Cathbad con tan poca preocupación que Kizira sintió un escalofrío en la piel.

Ella no tenía intenciones de vivir toda su vida allí ni en una isla. ¿Qué ocurriría si hubiera tantos rías transformados que finalmente ni siquiera los Medb pudieran estar a salvo en el mundo de los humanos?

Él frunció el ceño.

—Pero tú no deberías soltar la niebla ahora.

Ella se enfureció.

—No es que tenga mucha elección cuando me veo obligada a cumplir con sus órdenes… o con las tuyas.

—Tranquila, hija. Es mejor que te quitemos el poder para que rechaces nuestras órdenes o de lo contrario Flaevynn te mataría si te opusieras a ella. Has nacido con más corazón que cualquier Medb que yo haya conocido.

Kizira sintió un temblor de advertencia en la piel. ¿Acaso él sabía que ella había perdonado una vida que podría haber arrebatado? Hubiera creído que esa flaqueza suya provenía de Cathbad si no fuera por el hecho de que había visto su lado despiadado.

Si alguien se interponía en su camino descubriría que ella podía ser igualmente despiadada.

Él suspiró.

—La compasión es una debilidad peligrosa en nuestro mundo.

«Dímelo a mí». Kizira había esperado hasta el último minuto para conjurar esa niebla cerca de Atlanta, donde corría el riesgo de herir a Qui... mierda. Repitió en silencio para sí misma: «No me importa lo que le pase a nadie en Atlanta ni en ninguna otra parte del mundo. No tengo a nadie a quien proteger ni de quién preocuparme.» Volviendo al tema, dijo:

—Traté de hablar con Flaevynn para disuadirla de que soltara la niebla tan pronto y le sugerí que los cinco mutantes podían hallarse en cualquier parte del mundo de los humanos.

—Ese no es el caso.

—¿Por qué no?

—La maldición dice que esos cinco se levantarán en una isla humana protegida por un pájaro marrón gigante con un gran pico y la cabeza blanca.

—¿El águila calva de Norteamérica?

—Eso encaja. Deben pasar cosas específicas para que demos alcance a Brina en el interior del castillo de Treoir. —Él levantó una mano para detenerla—. No me preguntes más de lo que ya te he contestado. Le dije a Flaevynn que debería esperar a que los cinco veladores mutantes fueran capturados antes de sembrar el caos entre los humanos a través de la niebla. Habrá muchos ríos, pero la idea es emplearlos para un ataque sorpresa una vez tengamos el mutante que puede triunfar sobre Brina.

—¿Cómo se supone que voy a tranquilizar a Flaevynn cuando no sé a lo que me enfrento ni cuáles son las reglas?

—Eso no importa. No puedes negarte a actuar cuando Flaevynn te da órdenes, o de lo contrario morirás.

Cierto. De hecho, Kizira se enfrentaría a la misma consecuencia si Cathbad le daba una orden y ella no la cumplía. Venía de unos progenitores seriamente macabros.

—Al menos dime qué puedo hacer para apaciguarla.

Él bajó el brazo para dejarlo descansar sobre el escritorio y dio golpecitos con un dedo.

—Flaevynn solo quiere tomar Treoir para bañarse en el estanque de la inmortalidad que corre bajo el castillo.

—¿Sabe nadar? Tal vez se ahogue antes de que la inmortalidad la alcance.

Cathbad sonrió abiertamente.

Kizira reflexionó durante un momento.

—Por eso los Medb se enfurecieron al perder esa isla. Ninguna reina ha sido inmortal desde la propia reina Medb original, e incluso ella finalmente murió.

Toda expresión de humor huyó del rostro de Cathbad.

—Pero yo soy quien debe tener éxito por encima de todos ellos cuando llegue la hora, o de lo contrario la maldición se revertirá. Si eso ocurre, todos seremos destruidos.

Más acertijos. No era de extrañar que hubiera crecido odiando los puzles.

Kizira solo quería que todo aquello terminara. Deseaba el poder de tener una vida lejos de todo el veneno que diariamente respiraba, pero jamás vería esa vida si Flaevynn se volvía inmortal. Kizira jamás hubiera luchado para lograr su posición como sacerdotisa de élite si hubiera sabido que a cambio perdería su libertad y debería doblegarse a las órdenes de la reina mientras esta siguiera con vida.

La reina había tolerado a Kizira todo este tiempo solo porque Cathbad había convencido a Flaevynn de que Kizira desempeñaba un papel vital en la destrucción de los veladores.

Ella todavía no sabía cuál era enteramente su papel. Y no podría vivir consigo misma si destruía a Qu...

No pensaría en eso. No allí.

La mirada de Cathbad la recorrió con una expresión de dolor.

—Sé que piensas que me limito a usarte, igual que hace Flaevynn, pero no es verdad. Me importa lo que te pase, hija. Cuanto menos sepas más seguro será para ti.

Ella ignoró la opresión que sintió en el corazón al oírle decir que a él le importaba cuando en realidad sabía que la usaba como a su instrumento favorito. Y ella se veía obligada a danzar al son de su música.

El aquelarre de Medb no era un lugar para los vulnerables ni los sumisos. Ella preguntó:

—¿Qué sentido tiene mantenerme en la oscuridad todo este tiempo cuando es a mí a quien se me envía a enfrentarme con los mutantes, los veladores y cualquier otro ser ahí fuera que guarde rencor contra los Medb? Y no me digas que es por mi seguridad.

—Lo es.

—Bien. Flaevynn me ha puesto el ultimátum de que encuentre a dos de los veladores en cuarenta y ocho horas. Son dos días. ¡Si no lo consigo me encerrará aquí abajo! La mejor oportunidad que tuve de atrapar a un mutante esta mañana se me escurrió de entre los dedos por culpa de unos cazadores de recompensas que contraté. ¿Cómo se supone que voy a encontrar a dos mutantes en tan poco tiempo?

Él permaneció sentado pensando en algo, y al cabo de un momento susurró:

—Es peligroso encariñarte profundamente con alguien que temes perder.

—Aprendí eso en los brazos de mi madre cuando encontró el conejo que tenía por mascota y decidió cocinarlo. —La ansiedad le provocó un hormigueo en el cuello de nuevo, pero nadie sabía a quién estaba protegiendo. Repitió en silencio para sí: «No tengo a nadie a quien perder. Lo único que me importa es servir a los Medb. No hay nada más que me importe».

—¿Entonces no tienes nadie a quien proteger? —preguntó él de una forma que la desafiaba a mentir.

El pánico la inundó, amenazando con hacerle perder el control.

Él no podía saberlo.

Llenó su mente con pensamientos acerca de servir felizmente a la reina para agradecerle el día en que había nacido siendo Medb.

—No, no tengo a nadie a quien proteger excepto a ti, y tú tienes más poder que yo.

Él dio una palmada en su rodilla y sonrió.

—Muy bien. Entonces sé quién puede ayudarte a localizar a tres mutantes.

Kizira se reanimó.

—¿Tres? ¿De verdad? ¿Quién?

—El velador que salvaste cuando tenías dieciocho años.

Los músculos de su pecho se contrajeron y se aferró con más fuerza al escritorio. Él no podía saber de Quinn. Y si sabía de él, eso significaba que también sabría...

Los ojos marrones de Cathbad se afilaron con astuta comprensión.

—Tú sabes que los Cathbads tenemos el don de la vista. Tuve una visión donde te vi conocerlo. Vi cómo detenías a tus hechiceros para que no lo mataran, y luego vi cómo ese velador arriesgaba su vida para salvarte de esos mismos hechiceros. Es por eso que creo que tu corazón es blando.

«Oh, no, no, no.» Eso era exactamente lo que había ocurrido cuando conoció a Quinn. Ella había sido enviada con su primera tarea para demostrar que merecía convertirse en sacerdotisa. Sus hechiceros Medb habían atacado a Quinn con tanta rapidez que él no había tenido la oportunidad de defenderse. Pero cuando los hechiceros habían comenzado a torturarlo en lugar de mantenerlo simplemente en cautividad, ella había intervenido para detenerlos.

Y ellos se le volvieron en contra, acusándola de alta traición por proteger a un enemigo... algo que significaba una sentencia de muerte inmediata para cualquier Medb.

Estando malherido, Quinn luchó por ponerse en pie. Usó todo el poder de su mente y el factor sorpresa para matar a los hechiceros.

Cathbad lo sabía... pero era evidente que no se lo había contado a Flaevynn. Kizira le preguntó:

—¿Por qué no se lo contaste a la reina?

—Porque ella no habría entendido que incluso un velador jugase un papel en el cumplimiento de la maldición. Si deseas entregar a la reina al menos dos veladores en el curso de las próximas cuarenta y ocho horas, necesitarás la ayuda de ese velador... y también la mía.

Kizira había visto a Quinn en muy raras ocasiones desde aquel breve asunto inicial, y todas esas veces ellos eran adversarios. No había forma de que él la ayudara a encontrar a los mutantes, y menos todavía a Evalle, a quien Quinn cuidaba como un hermano mayor.

Kizira negó con la cabeza.

—Ese velador no me ayudará a capturar a la mujer mutante llamada Evalle.

—Lo hará si te digo cómo persuadirlo.

—¿Y qué ocurrirá si no logro persuadirlo? —Ella no pondría en riesgo a Quinn, pasara lo que pasase. Pero si no se ponía de parte de Cathbad sabía que se arriesgaba a que él empleara a Quinn en contra de ella.

—Entonces te arriesgas a que Flaevynn descubra la verdad acerca de ese hombre.

Ella lo miró fijamente y en silencio. Él no podía saberlo absolutamente todo.

Él asintió y respondió.

—Oh, sí lo sé todo. Sé cuánto lo quieres, y por eso sé que harás cuanto yo te ordene si deseas que siga con vida.

Bienvenida a la vida del peón más bajo en un juego letal.

Ocho

*E*valle tropezó con una raíz abultada cubierta de helechos y cayó hacia delante. Su visión se aclaró después de ser teletransportada.

Pero las ganas de vomitar la *pizza* que había comido no se le quitaron.

Se sostuvo la cabeza durante unos segundos hasta que se le pasaron las náuseas y luego se dio la vuelta lentamente para evaluar el entorno.

Parecía haber caído en una jungla que olía a tierra húmeda y vegetación putrefacta con abono constante. El agua rociaba su rostro y le manchaba las gafas de sol.

Si no fuera por su visión extraordinaria, se habría hallado a ciegas en una oscuridad casi total. Eso significaba que durante su visita de veinte minutos al Reino Inferior no habían trascurrido menos de cinco horas en el reino de los humanos esta vez, o de lo contrario se estaría enfrentando a la luz del sol.

¿Pero cuánto sería un día o «algo más de un día» en el Reino Inferior traducido al tiempo de los humanos?

¿O acaso Loki se habría referido a un día del mundo de los humanos?

Quién sabe, pero ella tenía que regresar a Atlanta, donde habían escapado tres mutantes, y ayudar a impedir una masacre de mutantes.

Al menos podría ofrecer a los tres mutantes la oportunidad de una libertad verdadera.

Usó un dedo para limpiarse el agua de la frente.

El agua caliente le había empapado la camisa. Alzó la vista, pero ni siquiera podía divisar las nubes a través del espeso toldo de árboles de madera dura y palmeras tropicales. Ocultos en alguna parte había bichos que trinaban, chillaban y cotorreaban.

Así que allí era donde vivía Tristan, si es que ella había aterrizado en su prisión encantada. Cuando lo conoció por primera vez en Atlanta, él había dicho que su jaula se hallaba en la jungla de Sudamérica, pero no había indicado la localización específica.

Y eso había sido cuando todavía se trataban, antes de que ella usara la piedra Ngak para devolverlo a su estado de cautividad.

Sintió un cosquilleo de calor en la piel del pecho. Bajó la vista.

Todavía llevaba el amuleto colgado en el cuello.

Daba gracias a la diosa por no haberlo perdido. Siempre le preocupaba la idea de perder alguna prenda de ropa o sus gafas de sol en el tránsito, pero instintivamente ponía las manos sobre las gafas de sol cuando la teletransportaban. Si la correa de cuero que sujetaba el amuleto se hubiera soltado durante la teletransportación, ¿el amuleto habría aterrizado a sus pies o terminaría en otra parte del mundo?

No lo sabía. Ahora el amuleto estaba cada vez más caliente.

Justo como había ocurrido antes de la emboscada que le tendieron en Atlanta.

La jungla quedó en silencio. No se oía ni un gorjeo.

No necesitaba darle mucho a la cabeza para imaginarse que aquel disco de plata estaba actuando como algún tipo de aparato de advertencia, ¿pero por qué? El hechizo de Nicole sobre el amuleto se había extinguido hacía mucho tiempo. Abriendo más sus sentidos, Evalle trató de determinar si el peligro que se aproximaba era de su mundo o se trataba de algo sobrenatural.

Ninguna energía la alcanzó.

Eso no parecía sobrenatural.

De todas formas, fuera donde fuese que hubiera aterrizado, ella no podía emplear sus poderes sobrenaturales para hacer daño a ninguna criatura de ese mundo.

Necesitaba un plan de defensa o algún lugar donde esconderse si no encontraba pronto a Tristan.

¿Qué usaría como refugio allí?

Evalle sufrió otro ataque de remordimiento al pensar que era ella quien lo había enviado de vuelta a la soledad de aquel lugar. Desde su perspectiva, vivir en una jungla era mejor que ser confinado en un sótano durante dieciocho años, pero dudaba de que Tristan lo viese de esa manera.

Ella no podía culparlo.

Perder el control sobre tu vida era jodido incluso aunque vivieras atrapado en un castillo, como Brina.

La pobre Brina nunca podía abandonar la isla de Treoir más que en forma de holograma. Hacer eso pondría a toda la tribu de los veladores en riesgo de destrucción.

Evalle sintió que se le erizaba el vello de los brazos.

Dos ojos brillantes, probablemente amarillos, la escudriñaban de entre las anchas hojas de una palmera, helándole la sangre en las venas.

Le parecía que se trataba de un enorme gato montés, aunque no estaba segura.

Por un momento, su corazón brincó con la esperanza de que el animal que la acechaba fuera Storm en su forma de jaguar negro. Pero incluso si él hubiera podido seguir el rastro de su teletransportación, no podía haberla encontrado en otro país —y menos aún en otro continente—, tan rápidamente.

Evalle probablemente nunca volvería a verlo, y tampoco sería capaz de ayudarlo a encontrar a la mujer que estaba buscando. Si no lograba satisfacer las exigencias del Tribunal, la lista de personas que decepcionaría continuaría aumentando.

El animal que la observaba no pestañeó.

El hecho de correr generalmente servía para excitar a un depredador, pero ella tampoco podía quedarse allí quieta toda la noche. Además, tenía que encontrar un lugar donde esconderse antes de que llegara la luz del día. Con su intolerancia letal a la luz solar, se freiría más rápido que un pescado en aceite hirviendo en cuanto los rayos del sol alcanzaran su piel.

Y terminaría igual de muerta que si fuese devorada por esa máquina de matar de cuatro patas y varias toneladas de peso.

Evalle retrocedió un paso, y luego uno más.

Otro par de ojos de depredador con estrechas pupilas negras en el centro aparecieron a algunos metros a la derecha del primer felino. ¿Sería aquello una fiesta de caza, o simplemente querían aprovechar ese aperitivo que les había caído delante?

Los dos felinos avanzaron al mismo tiempo.

Comienza el juego.

Ella se dio la vuelta y se zambulló de cabeza en la jungla, aplastando ramas gruesas y espesa maleza al abrirse camino. Vides espinosas se le clavaban en la ropa y en los brazos. Sus botas se hundían en húmedos lodazales de barro. Se sentía como si estuviera corriendo en contra de una corriente de energía, como si nadase en una piscina donde el agua opusiera resistencia.

Incluso su velocidad sobrenatural de velador era inútil allí, lo cual confirmaba que se hallaba dentro del recinto cerrado de Tristan. No podía imaginar otra razón por la que de repente su velocidad se hubiera reducido a la de un humano.

Podía oír el crujido de las ramas y la agitación de la vegetación mientras los gatos la acosaban con paso constante. Aumentó la velocidad, con la voluntad de sacarles ventaja aunque su mente le recordaba que su pretensión era poco realista.

Cuando llegó a un claro iluminado por la luz de la luna, se detuvo en el centro y se dio la vuelta lentamente.

Tres pares más de ojos amarillos la enfrentaban desde otra dirección.

Ahora lo entendía. Los primeros dos felinos la habían conducido hasta allí.

El amuleto que llevaba en torno a su cuello se calentó y brilló de nuevo.

Estupendo. Como si esos gatos necesitasen ayuda para encontrarla en la oscuridad.

Todos los felinos convergieron a la vez.

Eran jaguares dorados. Debía tratarse de una madre con sus cachorros crecidos.

Evalle cerró los puños y cruzó los brazos frente a ella formando una X, preparada para protegerse la cara y los ojos. Ni siquiera podía usar su puñal porque la cuchilla estaba impregnada de poder sobrenatural. Por un momento, consideró la idea de transformarse en bestia tan solo para asustarlos, pero eso probablemente resultaría contraproducente, incluso aunque no tuviera que preocuparse de enfrentarse de nuevo al Tribunal.

El felino más grande, probablemente la madre, comenzó a moverse con rapidez y se preparó para dar un salto y atacar.

Evalle se abrazó a sí misma para protegerse de las afiladas garras y colmillos que desgarrarían su cuerpo.

El rugido de un animal que parecía mucho más grande que esos felinos sacudió los árboles que rodeaban el claro.

El poder estalló en el espacio abierto, fluyendo entre ella y el felino más cercano y haciendo retroceder a la fiera que se disponía a atacarla. Los otros jaguares se espabilaron ante el sonido, alertas a aquel nuevo jugador.

A ella le habría gustado verlo como un signo positivo, pero el sonido de fuertes pisadas que se cernían sobre ella le advertían de que debería enfrentarse a algo mucho más letal que esos animales.

A alguien que quería algo más que su muerte.

Lo que querría Tristan sería verla retorcerse de dolor.

La bestia gigante derribó a un lado pequeños árboles sin más esfuerzo que si fueran pimpollos. Era más alto y de un tamaño mayor que ella cuando adquiría su forma de bestia, y avanzaba pisando fuerte con pies que superaban en dos veces el tamaño de los pies humanos. A unos metros de distancia de ella, se detuvo y echó la cabeza hacia atrás, rugiendo con un sonido largo y gutural.

Evalle sintió escalofríos recorriendo de arriba abajo su columna a pesar del fuerte calor que hacía.

Las fieras se fueron apartando, no heridas pero sí claramente intimidadas por la bestia que usaba unos tejanos raídos para cubrir sus enormes piernas. ¿De dónde habría sacado Tristan esa ropa?

Se hallaba de pie con los hombros encorvados, y separaba los labios agrietados para mostrar unos colmillos irregulares y afilados como cuchillas. Sus largos brazos colgaban a los lados, y sus dedos terminaban con garras curvas. Mechones greñudos de cabello rubio sucio y apelmazado le colgaban entre los pedazos de piel curtida y escamosa que cubría los despiadados ángulos de su rostro. Bajo una frente que sobresalía, una nariz ancha resplandecía y sus ojos ardían brillantes en la oscuridad.

¿Negro? ¿No era verde brillante?

Una criatura aterradora para cualquiera o cualquier cosa que tuviera que luchar contra ella.

Pero Tristan había impedido que los jaguares la despedazaran.

¿Significaba eso que pensaba darle una oportunidad de hablar antes de matarla personalmente?

Evalle tenía poco tiempo y apenas una diminuta esperanza de que pudiera convencerlo para que la escuchara.

—Hola, Tristan. Sé que nos separamos en unas circunstancias nada ideales.

Él hizo retroceder sus labios esbozando lo que ella supuso que sería su versión de una sonrisa. Quizás estaba encantado de tener compañía.

A falta de una respuesta mejor, Evalle sonrió también.

—Hablando de eso…

Él levantó la cabeza y soltó un rugido mucho más aterrador que el anterior.

La jungla entera quedó en silencio como una tumba.

Esa era una mala analogía.

Cuando Tristan la miró esta vez sus ojos sobresalían con necesidad de venganza. Gruñía y le chorreaba saliva de los colmillos.

Su capacidad empática captó una energía procedente de él que desvaneció su idea inicial. Había interpretado de manera completamente incorrecta su expresión. Era cierto que estaba sonriendo, sí, pero no por esa oportunidad de recibir compañía inesperada.

Quería sangre. La de ella.

Se dio la vuelta y tomó el camino por donde había venido, corriendo primero en una dirección, y luego en otra.

Fuertes pisadas aporreaban el suelo detrás de ella, con sorprendente velocidad.

Él podía usar su poder en el interior de esa jaula, lo cual significaba que podía matarla de un solo golpe. ¿Por qué no lo había hecho ya?

Porque una muerte limpia no apaciguaría su necesidad de venganza.

Evalle había recorrido dos kilómetros corriendo y abriéndose camino a través de zonas estranguladas por densa vegetación cuando se enganchó la punta de una bota y cayó al suelo de rodillas. El barro le salpicó la cara y los brazos. Las palmas de sus manos le ardían por los arañazos.

El golpe regular de las pisadas la alcanzó.

Se abalanzó hacia delante de nuevo, respirando con dificultad, sin la resistencia propia de los veladores.

Pero estaba lejos de sentirse vencida.

Luchó por abrirse camino a través del sotobosque. Los dientes de la selva le arañaban los brazos y se enganchaban a su ropa. Después de avanzar tropezando hasta otro claro más ancho que el anterior, se inclinó para recobrar el aliento. La debilidad humana era un coñazo.

El ruido sordo de pisadas se hizo más lento, luego se detuvo.

Ella le oyó respirar cerca, por alguna razón esperaba antes de matarla.

Quería algo…

Sintió su piel bañada de lujuria.

Había una sola cosa peor que la muerte, y antes que someterse a eso ella se arriesgaría a usar su poder sobrenatural en ese territorio.

Se dio la vuelta para enfrentarse a él y se inclinó para sacar el puñal de su bota. Si al usar el poder, este rebotaba contra ella, ese sería su final. No se rendiría sin derramar sangre también.

Tristan unió sus monstruosas manos frente a él y luego abrió los brazos, separando la espesa vegetación de la selva para acomodar su contorno y adentrarse a continuación en el claro con grandes pisadas.

—Puede que no sea capaz de impedir que me mates para tener tu libra de carne, Tristan, pero si me tocas… —Ella permitió que su mirada reparase en la protuberancia de sus pantalones y blandió el puñal en sus manos—. Si me tocas, yo conseguiré mi propia libra de carne de un solo sablazo.

La única parte de él que aún conservaba alguna cualidad

humana eran sus ojos negros, y estos la estudiaron calmadamente.

Sus ojos estaban... tristes.

¿Había interpretado mal su lujuria?

Desearía tener una mayor comprensión de sus habilidades empáticas, pero estas estaban siempre por desarrollar.

Además, ¿cómo podía alguien decir lo que un mutante estaba pensando o sintiendo en su estado de bestia si nadie lo había observado en su escenario natural?

Un momento. Ella se hallaba allí de pie hablando con un mutante transformado.

Lo intentó de nuevo.

—Yo quiero ayudarte, Tristan...

El puñal se le cayó de las manos y aterrizó en el suelo a media distancia de los dos.

Él cruzó sus brazos musculosos e inclinó la cabeza. Apretó la boca hacia un lado en lo que ella supuso que sería un gesto de arrogancia.

Puede que aquella fuera su mejor y única esperanza para suplicar su ayuda.

—Escucha, solo estoy aquí porque tú soltaste a los otros tres mutantes y el Tribunal piensa que yo te lo pedí. Ambos sabemos que eso no es cierto. Solo quiero tu ayuda...

Soltó un rugido que ella sintió como una zarpa que se clavara en sus nervios.

Puede que hubiera emprendido una táctica errónea.

Él gruñó y pisoteó con fuerza sobre el suelo. El suelo vibró con su furia. Con los dientes al descubierto y las garras extendidas, arremetió contra ella.

Evalle dio diez pasos rápidos hacia atrás y perdió su punto de apoyo.

Todos sus intentos de recuperar el equilibrio y huir corriendo terminaron en contra de ella. Se cayó, pero se arqueó para ir a parar lo más lejos que pudo de él.

Cuando la bestia fue tras ella, se detuvo justo a dos pasos de distancia, como si se hubiera golpeado contra una pared invisible.

Su jaula.

Embistió contra esa pared una y otra vez, aporreando los límites de su prisión. Golpeó el cercado invisible tan fuerte con los puños que ella sintió las contusiones como múltiples explosiones de una bomba.

Se tapó los oídos para protegerse contra sus aullidos, que eran de dolor y de furia a partes iguales.

El sonido desesperado golpeó su corazón con tanto filo como el de una esquirla de hielo.

Cuando envió a Tristan de vuelta allí, todas las razones habían pesado a favor de esa decisión. Él conspiraba con el kujoo que lo había ayudado a escapar. Había ayudado a la sacerdotisa Medb que capturó a Evalle. Trataba de conseguir la piedra Ngak para usarla en su propio beneficio.

Pero al verlo padecer aquel dolor, su corazón le dijo que cualquiera sometido a eso durante años habría aceptado la ayuda de los kujoos. Su corazón le dijo también que Tristan había intervenido, o al menos había tratado de hacerlo, cuando la bruja Medb comenzó a torturarla. Y que solo quería el poder de la piedra Ngak para garantizar su libertad y la de los otros mutantes.

¿Cómo podía culparlo cuando él le había ofrecido esa misma libertad y ella se había vuelto en su contra para ponerse del lado de los veladores?

Y no podía dejarlo ahora.

Incluso si lograba encontrar la manera de salir de esa jungla con vida, únicamente Tristan podía indicarle el camino hacia los mutantes que se habían escapado.

Con cada minuto que perdía la seguridad de Brina corría peligro, y junto con ella el destino de todos los veladores en la tierra.

Y su única arma se hallaba clavada en el suelo al otro lado de esa pared.

Nueve

«Si Macha descubre el acuerdo que acepté en la reunión del Tribunal, respondería a mi deseo de salir de aquí... en un ataúd.»

Brina caminaba de un lado a otro por el suelo de piedra del castillo que sus antepasados habían construido miles de años atrás como refugio para la familia Treoir.

Hubo un tiempo en que a ella le había gustado vivir en ese castillo. Eso había sido antes de perder a su familia y convertirse en la única guardiana de los veladores. El poder sobrenatural de los veladores existiría solo mientras al menos un miembro de la familia Treoir permaneciera físicamente en el interior del castillo de esa isla.

Como ella era el único Treoir que quedaba con vida después de que los hechiceros de Medb hubieran asesinado a su padre y a sus hermanos cuatro años atrás, ella estaba, por razones prácticas, encarcelada allí para siempre.

Realmente para siempre, puesto que era inmortal.

Y Macha no la mataría.

No hasta que Brina diera a luz y hubiera un heredero de su dinastía.

No es que tuviera un interés particular en acabar con su vida a los veinticuatro años, pero vivir era más que limitarse a respirar, y eso era lo único que llevaba haciendo desde hacía mucho tiempo.

Una reina guerrera debería estar fuera en primera línea del frente con su tribu, especialmente con mutantes que ahora se transformaban más rápidamente de lo que Macha cambiaba el color de su pelo.

Algo había desatado esos cambios. ¿Quién o qué?

Los Medb eran los primeros en su lista de sospechosos.

Los guerreros veladores batallaban contra las bestias mientras Brina estaba sentada en su castillo vacío.

No más.

Había evitado la discusión sobre el heredero de Treoir durante sus últimos cuatro largos años allí, pero ya no podía retrasarla más. Cada vez que dejaba el castillo, aunque fuera solamente en su forma holográfica, ponía en riesgo los poderes de los veladores si los Medb descubrían cómo capturar su imagen holográfica.

Se estremeció ante esa mera posibilidad.

Había llegado la hora de tener un heredero.

Y era de sobras la hora de que Macha la escuchara si la diosa quería tener ese heredero en un futuro cercano.

Brina se dejó caer en el sofá tallado en el tronco de un árbol. Tenía diseños celtas enrollados en los bordes y estaba acolchado con cojines de plumón. Era su lugar favorito para crear estrategias.

Su padre había sido un estratega brillante.

Lo que ella necesitaba ahora era su propio plan de batalla.

Uno que le proporcionara un marido que pudiera pasar la custodia del castillo. No cualquier hombre sino…

La custodia que protegía el castillo de Treoir tembló ante la aparición de un poder. Un poder enorme.

—¿Siempre estás enfurruñada?

Brina suspiró al oír la voz ronca de Macha. ¿Había convocado a la diosa al pensar en ella? Lamentablemente, cuando el padre de Brina había protegido el castillo contra otros seres inmortales, hizo una concesión a la diosa celta para que ella pudiera entrar sin sufrir daño alguno.

Él creía que Macha protegería a su única hija.

Nunca había considerado que una diosa pudiera convertir la eternidad en una pesadilla viviente.

Brina alzó la mirada hacia Macha, que ahora se encontraba recostada sobre la repisa de la chimenea de piedra gigante capaz de contener dentro dos guerreros fornidos de pie. Sus ondas de cabello rubio oscuro quedaban iluminadas por la luz del sol que pasaba sobre sus hombros desnudos y cubría el brazo que apoyaba encima de la repisa. En esos momentos llevaba puesto un vestido blanco deslumbrante creado con miles de piedras perfectas. Volvió sus luminosos ojos de un castaño verdoso hacia la rejilla de la chimenea y aparecieron leños. Al momento ardieron las llamas.

Era el intento de Macha por ser hospitalaria.

O tal vez tenía ganas de ocuparse de la decoración.

Brina apreció el gesto, pero no aceptaría ser reducida al nivel de una niña.

—Son las criaturas las que se enfurruñan. Yo tengo una actitud contemplativa.

—Ah, sí, cuestión de semántica, como les gusta decir a los mortales. —Macha agitó sus largos dedos adornados con joyas y extraños metales con intrincados diseños.

—Me alegra que hayas venido. —La única reacción que obtuvo por respuesta fue un brillo de curiosidad en los ojos de Macha.

Brina continuó:

—Creo que es hora de que hablemos de un heredero.

Macha se iluminó ante lo que le resultaba un tema inesperado.

—He sido muy paciente contigo, permitiendo que te adaptaras a esta nueva vida.

¿Eso creía Macha que había estado haciendo durante los últimos cuatro años en ese lugar? ¿Adaptándose?

Brina obligó a sus manos a permanecer tranquilas y a no encogerse por la rabia. Había aprendido mucho tiempo atrás que si mostraba cualquier emoción la diosa podría usarlo como arma en su contra más tarde. No era que Macha fuese una diosa cruel o injusta, pero como todas las deidades, usaba todo lo que estaba en su poder para salirse con la suya.

—¿Por qué mantienes este lugar tan sombrío? —Macha miró en torno a la habitación.

Había velas encendidas, que hacían danzar una luz suave contra las paredes de piedra. Una cesta de mimbre llena de flores secas y especias apareció en la delicada mesa de madera que su padre había confeccionado con sus propias manos, con el emblema de los veladores incrustado. Su padre se había sentado a esa robusta mesa para enfrentarse a ella la última noche que habían conversado.

Seis noches más tarde, Macha le comunicó a Brina que su padre y sus hermanos habían muerto y que ella no podía salir del castillo. Algunos recuerdos era preferible no convocarlos.

La diosa continuó coqueteando hasta que la habitación pasó de la oscuridad a un ambiente confortable y... sospechoso.

Ver cómo Macha continuaba con sus detalles decorativos ponía a prueba la paciencia de Brina.

Cuando Macha habló, su voz vibrante se oyó resuelta a través de la habitación.

—Me alegra encontrarte preparada para cumplir con tu deber asegurando el futuro de los veladores.

«Como si alguna vez hubiera rehuido mis deberes para con la tribu.»

—Permíteme señalar que es precisamente por su futuro por lo que estoy aquí. Cada día y para siempre.

Y además sola, porque Macha declaró que no podía librarla de la maldita vigilancia.

Macha hizo un sonido de reprimenda.

—La insolencia no es atractiva, no es productiva y no es inteligente.

«No es que vaya a matarme, pero podría hacer mi vida más miserable de lo que ya es, aunque eso sea difícil de imaginar.»

—Mis disculpas.

La diosa se quedó mirando hacia arriba como si examinara los altos techos de una catedral, y finalmente bajó la vista con una expresión indescifrable.

—Sé que estás sola aquí y debemos continuar con la dinastía de tu familia. —Sonrió—. El matrimonio sería bueno para ti.

Brina no pudo prever la repentina alegría que afloró a su rostro. ¿Había tenido la suerte de pillar a la diosa en uno de sus días más benevolentes? Macha sabía quién era el hombre que Brina deseaba, aquel que anhelaba cada una de las horas que pasaba despierta.

—Estoy completamente de acuerdo y...

—Escogerás a un velador mortal para casarte, uno que pueda entrar al castillo.

Estupefacta, Brina bajó los pies desnudos hasta la alfombra que cubría el suelo y se puso en pie, empleando toda su habilidad para ocultar las emociones que la embargaban ante la sugerencia de Macha.

No era una sugerencia. Era una orden.

Brina dijo suavemente:

—Tú sabes que Tzader y yo hemos estado prácticamente prometidos desde que éramos niños. Él es el único hombre que quiero.

El único hombre que había amado.

—Lo siento, pero no puedo entregarte a Tzader —dijo Macha con una tristeza que parecía tan franca que Brina estuvo tentada de creerla.

Pero enfrentarse a la pérdida de la única persona que quería, la única persona por la que vivía, la hizo hablar sin contener las palabras.

—¿Quién puede? ¿Hay alguien más poderoso que tú?

El aire crujió con chispas de electricidad, un preludio de la ira real de Macha, que podía lograr que los cielos imploraran piedad.

—¡Deja de anhelar lo que no puedes tener y actúa como una adulta! Como criatura inmortal que es, Tzader nunca podrá pasar a través de esa vigilancia.

—Podría si lo ayudáramos.

—Di mi promesa de mantener la custodia en torno a este castillo y asegurar para siempre la inmortalidad de Tzader. ¿Pretendes que rompa los votos que hice a vuestros padres?

Brina debería medir el tono de sus palabras, pero no podía.

—Estoy preguntando por qué no puedes reparar un error. Nuestros padres no tenían ni idea de lo que nos estaban haciendo. Mi padre nunca habría creado una protección que prohibiera la entrada en el castillo a Tzader. Él no sabía que el padre de Tzader iba a pedirte que transmitieras su inmortalidad a su hijo si él moría luchando junto con mi padre y sus hombres. Y nadie esperaba que nuestras familias fueran eliminadas de la tierra ese día.

Excepto Macha, tal vez.

¿Acaso ella habría ayudado a su padre a colocar esa protección?

Brina esperaba no llegar a descubrir nunca que algo de eso era cierto.

Macha se encogió de hombros con indiferencia.

—Es cierto, pero eso no cambia nada. Darás a luz un heredero dentro de un año...

Un momento. ¿Cómo había llegado tan lejos todo aquello?

—¿O de lo contrario qué? Creo que matarme arruinaría el propósito.

—Ahórrame el melodrama y el sarcasmo. —Una reacción suave afloró al rostro de Macha que podía ser mal interpretada como un gesto de aliento. Era una mujer, y una deidad, que brillaba cuando tenía a todos sus servidores retorciéndose en torno a ella.

—Haré todo lo que haga falta para garantizar la seguridad de todos los herederos de Treoir y para proteger mis guerreros de perder sus poderes. Este castillo no puede caer en manos de los Medb. El mundo de los humanos se enfrentará a una destrucción nunca vista si los veladores son conquistados.

Todo eso se entendía bien. Pero los veladores alrededor del mundo no eran los únicos que correrían riesgos si los Medb mataban a Brina y se hacían con el control de Treoir.

Macha extraía el poder de los veladores que le eran leales. Si los veladores perdían su poder, Macha se volvería vulnerable. Siempre había sido una diosa justa y compasiva, ¿pero dónde estaba su compasión ahora?

Cuando la diosa inclinó la cabeza en una demostración de paciencia, su pelo se levantó y adquirió un intenso tono castaño y, a continuación, se volvió a colocar en su lugar sobre los hombros como si tuviera voluntad propia.

—¿No lo entiendes, verdad?

Le sería posible entenderlo si Brina pudiera obtener una respuesta transparente de Macha, pero los dioses y diosas hablaban en círculos. Eso les permitía desviarse de la cuestión cuando querían.

Brina trató de sonar sincera y abierta de mente al decir:

—Por favor, ilumíname, diosa.

No debió de sonarle tan sincero a Macha, que le lanzó una mirada malhumorada.

—He sido negligente al permitirte esperar tanto tiempo antes de producir un heredero, pero no podía pedirle algo así a alguien tan joven como tú cuando tu familia fue asesinada. Pero tú has indicado que estás preparada y tomarás a un compañero.

—No a menos que se trate de Tzader.

—¿Por qué haces esto tan difícil, Brina? Escogerás voluntariamente a un compañero que pueda pasar a través de la protección de este castillo, o no volverás a abandonar jamás este lugar de ninguna forma ni le permitiré a Tzader que vuelva a hablar nunca contigo.

¿Qué?

—Me volvería loca si no pudiera viajar al menos en forma de holograma y no pudiera volver a ver a Tzader nunca más.

—¿Siempre piensas solo en ti misma?

Esa acusación no era del todo injusta, pero aun así hería el orgullo de Brina.

—He cumplido con mi deber como descendiente de Treoir desde que nací. ¿Cómo puedes acusarme de egoísta?

—Oh, nunca has fallado a tu tribu, ¿pero qué hay de Tzader? ¿Pretendes que se quede esperando para siempre a una mujer que jamás podrá tener?

«Sí. No. Brina no lo sabía. Sueño cada noche con él, sueño que me abraza y me hace reír, igual que cuando éramos adolescentes.» Echaba de menos su sonrisa, no la había visto en tanto tiempo.

Se tomó un momento.

¿Acaso sería ella la culpable de su infelicidad por hacerle respetar un voto de la adolescencia? ¿Estaba siendo egoísta al pretender que él viviera de una manera solitaria en el mundo de los mortales únicamente porque ella se hallaba atrapada en esa gran prisión?

Esperaría hasta el fin de los tiempos por él, pero nunca forzaría a Tzader a hacer lo mismo. Su felicidad lo era todo para ella.

—Él te importa —continuó Macha—. Pero vive cerca de otra mujer, esa mutante Evalle.

El desagradable pinchazo de los celos que subían por la columna vertebral de Brina era tan poco consistente como la mentira de la diosa. Tanto Tzader como Quinn trataban a Evalle exactamente igual que a una hermana pequeña.

—Tzader nunca escogería a Evalle antes que a mí.

O eso esperaba.

—Entonces, ¿por qué siempre defiende a Evalle, cuando los mutantes son un elemento desconocido en nuestro mundo? Su alianza con un mutante representa un peligro para ti. El castillo está protegido contra inmortales, y los mutantes al parecer no lo son, lo cual significa que podrían atravesar las defensas de Treoir. Puede que en parte sean veladores, pero otra mitad de ellos es desconocida, ¿qué hay de esa otra mitad?

Brina frunció la frente al reflexionar, argumentando.

—Nuestros guerreros han dominado a los mutantes en su estado de bestias, y Evalle ha demostrado ser una seguidora leal.

Al menos, Brina esperaba no haberse equivocado al depositar su confianza en Evalle, ya que el Tribunal la consideraría a ella responsable si Evalle fallaba a la hora de encontrar a los tres mutantes en fuga.

Pero no había tiempo para preocuparse por eso ahora.

La voz de Macha se endureció con censura.

—Los mutantes se están transformando en bestias en todas partes por el territorio de Tzader.

—Los que vimos en los últimos dos días no tenían los ojos verdes —señaló Brina, aunque eso no significaba nada frente a tantas muertes. Pero tenía la sensación de que el color de los ojos era algo relevante.

Macha reconoció:

—Nuestros guerreros están destruyendo a esas nuevas bestias, pero hemos perdido veladores al enfrentarnos a los mutantes de ojos verdes del pasado, y continúan representando una amenaza. ¿Has considerado que los de ojos verdes podrían estar conectados con el traidor que elude a nuestros guerreros?

—¿Por qué dices eso? —preguntó Brina, sorprendida por la dirección que estaban tomando los pensamientos de Macha.

—Cuando Tzader y Quinn fueron capturados por los Medb en Utah hace dos años junto con la mutante Evalle, ese traidor estaba involucrado. Hace unas pocas semanas, cuando un mutante se transformó y mató a nueve veladores en… ¿cómo llaman los humanos a ese sitio?

—Carolina del Norte.

—Ah, sí. Cuando nuestros guerreros murieron allí, la palabra traidor salió otra vez a relucir. Considera el primer mutante que se transformó y atacó a veladores seis años atrás. Tzader cree que el traidor Larsen O'Meary era el velador que había llamado a miembros de nuestra tribu para enfrontarse a la bestia.

Consciente del pasado, Brina no tenía un argumento en contra. Afortunadamente, Tzader y su equipo habían sobrevivido a ese primer encuentro con un mutante.

—A pesar de que Larsen O'Meary presumiblemente está muerto, hay un traidor que todavía sigue en libertad —señaló Macha—. ¿Has olvidado que un velador traidor ayudó a los Medb a destruir a tu familia y te puso a ti en esta situación?

—Por supuesto que no.

—Entonces, ¿por qué no ordenas que el único descendiente de O'Meary sea sometido a un test mental?

Brina trató de dar forma a las palabras para responder una pregunta tan ridícula.

—Porque no tenemos razones para dudar de la lealtad del joven Conlan O'Meary solo porque su padre estuviera podrido hasta las entrañas.

—Entonces no debería haber ningún problema en que Vladimir Quinn comprobara todas las áreas de la mente de Conlan, ¿verdad?

¿Cómo podía esa mujer sospechar del chico O'Meary? Pero Brina sabía qué batallas luchar, y esa no era una de ellas. Estaba claro que Macha quería que Conlan fuera investigado.

—Me encargaré de que se haga.

—Eso suena más propio de un líder de Treoir.

Brina escuchó la advertencia y se dio cuenta de que tenía

que demostrar a Macha que siempre pondría en primer lugar el futuro de los veladores, incluso por encima de su propia felicidad. Para demostrar que pensaba como un líder, Brina dijo:

—Creo que los humanos que repentinamente se transforman en bestias y asesinan no son los mismos que nuestros mutantes de ojos verdes.

—¿Por qué?

—Porque ni Tristan ni Evalle se transformaron y mataron humanos. —Brina se arriesgaba trayendo a colación un tema enojoso. Ella había discutido en contra de hacer prisionero a Tristan la primera vez, pero la diosa había dado a entender que lo hacía por la propia seguridad del mutante. Luego Macha había prohibido a Brina que le hablara a nadie sobre esa captura.

Agitando una mano como para sofocar la discusión, Macha dijo:

—Solo el tiempo dirá qué ocurre con esas criaturas de ojos verdes, pero debemos averiguar por qué esas nuevas bestias están surgiendo a la superficie tan repentinamente. En lugar de esforzarse más por encontrar al traidor que supone una debilidad en tu defensa, Tzader se preocupa demasiado por Evalle Kincaid. Lo cual nos devuelve al problema que tenemos a mano.

—No entiendo lo que estás diciendo. —Porque seguir la cadena de pensamientos de Macha era similar a seguir el rastro de una gota de agua de lluvia en un cuenco de agua.

—Tzader es un hombre con necesidades —dijo Macha como si Brina necesitara oír eso—. ¿Crees que ha mantenido el celibato durante todo este tiempo?

Brina obligó a sus manos a estar quietas y no taparse los oídos ante esas palabras que se clavaban en su corazón. ¿Habría estado Tzader con otra mujer en los últimos cuatro años? La noche que ella le había entregado su virginidad él le había jurado amor eterno.

Los padres de ambos habían muerto antes de que Tzader hubiera tenido la oportunidad de pedir su mano en matrimonio.

Brina sacudió la cabeza.

—No te creo.

—¿A mí? Yo nunca lo he acusado de nada. Solo estoy aportando algo de lógica a esta discusión. Entonces obligas a Tzader a continuar durante años sin nadie a quien amar a pesar de que tú no puedas tenerlo. ¿Tú crees que el amor es tan egoísta?

Expuestos así los hechos, Brina se estremeció ante la posibilidad de estar siendo injusta con él, pero ella sabía la verdad en el interior de su corazón.

—Tzader nunca se alejaría de mí.

—No, no lo hará mientras sigas alentándolo. Es un hombre de honor. ¿Dónde queda tu honor? ¿Acaso no te importa su felicidad?

—Por supuesto que me importa.

—¿Pero no lo bastante como para darle la libertad de escoger a otra? —le rebatió Macha.

—Yo… —Brina tragó saliva, tratando de no atragantarse con las palabras que su sentido del honor le obligaba a pronunciar—. Haría cualquier cosa por él… incluso sería capaz de verlo en libertad si eso es lo que quiere.

—Entonces demuéstralo dándole la oportunidad de decidir sin sufrir la culpa de herirte. Fuiste tú la que sacaste a colación el asunto del heredero. ¿Tus motivos son puros y tienen que ver con los mejores intereses de los veladores, o son solo egoístas?

¿Quién hubiera pensado que los inmortales tenían dolores de cabeza? Brina los sufría, y el que le estaba dando ahora parecía que le iba a desgastar el cerebro.

Se llevó los dedos a las sienes y se las frotó. Por supuesto que quería asegurar el futuro de los veladores, ¿pero renunciar a Tzader? Le dolía el estómago como si dos manos muy brutas le estuvieran retorciendo los músculos. ¿Tenía razón Macha? ¿Tzader sería capaz de continuar con su vida si creyera que ese es mi deseo? ¿Sería yo capaz de pronunciar, por encima del grito de mi corazón, las palabras que le devolverían la libertad de escoger?

La culpa salpicaba su ira con la frialdad de la realidad.

Su padre y sus hermanos habían muerto defendiendo la herencia de los veladores y su futuro. ¿No podría ella tener la generosidad de no lloriquear?

SHERRILYN KENYON-DIANNA LOVE

Había aceptado su responsabilidad muchos años atrás.

Pero siempre había creído que el hijo que diera a luz tendría los ojos castaños de Tzader y esa sonrisa capaz de desgarrar un corazón.

No queriendo ser ignorada, Macha interrumpió los pensamientos de Brina con unas suaves palabras de advertencia.

—Nos enfrentamos a una crisis creciente con esos mutantes y estamos poniendo en riesgo el futuro de nuestra tribu con cada día que te retrasas en engendrar un heredero. No creas que no siento compasión ante tu situación y voy a hacerte una propuesta.

Brina escuchaba con oído precavido, pero haría cualquier concesión por la posibilidad de tener a Tzader.

—Te escucho.

—Convence a Tzader de que ya no estás interesada en esperarlo. Dale la oportunidad de decidir su futuro sin cargar con ninguna culpa. Una vez crea que casarse contigo ya no es una opción, si todavía persiste en quererte, estaré dispuesta a reconsiderar mi posición en este asunto y contemplaré soluciones posibles.

—¿De verdad? —Brina vacilaba a la hora de creer las palabras de Macha fácilmente. La diosa no le mentiría descaradamente, pero podía dar a las palabras mil significados distintos.

—¿Me estás cuestionando? —continuó la diosa.

El fuego de la chimenea, debajo de Macha, ardía cada vez con mayor fuerza.

—No, diosa —se apresuró a corregirla Brina—. Solo estaba sorprendida... y sobrecogida. —¿Podría romper con Tzader y quedarse sin hacer nada si él se apartaba y nunca más regresaba a ella?—. ¿Pero por qué no le dices simplemente la verdad?

—Porque él sería capaz de cortarse un brazo antes que hacerte daño.

A Brina la emocionaba que Macha tuviera que reconocer cuánto significaba ella para Tzader.

Macha añadió:

—Y creo que renunciaría a su inmortalidad sin pensarlo un segundo con tal de estar contigo.

—Entonces, ¿cuál es el problema?

—Si ha sufrido una herida letal de magia Noirre en su cuerpo siendo inmortal, la magia todavía permanecería en su cuerpo. Si es así, cuando yo le retirara su inmortalidad, podría sufrir las consecuencias de esa herida, probablemente incluso moriría inmediatamente.

Brina era incapaz de hablar. Sentía dolor al respirar.

Tzader había luchado incontables batallas contra los Medb y lo habían herido más de una vez en los últimos cuatro años. Estuvo a punto de morir cuando los Medb lo atraparon, junto a Quinn y Evalle, en Utah. Un hechicero Medb lo había apuñalado con una lanza guarnecida de la única sustancia que podía matarlo.

La idea de que Tzader arriesgara su vida solo para estar con ella enfermaba a Brina.

—Pero —continuó Macha—, pongamos que sobrevive al convertirse en mortal. Entonces tendría que renunciar a ser el maestro norteamericano para vivir aquí, que suena como una luna de miel interminable, pero finalmente un guerrero necesitará luchar porque eso forma parte de su propia naturaleza.

Macha le dirigió una mirada punzante y continuó con su lección.

—Si consigue superar todo eso, Tzader entonces se enfrentará al reto de envejecer y morir mientras tú cambias de manera apenas perceptible a lo largo del tiempo. Todavía serás joven y hermosa cuando él tenga ya un pie en la tumba.

Brina había considerado muchas posibilidades, pero en el fondo de su mente siempre había imaginado una vida junto a él donde ambos eran inmortales.

—Estás pintando una existencia muy triste para nosotros.

—Solo deseo estar segura de que lo que tenéis es más que un encaprichamiento pasajero antes de cambiar irrevocablemente la vida de Tzader. Si él renuncia a su inmortalidad, esa decisión tendrá un carácter permanente. ¿Podrías pedirle con la conciencia tranquila que haga esa elección sin saber si podría ser feliz contigo?

Brina trató de contener el temblor de su barbilla al tiempo que observaba cómo sus sueños se desmoronaban bajo la violenta arremetida de la realidad expuesta por Macha. Se sujetó la mandíbula y trató de endurecerse para encontrar una manera resuelta de cumplir con ese cometido.

Para empezar, Tzader merecía tener la capacidad de elección.

Pero ahora que Brina había dicho que se hallaba preparada para tener un hijo, Macha no lo dejaría pasar. No había vuelta atrás.

—Acepto tu propuesta. Nunca le pediría a Tzader que tomara una decisión que cambiara el curso de su vida sin darle la oportunidad de escoger libremente. Lo liberaré.

Los labios de Macha se curvaron amablemente y el fuego de la chimenea se apaciguó.

Por primera vez en tres años, Brina sonrió honestamente. Cuando Tzader descubrió que él no podía atravesar la custodia de Treoir y que ella no podía salir de allí, le había dicho que nada podría impedirles estar juntos.

Ella creía en la profundidad de su amor y en la habilidad de ambos para encontrar una manera de conseguirlo, pero ahora mismo Brina esperaba que Tzader la perdonara por el dolor que les causaría a ambos el hecho de que ella aceptara la oferta de Macha.

Macha se movió más rápido que un pensamiento. Se hallaba sobre la repisa de la chimenea y al instante estaba de pie frente a Brina. Las perlas destellaban en su pecho y se agitaban de una forma deliciosa a lo largo de su vestido, que le llegaba hasta los pies descalzos.

—Como parte de este trato, darás fin a esta relación hoy mismo.

—¿Por qué hoy?

—Porque él viene de camino para verte.

¿Ahora? ¿La diosa le había colocado por delante una decisión imposible hacía apenas un momento y ahora esperaba que estuviera preparada para enfrentarse a Tzader en aquel mismo instante?

—¿Estás reconsiderando tu trato, Brina?

Brina sabía que no debía romper un trato con Macha.

—Por supuesto que no.

—Bien. Para dar a luz a un heredero en el plazo de un año, tienes dos ciclos de luna por delante para escoger a un marido apropiado.

—¿Sesenta días?

—Arrastrar esto por más tiempo solo lo hará más difícil para los dos.

Macha desapareció antes de que Brina pudiera decir una sola palabra más. ¿Cómo podía esperar la diosa que ella escogiera un marido cuando no tendría ni la oportunidad de hacer el duelo por su compañero del alma si perdía a Tzader?

La voz de Macha se oyó de forma fantasmal a través de la habitación.

—Cuando Tzader se separe de ti hoy y crea que tú ya no estás interesada en él, tendrá el mismo plazo de tiempo para convencerme de que no tendrá más mujer que tú, aunque eso signifique permanecer para siempre solo. Si le das tan solo una pista de lo que hemos acordado, el trato se acabó, y si no haces lo que tienes que hacer hoy mismo, no te atrevas a volver a pronunciarme su nombre.

Brina miró a su alrededor, anticipando la presencia de Tzader pero sin estar todavía preparada para enfrentarse a él. Le dolía el corazón, ansiosa ante la posibilidad de ganarlo y atemorizada por el temor de no volver a verlo jamás.

Brina, necesito hablar contigo, le dijo Tzader telepáticamente.

Su corazón se sobresaltó con una ráfaga repentina de felicidad ante la idea de estar a solas con él por primera vez en tanto tiempo.

No verdaderamente a solas, ya que Macha había dejado claro que estaría observando el encuentro.

Brina cerró los ojos, buscando la fuerza para hacer lo que debía. ¿Sería capaz de apartar a Tzader de ella arriesgándose a perderlo para siempre?

«¿Brina?», insistió él.

Ella creía en él. Creía en ellos.

Por mucho que Brina odiara coincidir con la diosa, Macha tenía razón al defender que Tzader merecía la oportunidad de tomar una decisión que no estuviera condicionada por un voto hecho en la adolescencia. Si él continuaba queriéndola con esa nueva libertad, entonces Macha tendría que apoyarlos y buscar algún tipo de solución a su problema.

Pero Brina no lo dejaría todo en manos del destino.

Un guerrero siempre tenía un plan.

Tzader no podía entrar en el reino de Brina sin una invitación, y tenía que marcharse si ella la cancelaba.

«Eres bienvenido, Tzader Burke», respondió.

Y allí estaba él, en su forma de holograma. La presencia de Tzader dominaba la imponente habitación, siendo intimidante y protectora al mismo tiempo.

Tenía los ojos castaños, con la afilada e inteligente mirada de un guerrero, y un rostro tan moreno como la caoba barnizada. Ella añoraba pasar los dedos sobre su suave cabeza pelada. Llevaba sus habituales tejanos negros y una camiseta gris de manga corta que mostraba sus brazos musculosos y era holgada por los lados. Las yemas de sus dedos se apoyaban cerca de las cuchillas sensibles enganchadas en su cinturón, pero ni sus dedos ni sus cuchillas podían alcanzarla cuando él se hallaba en su forma de holograma.

Su preocupación sí la alcanzó.

Si existía alguna esperanza de superar con éxito el desafío de Macha, Brina no podía permitir que Tzader supiera cuánto le echaba de menos. Se tragó sus emociones para que Tzader no pudiera discernirlas con esos hermosos ojos que todo lo veían.

Afortunadamente, ni él ni Macha podían leer sus pensamientos.

Ella tampoco podía leer los de él. No al menos mientras continuara siendo inmortal como ella.

Brina le dio la espalda, alejándose para calentarse las manos en el fuego.

—¿Qué te trae hoy por aquí?

Ella notó su confusión. Consiguió no estremecerse de dolor cuando él le dijo:

—¿No te alegras de verme?

Para vaciar su voz de cualquier otra emoción, dio rienda suelta a la frustración que sentía cada vez que Macha la visitaba.

—Eso depende de si vienes a traerme un nuevo problema o no.

A ella se le erizó el vello de la nuca ante su silencio.

¿Le había hecho enfadar? Volvió la cabeza, temiendo ver dolor en sus ojos en lugar de rabia.

Al hablar de nuevo, él preguntó:

—¿Qué ha ocurrido con Evalle?

Ella permitió que la punzada de celos que sentía por el vínculo entre Evalle y Tzader la ayudara, aun sabiendo que el interés que Tzader sentía por Evalle no era más íntimo que el que sentía Quinn. Brina se enderezó y se volvió lentamente, decidida a arrancar el vendaje rápidamente y de un solo tirón para limitar el dolor.

Lo miró a los ojos con una expresión pasiva que había estado practicando durante años con Macha.

—No puedo compartir contigo ningún detalle de la reunión con el Tribunal, y Evalle no es tu problema. No quiero que vuelvas a pronunciar su nombre a menos que sea para explicarme por qué los mutantes están infestando el mundo de los humanos.

El corazón de ella se quebró cuando vio esfumarse del rostro de él toda la felicidad que había sentido al verla.

Diez

*E*stupefacto y sin palabras, Tzader trató de entender el significado oculto tras la actitud destructiva de Brina.

Actuaba como si esa visita le resultara impuesta. ¿Por qué no se sentía emocionada al verlo cuando no habían estado a solas… en meses? Él solo podía entrar en su castillo en forma de holograma, pero ahí estaba, maldita sea, y se había roto la espalda para conseguir ese rato y acudir allí.

¿Y qué se le habría metido en la cabeza sobre Evalle? Volviendo al asunto, argumentó:

—Evalle sí es problema mío. ¿Dónde está?

Cuando Brina intervino, sus palabras sonaron tan neutras y sin vida como la expresión de su rostro.

—Como maestro de norteamérica, tienes prioridades mayores que ese mutante, especialmente cuando hay cientos de bestias transformándose, según el último informe que he recibido.

Tzader estaba a punto de responderle pero se detuvo. Sabía que Brina tenía su temperamento. No lograría saber qué le estaba pasando si la ponía a la defensiva.

—Tengo equipos ahí fuera investigando a esos humanos que se están transformando en bestias. Conozco mi posición y mis deberes y sé que estos no son más estresantes que los tuyos. ¿Qué es lo que ocurre? Háblame, mi amor.

Los hermosos ojos verdes de ella temblaron ante su expresión de cariño. Esa era su chica, la mujer que amaba más allá de todo lo razonable.

La fugaz emoción se desvaneció de su mirada y su expresión volvió a ser tan hermética como antes. Echó los hombros hacia atrás adoptando la rígida postura que normalmente empleaba para dirigirse a sus guerreros.

—Puesto que sabes cuál es tu trabajo no deberías perder tu tiempo ni hacerme perder el mío, a menos que tengas un asunto más importante que discutir.

Aquello no podía estar pasando. No siendo alguien a quien le gustara dar rodeos, finalmente preguntó:

—¿Tus sentimientos por mí han cambiado?

La espera de una respuesta se le hizo interminable a su corazón, que comenzó a latir lenta y dolorosamente.

Ella miró como a través de él y constató llanamente:

—Tú no puedes atravesar esta protección, y yo no puedo arriesgarme a salir. No tenemos futuro.

¿Qué le había ocurrido desde la última vez que habían hablado?

—Lo único que tenemos es precisamente futuro. Somos inmortales. Siempre hemos encontrado una manera de sortear los obstáculos que nuestros padres pusieron accidentalmente en nuestro camino. Ellos querían que estuviéramos juntos. Yo quiero que estemos juntos. —La miró fijamente, con el deseo de que ella le mostrara algo más que esa mirada muerta—. ¿Tú todavía quieres que estemos juntos?

La pregunta le golpeó una terminación nerviosa, si es que el diminuto movimiento de un músculo en su cuello era una indicación de eso, pero sus palabras no contenían ninguna emoción.

—Tú tienes tiempo para esperar, pero yo debo engendrar un heredero…

—No justo ahora —murmuró él.

—… para asegurar el futuro de nuestra tribu —terminó ella—. ¿Quieres saber lo que dijo el Tribunal? Que Evalle no puede contactar contigo ni con nadie más. En cuanto al cumplimiento de tu deber, deberías estar esforzándote más por encontrar al traidor.

¿Primero lo provocó con el asunto de los mutantes que se transforman y ahora con el traidor? Simplemente lo estaba fastidiando. Él no necesitaba que nadie le recordara cuáles eran sus deberes.

—Estamos trabajando para encontrar al traidor.

—¿Haciendo qué?

—Tú sabes qué es lo que hacemos, Brina. ¿Quieres un informe de todo lo que hemos hecho en los últimos tres meses?

—Quiero descubrir la identidad del traidor.

—Todos queremos. —Tzader apretó la mandíbula con tanta fuerza como para hacer crujir los huesos. Él y Quinn habían estado cerca varias veces en los últimos dos años, pero no habían llegado a nada. Pasaban cada minuto que tenían libre buscando al individuo que había puesto a los veladores en peligro más de una vez usando información que únicamente un velador podía poseer. Brina había estado al corriente de todo eso—. Es evidente que todavía no tengo un nombre, pero…

—¿Pero tienes tiempo para dedicarte a un mutante? ¿Qué pasa con el resto de nuestra tribu, Tzader? No podemos permitirnos pasar por alto la seguridad de nuestra tribu por un mutante.

—Espera un momento. —Él nunca había puesto a Evalle por encima de otros veladores.

—¿Qué me dices de O'Meary?

—La última vez que lo comprobé, Larsen seguía todavía muerto —dijo Tzader, con un tono más entrecortado de lo que hubiera querido… ¿pero qué demonios le ocurría? ¿Por qué le estaba preguntando ahora por ese traidor?

—Él no es el único O'Meary.

A Tzader le llevó un minuto seguir su brusco giro para hablar de la actual generación de los O'Meary.

—¿Qué pasa con Conlan O'Meary? No nos ha dado ninguna razón para que sospechemos de él. ¿Qué estás diciendo?

—Digo que cuando hay dos veladores en una familia existe una fuerte conexión entre el padre y el hijo.

—Larsen O'Meary abandonó a Conlan cuando el chico tenía diecisiete años, ¿o acaso has olvidado por qué trajimos a Conlan tan precoz para entrenarlo? —¿Qué demonios pasaba? Larsen había sido el velador traidor que tendió una trampa al padre de Brina, a su hermano y al padre de Tzader, para que murieran en manos de los brujos de Medb. El hijo de O'Meary,

Conlan, había nacido con los poderes de los veladores y algunos dones inusuales.

Se suponía que Larsen había muerto combatiendo en una batalla, pero Tzader dudaba que un traidor se expusiera realmente al peligro, más bien pensaba que los Medb habrían acabado con él después de utilizarlo.

Tzader dejó de lado lo que sentía ante la actitud de Brina y se dispuso a hablar de trabajo, ya que al parecer eso era lo único que quería de él hoy.

—Conlan ha demostrado ser merecedor de confianza y un recurso valioso.

—En ese caso debería estar dispuesto a que pongamos su mente a prueba en busca de recuerdos enterrados o una conexión con su padre. Macha quiere resultados, y yo también.

—¿Qué esperas encontrar con un druida probando su mente si Conlan apenas conoció a su padre?

La mirada de Brina se detenía en cualquier parte menos en él. Dijo:

—Yo no estoy hablando de usar a un druida. Tenemos a Quinn para hacer la prueba. Sabemos que Quinn puede interceptar cualquier mensaje telepático que el padre de Conlan pueda haberle enviado… o que continúe enviándole.

—¿Todavía? ¿Crees que Larsen sigue con vida?

—Esperaba que tú hubieses considerado esa posibilidad, ya que jamás hemos visto el cuerpo.

—Pero hicimos que un druida buscara el espíritu de Larsen. El druida dijo que ese espíritu ya no estaba funcionando en un cuerpo en el mundo de los humanos.

—Razón de más para que Quinn ponga a prueba a Conlan en busca de recuerdos reprimidos que puedan ayudarnos en nuestro rescate de información inconsciente que el chico pueda guardar en su mente. A mí tampoco me gusta hacer esto, Tzader, pero necesitamos descubrir si Larsen está verdaderamente muerto, y si es así, Quinn podría interceptar el espíritu de Larsen a través de Conlan.

—Llegar tan lejos pondría en riesgo a Conlan y a Quinn si este descubriera algo inesperado en la mente inconsciente de Conlan… como una trampa.

Brina se llevó las manos a la cintura, con la mirada ardiente.

—Primero defiendes a Conlan como un seguidor leal, y luego sugieres que puede suponer una amenaza. ¿En qué quedamos?

Él no tenía razón para sospechar del joven.

—Simplemente estoy en contra de hacer pasar a Conlan y a Quinn por esto sin estar convencido de que es necesario.

Brina se cruzó de brazos y esta vez lo miró, pero no con amor en los ojos.

—Has acudido aquí pidiendo información acerca del mutante que me ha hecho pasar más tiempo en reuniones del Tribunal que haciéndome cargo de los asuntos de los veladores, pero vacilas a la hora de perseguir a alguien que representa un peligro para los veladores... y para mí.

¿Cómo conseguía manipular las palabras para que pareciera que él la estaba decepcionando?

—Mi primera preocupación siempre ha sido protegerte a ti y a nuestra tribu.

—Entonces considera lo siguiente. Los mutantes son criaturas desconocidas. Casi un centenar de ellos se han transformado en bestias en solo dos días. ¿No te preocupa saber si se trata de un cambio espontáneo o si alguien o algo lo está provocando?

—Por supuesto que me preocupa, y espero un informe en cuanto regrese a los cuarteles de VIPER, pero es injusto que recaigan sospechas sobre Evalle cuando ninguna de las bestias que se han visto tiene los ojos verdes. E incluso hemos oído que un mutante intervino para salvar la vida de un adolescente. Si Evalle estuviera aquí podría ayudarnos.

Brina afiló la mirada dudando.

—¿Estás seguro? ¿Cómo puedes saber si lo que está provocando este brote no afectará su habilidad para autocontrolarse?

—Porque conozco a Evalle. Ella puede controlar su bestia.

—¿Estás permitiendo que tu relación con ella te ciegue ante una amenaza potencial también para los mutantes?

—Por supuesto que no. —¿Lo estaba haciendo? No. Él

creía que no. Le preguntó—: ¿Qué tiene que ver todo esto con el traidor?

Ella levantó una mano, para enumerar cada punto con un dedo.

—Tú creías que O'Meary estaba involucrado en el primer incidente que hubo con un mutante. Conociste a Evalle cuando el traidor te hizo caer en la trampa de los Medb. Recibiste una pista sobre el traidor por causa de ese mutante que se transformó en Carolina del Norte hace nueve semanas.

—Admito que tienes razón, ¿pero por qué estás tan enfadada conmigo? ¿Qué quieres de mí?

Ella frunció el ceño.

—¿Qué quiero? Quiero que acates mi orden de hacer la prueba mental y me entregues la cabeza de ese traidor. Y quiero que aceptes que tengo una responsabilidad sobre los veladores. Será mejor que dejemos de fingir que nuestra relación funcionará algún día para que ambos podamos continuar con nuestras vidas.

Él oyó el mensaje en voz alta y clara esta vez. Cada palabra cortando en pedazos todo lo que habían construido en el pasado.

—Como usted mande, su alteza. —Él no podía entrar sin su invitación, pero desde luego sí podía salir sin su permiso. Alzó las manos y retiró su holograma del castillo en cuestión de segundos antes de que ella pudiera despedirlo.

Once

*D*ebería haber dejado que Tristan la matase.

Evalle se hallaba sentada en el suelo cubierto de helechos, sujetándose las rodillas, frente a la enmarañada jungla que crecía a unos metros de distancia y había sufrido desgarros y golpes por parte de una bestia. De Tristan. La misma bestia que seguía mirándola rabiosa con la promesa de represalias en sus huecos ojos negros.

Lo único que impedía que él la matara era ese hechizo invisible que había entre los dos, y que él llevaba tres horas sin poder destruir.

El amanecer llegaría pronto, aunque era difícil saber cuándo exactamente a través de la tupida vegetación y de las densas nubes que constantemente soltaban lluvia y mantenían cerca la oscuridad. Llegados a este punto, honestamente a ella ya no le importaba si su piel acababa frita.

«Como un trozo de beicon en una sartén caliente», diría Grady el Merodeador.

Evalle no tenía forma de regresar a Atlanta, y no tenía aquí ningún arma ni ningún aliado.

Tristan se giró y dio dos pasos cuando el aire a su alrededor sufrió una distorsión, como cuando se expande del calor de una explosión. Su cuerpo empezó a cambiar, encogiéndose para pasar de ser la criatura de tres metros que era a convertirse en un ser humano de metro noventa, con los brazos y piernas de un tamaño normal.

Lo cual significaba que la talla de los tejanos ya no le servía.

Estos cayeron a sus pies, luego él se desprendió de ellos y avanzó tan desnudo como el día en que vino al mundo.

Evalle estiró el cuello, a la espera de que se acercara, y luego desistió.

¿Por qué iba a volver si no podía ponerle las manos encima? Él dejó el puñal de ella a la derecha, lo había clavado en el suelo con su energía cinética, dentro del área protegida. Probablemente estaba usando el puñal como cebo para que ella volviera dentro.

Evalle dejó caer la cabeza sobre sus brazos, que estaban cruzados sobre sus rodillas. Fracasar le resultaría más fácil si fuera solo ella quien tuviera que pagar el precio. No quería que la encerraran como a Tristan, pero llegados a estas alturas estaba dispuesta a aceptar eso antes que el hecho de que Brina tuviera que enfrentarse al Tribunal.

Por no mencionar que decepcionaría a la raza entera de los veladores, incluyendo a Tzader y a Quinn, que tendrían que luchar contra los mutantes.

También estaba fallando a los humanos.

—Creí que querías hablar.

¿Tristan? Evalle levantó la cabeza y ahí estaba él, todavía dentro de su zona, pero ahora llevaba unos pantalones cortos de color caqui con bolsillos en todas partes. Su cuerpo estaba limpio, y su cabello rubio peinado hacia atrás como si se hubiera dado un chapuzón rápido en el agua.

Y sus ojos eran de nuevo de un tono verde camaleón.

—Sí, quiero hablar. —Ella se puso en pie y se sacudió el barro seco de los pantalones. Algo la picó en el cuello. Dio una palmada al bicho y se quedó con una mancha sangrienta en la mano.

Estupendo. Bichos vampiro.

Tristan avanzó hacia adelante y ella dio un paso atrás.

Pero esta vez él no embistió su cuerpo contra la fuerza invisible que lo mantenía cautivo. Se sentó en el suelo y se apoyó contra un árbol gigante que parecía haber crecido dividido entre la zona interior de la prisión y la zona de fuera. Apoyó el brazo izquierdo sobre una superficie plana que ella no era capaz de ver. Debía de tratarse de la pared del recinto.

Si él quería matarla, podría haberlo hecho en el interior

del área. Tal vez después de todo quería algún tipo de compañía, pero ella no estaba dispuesta a entrar para comprobar esa teoría.

En una muestra de camaradería, Evalle se deslizó hacia la izquierda de Tristan, contra el mismo árbol. Pero mantuvo varios centímetros de separación entre los dos, a pesar de que él no pudiera tocarla.

¿Qué se le dice a un hombre a quien has enviado al infierno?

—¿Cómo estás, Tristan?

Él la ignoró, alzando la vista hacia el toldo de árboles. Movió los labios susurrando algo que ella no pudo oír. Se quedó esperando a que dijera algo más, pero él permaneció sentado en silencio durante unos minutos, luego un mono que estaba en lo alto justo encima de ellos se puso a chillar.

Tristan no podía abandonar esa área, pero los animales sí.

Ella se puso en tensión y levantó la vista a tiempo de ver que una bomba amarilla caía sobre ellos.

Evalle se apartó hacia la izquierda.

Tristan ni siquiera se inmutó.

Cogió un gran ramillete de plátanos que le había caído sobre las manos. Sacó uno de ellos y colocó el resto a su derecha. Luego dijo:

—Entonces, ¿qué es lo que quieres?

¿Él también podría enviar órdenes a los animales del otro lado de la pared? ¿Podría, por ejemplo, enviar un depredador que la atacara?

Ella se sentó más erguida y mantuvo un ojo alerta a su alrededor mientras consideraba qué responderle. ¿Qué sentido tenía abordar la cuestión de un modo diplomático cuando eso era algo que ya había intentado anteriormente?

—Me han enviado aquí para encontrar a los tres mutantes que se escaparon.

Tristan mordió el plátano y sonrió débilmente mientras masticaba.

—¿Le has preguntado a Brina dónde los tiene enjaulados?

—No.

—¿Por qué no?

Evalle no veía razón en ocultar la verdad, no si había alguna esperanza de que Tristan respondiera a sus preguntas con honestidad.

—Porque el Tribunal me prohibió preguntárselo y porque ella hizo un juramento de confidencialidad respecto a los mutantes por alguna razón.

—No importa. De todas formas, Brina no sabe dónde están ahora esos tres —dijo Tristan, con arrogancia por su conocimiento. Terminó el último bocado de plátano y tiró la piel a un lado.

«Entonces, ¿por qué me ha preguntado si Brina lo sabía?» Evalle no perdería la paciencia con él.

—¿Pero tú sí sabes dónde están esos tres mutantes?

—Sí.

—¿Y me lo dirías?

—¿Por qué haría eso?

—Sé que al principio no podrás verlo desde mi punto de vista, pero dame la oportunidad de explicarme.

Tristan resopló y cogió otro plátano.

—¿De la misma forma que yo tuve una oportunidad de explicarme antes de que usaras la piedra Ngak para enviarme de vuelta a este lugar?

—Yo no quería hacer eso...

—Eso díselo a alguien que te escuche.

Evalle estaba cansada de que constantemente le echaran la culpa de todo. Él también tenía alguna responsabilidad en todo aquello.

—Fuiste tú quien te pusiste del lado de los Medb y de los kujoos. Si hubieras estado de nuestro lado tal vez yo habría podido hablar con Brina para convencerla de que no te enviara aquí de vuelta.

—Ya. Brina me envió aquí por primera vez antes de que yo me hubiera convertido en bestia. Estoy seguro de que quiere que ande suelto por ahí diciendo a todo el mundo cómo me ha maltratado desde el primer día.

Evalle encogió las rodillas y bajó la barbilla. Eso era lo que Tristan le había dicho cuando lo conoció, y ella notaba que él creía lo que decía. ¿Era posible que Brina lo hubiera desterrado sin razón?

—Lo entiendo, Tristan, pero yo no estaba allí cuando ella te envió a esta prisión, así que no puedo discutir contigo. Yo sé que otros mutantes han matado a seres humanos y a veladores después de transformarse en bestias. Tal vez Brina pretendía anticiparse al problema antes de que te transformaras. Yo no tengo respuestas para nada de eso.

—Entonces, ¿por qué no te ha encerrado a ti?

El tono de dolor en su voz la hizo levantar la cabeza para poder mirarlo al responderle con toda honestidad:

—Pasé toda mi vida en un sótano porque tenía una intolerancia letal a la luz del sol. Un viejo druida acudió a verme allí cuando tenía dieciocho años y dijo que mi destino era ser una guerrera velador. Él no sabía que mis ojos de mutante son de un verde antinatural y que son tan sensibles que siempre tengo que llevar gafas de sol, incluso en la oscuridad.

—Pero por las noches tú podías dejar el sótano. Esa es más libertad de la que yo tengo aquí.

Ella nunca hablaba de cómo había crecido, pero Tristan había expuesto su propia miseria, le estaba hablando.

—No, yo no podía salir del sótano. Fui adoptada por la hermana de mi padre, que me encerró allí. Si he de creer lo que esa arpía me decía, cuando mi madre murió al dar a luz y yo padecí una reacción severa a la luz solar, el hospital me hizo pruebas que demostraron que yo no era hija de su hermano.

Tristan no la miraba, pero los severos rasgos de su rostro se suavizaron un poco.

—¿Qué hizo tu padre?

—Básicamente me vendió a mi tía, que creía que su hermano no podía estar equivocado. Se ofreció a ser la mártir y hacerse cargo de mí. No quería que una hija con una enfermedad avergonzara a su querido hermano oficial del ejército, así que me adoptó legalmente, pero en cuanto lo hizo, yo fui su seguro para la jubilación.

Irónicamente, había muerto antes de poder jubilarse.

Tristan preguntó:

—¿Qué ocurrió cuando conociste al druida?

Ella no era partidaria de recrearse en viejos dolores, así que le alegró abandonar el tema de su familia.

—Él me ofreció una oportunidad de entrenarme como velador si estaba dispuesta a hacer un juramento para respetar su código de honor. Yo habría sido capaz de firmar un pacto con el mismísimo diablo con tal de escapar de ese sótano con mi tía, pero soy leal a los veladores.

Tristan puso los ojos en blanco al oír eso, pero Evalle continuó explicando.

—Cuando llegó el momento de que los veladores repararan en mis ojos verdes yo ya estaba entrenando con ellos. Imaginaron que era diferente por ser una mujer mutante. Creyeron que eso suponía que no me transformaría de forma involuntaria.

Ella no compartió el hecho de que las cosas habían cambiado unos días atrás cuando otra mujer mutante se había transformado y dio muerte a seres humanos. No había necesidad de contar ese detalle.

Tristan dijo:

—Yo nunca he visto un druida. Nunca me dieron la oportunidad de escoger mi destino.

—Eso solo significa que no estaba previsto que fueras un guerrero. No todo es juego y diversión, puedes creerme.

—En este lugar tampoco.

¿Qué podía decir ella a eso? Nada.

Tenía que volver a dirigir la conversación hacia el tema de los mutantes. Si esos tres estaban juntos, se arriesgaría a quemar uno de los dones que le había otorgado el Tribunal para encontrarlos, pero si estaban separados no, ya que solo podía usar un don cada vez.

—¿Esos tres mutantes se hallan en el mismo lugar?

—Tal vez sí... tal vez no. —Tristan se encogió de hombros—. Háblame de los veladores. ¿Qué los hizo enviar a un druida a buscarte?

—No es que lo enviaran especialmente para mí. Según tengo entendido, los guerreros veladores nacen bajo una estrella llamada PRIN, pero yo no sé absolutamente nada de astrología. Un druida establece contacto con un niño a la edad de cinco años, luego regresa cuando esa persona ha cumplido los dieciocho. El druida que apareció en mi sótano dijo que era

Breasel y que me había conocido cuando era niña. Yo le dije que no recordaba haberlo conocido, pero lo extraño es que lo reconocí cuando me habló en una lengua antigua. Dijo que me había dicho las mismas palabras cuando tenía cinco años.

—¿Esa lengua era gaélico?

—Algo parecido, pero más antiguo que el gaélico, un lenguaje secreto de druidas. Fue entonces cuando lo reconocí como un chico que había estado trabajando en mi sótano reparando un calentador o algo así cuando era pequeña. Recuerdo que lo observé escondida en un rincón y que él dijo unas palabras en un lenguaje extranjero antes de marcharse. Cuando me ofreció una oportunidad de escapar de ese sótano a los dieciocho años, acepté. Había tenido miedo durante años...

Tristan la miró, pero ella ignoró su mirada, porque no pensaba explicarle por qué había vivido aterrorizada durante tres años.

—... pero en ese momento supe con certeza que ese druida no representaba una amenaza para mí. Le dije que iría a cualquier parte con tal de salir de allí, pero que no podía exponerme a la luz del sol. Él sonrió y me dijo que le diera la mano y cerrara los ojos. La siguiente cosa que supe es que me hallaba en Alaska, llevando pieles de animales y unas pesadas botas con un grupo de nuevos reclutas veladores que estaban entrenando.

Vivíamos en un establo con algo de calor durante los días más cortos del año, lo cual funcionaba para mí. Teníamos que arreglárnoslas por nosotros mismos y aprender cómo vivir en esa tierra con un clima glacial, pero por primera vez en mi vida era libre de salir fuera cuando quisiera.

Tristan no dijo nada, solo miraba fijamente al frente.

Ella registró su propia mente tratando de encontrar algún terreno en común con él. Cuanto más aprendiera acerca de él y de la posibilidad de que ambos, como mutantes, estuvieran conectados, más probabilidades tendría de poder demostrar que los mutantes eran algo más que una especie de pandilla de chuchos.

Que merecían ser una raza reconocida.

Preguntó:

—¿Cómo sabías que tenías sangre de velador si nunca tuviste un encuentro con un druida?

Sonrió con arrogancia y aire de superioridad mientras sacudía la cabeza, negándose a responderle. Escupió amargamente.

—No creo que tener sangre de velador importe una mierda.

—Podría importar si me ayudas a averiguar qué más forma parte de nuestra genética. En Atlanta me dijiste que tenías una idea de qué había que cruzar con un velador para hacer un mutante y de lo que nosotros tenemos en común con los otros tres mutantes. —A ella le hizo ruido el estómago.

Tristan la miró arqueando una ceja.

Evalle no se había dado cuenta de que tenía hambre hasta que él había empezado a comer y a ella se le hizo la boca agua con el olor de los plátanos.

Él arrancó un plátano y se lo ofreció, pero no lo bastante cerca como para que la fruta que tenía en la mano pudiera atravesar la barrera.

Ella la había atravesado una vez, así que debería ser capaz de pasar la mano a través de la barrera de nuevo.

Evalle se estiró y cogió el plátano.

—Gracias.

Él le agarró el brazo.

Cada músculo del cuerpo de ella se tensó, preparada para luchar.

Se quedó muy quieta, observando cómo los dedos de la mano que él tenía libre se deslizaban hacia abajo para cerrarse en torno a su muñeca como una esposa. Dio la vuelta al brazo de ella hacia él y con suavidad le quitó un insecto con forma de hoja que tenía pegado en la piel, para luego colocar el bicho a salvo en el suelo.

A continuación le soltó el brazo.

Ella dejó escapar la respiración que había retenido en la garganta y comenzó a pelar el plátano. «Actúa con calma, como si no hubiera pasado nada.»

—Ibas a decirme qué más eres aparte de un velador.

—No, no iba a hacerlo. No voy a compartir contigo nada que sepa acerca de nuestro origen mientras siga metido aquí.

¿Quién podía culparlo de eso? En su lugar, ella habría hecho lo mismo, lo que significaba que debía ofrecerle algo por lo cual él estuviera dispuesto a hacer un intercambio.

Una oportunidad de luchar por su libertad.

Evalle sopesó cada cosa y creyó que Brina sería capaz de aguantar si sucediese lo que Evalle sugería.

—He conseguido que el Tribunal acepte permitir que los tres mutantes desaparecidos aboguen en favor de su causa.

Hubo en sus ojos un destello de sorpresa, pero lo único que dijo fue:

—Si logras encontrarlos.

Ella suspiró y continuó.

—Dijiste que fuiste encerrado injustamente. No haré una promesa que no pueda cumplir, afirmando que voy a sacarte de aquí, pero si tú me ayudas te prometo que pediré al Tribunal que puedas presentar directamente tu caso ante ellos.

Primero tendría que conseguir que Brina convenciera a Macha de que soltara a Tristan, pero había que ir paso a paso.

Él sacó otro plátano y preguntó:

—¿Por qué ibas tú a tratar de convencer a Brina de hacer eso?

—Hice un juramento de honor, y considero que esa es una elección honorable. Si Brina tuvo buenas razones para desterrarte —y le doy a ella también el beneficio de la duda acerca de esto— no tendrá ningún problema en explicar y justificar sus acciones. Voy a permitir que la verdad salga a la luz. —Y esperaba con todas sus fuerzas que Brina hubiese tenido una buena razón para encerrar a Tristan.

—Pero dijiste que no podías preguntarle a Brina la localización de los otros mutantes.

—Si podemos revelar a Brina el origen de los mutantes creo que ella propondrá a Macha dar, a los mutantes que tengan su bestia bajo control, una oportunidad para unirse a VIPER, y tal vez a los veladores.

—No lo sé. —Tristan se rascó el hombro.

—VIPER y los veladores nos necesitan ahora. Los mutantes se están transformando de repente por todas partes.

Tristan esbozó una sonrisa.

—¿Estás de broma?

—No tiene gracia. Mucha gente está muriendo.

Él se frotó la barbilla con una mano, perdiendo la sonrisa.

—Digamos que considero lo que estás sugiriendo. ¿Qué ofrecerá el Tribunal a cambio si tú les entregas a los tres mutantes desaparecidos?

A él no iba a gustarle la respuesta, pero no tenía otra.

—Mi libertad.

—¿Supongo que no tienes ningún problema de conciencia?

La culpa martilleaba su alma cada vez que consideraba la idea de llevar a esos tres con ella, porque no confiaba del todo en el Tribunal. Pero creía en Brina, que había prometido que esos mutantes tendrían una audiencia justa y que mientras tanto estarían bajo la protección de Macha.

—Por supuesto que tengo conciencia. ¿No me has oído cuando he dicho que he pactado para que todos ellos tengan la posibilidad de probar su inocencia? Si esos tres pueden estar en una reunión del Tribunal y decir sinceramente que no han matado a nadie, creo que el Tribunal los dejará en libertad para trabajar con VIPER, como yo estoy haciendo. Brina me ha dado su palabra de que estarán a salvo hasta que tengan la reunión con el Tribunal.

—No puedo entregar a Brina ese tipo de confianza.

Ella lo entendía, pero Tristan debía conocer todos los posibles obstáculos que se presentarían si los mutantes que él protegía continuaban desaparecidos.

—Si yo no regreso con esos tres, el Tribunal dará a VIPER la libertad de cazar y matar a todos los mutantes que encuentre. No habrá oportunidad de que defiendan sus casos. No tendrán posibilidad de libertad real. —Tristan permaneció inmóvil ante la noticia de la caza de mutantes—. Puede que no te guste estar aquí, pero si ellos están sueltos en el mundo por su cuenta son vulnerables.

—¿Y crees que estarán a salvo metiéndose dentro de VIPER? —preguntó él con no poco sarcasmo.

—Seré totalmente honesta, Tristan. Si alguno de esos mutantes ha asesinado a un ser humano inocente, tendrá que pagar el precio, pero si han matado en defensa propia, la historia es diferente. Con tantos mutantes transformándose en las últimas veinticuatro horas, puede que tú, yo y esos tres seamos los únicos que tengamos una oportunidad de sobrevivir. —Y si aquello funcionaba, Evalle no se vería afectada cada vez que un mutante cometiera un crimen.

—¿Cómo son físicamente los mutantes que se están transformando?

Ella se encogió de hombros.

—Supongo que como nosotros. No he visto a ninguno de ellos… lo cual me recuerda una cosa. ¿Por qué tus ojos eran negros antes, cuando estabas transformado?

—Creo que tiene que ver con el hecho de estar dentro de esta jaula. Yo creía que los ojos negros eran normales en el estado de bestia, porque siempre había visto mis ojos únicamente reflejados aquí en el agua, pero se volvieron verdes de modo permanente cuando salí de aquí la última vez. Ahora vuelven a ser negros cuando me transformo aquí dentro.

—Oh. —Aquello no era de gran ayuda.

Tristan asintió para sí mismo y se quedó mirando fijamente la jungla como si reflexionara sobre lo que acababa de decir.

—Los dioses y diosas son impredecibles —dijo por lo bajo. La miró fijamente—. ¿Estás segura de que si recuperas a los tres mutantes te dejarán en libertad?

Su pregunta la sorprendió, especialmente porque la había hecho en un tono civilizado que no pretendía ridiculizarla.

Ella respondió con cautela.

—Eso es lo que el Tribunal me ha dicho, y yo no me iré de aquí si no es con esos tres. Si los convenzo de que vengan conmigo les estaré evitando que tengan que vivir con una diana en el culo. Y en cuanto regrese con ellos, haré presión para que puedas defender tu caso.

Ella aplastó un mosquito que había bebido suficiente sangre de su barriga como para que se alimentaran cuatro mosquitos del tamaño normal de su tierra. Lo cual decía mucho, porque Georgia tiene insectos de un tamaño considerable.

—No lo sé… ¿Y qué es lo que dijo exactamente el Tribunal?

—Déjame pensar —murmuró ella. No lo había transcrito, ¡por el amor de Dios!—. El Tribunal dijo: «Permitiremos que aquel que devuelva los tres mutantes fugados a VIPER se vea limpio de transgresiones anteriores».

Tristan la escuchaba, con interés creciente en su rostro, hasta que finalmente dijo en un tono más ligero:

—Parece que tienes razón. Yo sé dónde están los otros. Ayúdame a salir de aquí y te lo mostraré.

¿Ayudarlo a escapar para tener que capturar entonces cuatro mutantes? ¿Estaba loco? Bueno, tal vez. Quién no lo estaría después de haber vivido allí solo todo ese tiempo, pero ella todavía no había perdido la cabeza.

—No puedo hacer eso, Tristan.

—De acuerdo. —Se puso en pie con lo que quedaba de los plátanos y los dejó caer donde había estado sentado—. Entonces no hay más que hablar. El Norte es en esa dirección.

—No puedes estar hablando en serio.

—Sí hablo en serio. La última vez que confié en la oferta de libertad de alguien me salió el tiro por la culata.

—Eso fue culpa de los kujoos, no mía.

—¿Por qué iba a confiar en alguien que me envió de vuelta aquí? —Él se alejó unos pasos, deteniéndose para recoger el puñal clavado en el suelo.

—¡Tristan! —Evalle dio golpes en el suelo, luego se puso en pie de un salto y entró vacilante en el área de la jaula—. Tristan, vuelve aquí y habla conmigo.

Su cabello rubio desapareció detrás de una ancha franja verde.

Ella golpeó con un puño la palma de su otra mano. Si lo perdía, ¿podría volver a encontrarlo?

No era probable.

Evalle corrió tras él, apartando las ramas a su paso y siguiendo su rastro. La energía en el interior de su prisión la hizo empantanarse una vez más, como si nadara contracorriente. Cuando lo había perseguido unos cien metros en el interior de la nada su rastro desapareció. Se detuvo para mirar y oyó un ruido a su derecha. Entonces captó un destello de pelo rubio y fue de nuevo tras él.

Después de un par de horas tratando de atrapar a Tristan cada vez que lograba divisarlo moviéndose a través de la jungla, finalmente lo acabó perdiendo del todo. Terminó deambulando de vuelta al claro donde habían estado hablando.

Los plátanos que él había dejado estaban ahora colgados de una rama rota. ¿Cómo oferta de paz?

Tal vez eso significaba que volvería.

Al mismo tiempo, ella estaba hambrienta y se hizo con la única comida que había a la vista.

Los monos cotorreaban y sacudían los árboles por encima de su cabeza, haciéndole alzar la vista una y otra vez. El ruido aumentó, pero no parecían preocupados. Solo estaban haciendo barullo.

Cuando oyó unas suaves pisadas que corrían hacia ella, se dio cuenta demasiado tarde de por qué los monos hacían tanto alboroto.

Evalle tiró los plátanos y se volvió para enfrentarse a su oponente, pero no lo bastante rápido como para apartarse de su camino.

Tristan se abalanzó hacia adelante, la agarró contra él y saltó un metro por encima del aire, propulsado como un misil humano. Ella lanzó un insulto. Los dos cayeron al suelo con un golpe seco en un nudo de piernas y brazos.

La barbilla de ella rebotó contra el suelo una y otra vez.

Vio las estrellas, vio muchas estrellas.

Respirando con dificultad y todavía mareada, se incorporó y se esforzó por enfocar la vista y averiguar qué había pasado. Entonces registró que había acabado despatarrada en el suelo.

Se dio la vuelta y miró hacia abajo. Y lo que vio no fue el suelo.

Sus manos apretaban una pared de músculos pectorales.

Tristan yacía debajo de ella, inconsciente por el choque y posterior aterrizaje que habían tenido.

Ella podía vivir con eso.

No, un momento.

Miró a su alrededor. «No, por favor, no.»

Pero allí estaba el árbol que se hallaba a medias entre un lado y el otro de la pared hechizada.

A juzgar por la proximidad de ese árbol, el cuerpo tendido de Tristan había colisionado en el lado equivocado de la pared invisible.

Otro mutante había escapado.

Doce

*E*valle se arrastró para salir de encima de Tristan. Aquel era más que un día de mierda.

Él aún no había despertado por el golpe tan fuerte que se había dado contra el suelo.

Bien. Necesitaba un minuto para pensar. Ella sentía la sangre y la adrenalina correr por sus venas con tanta fuerza que se veía capaz de arrojar una roca al espacio.

Eso sería muy útil si pudiera atar a Tristan a la roca. Tenía que hacerlo volver al interior de la jaula encantada por más que devolverlo a su encierro por segunda vez le retorciera el estómago. El Tribunal no mostraría clemencia con él si descubría que se había escapado.

Emplear su energía cinética para llevarlo al interior de la jaula los mataría a ambos en cuanto cruzaran la barrera. ¿Y qué ocurriría si él se despertaba mientras ella lo estaba moviendo?

Tenerlo despierto a este lado de la barrera sería aún peor.

Manteniendo las manos firmes hacia él, empleó su habilidad cinética para levantarlo. El cuerpo de Tristan en toda su envergadura se hallaba suspendido en el aire. Cuando lo tenía ya a unos pocos metros de distancia de la barrera de su prisión, trató de devolverlo al interior de la jaula con un empujón fuerte.

Él se golpeó contra la pared de energía invisible y rebotó hacia atrás, aterrizando de nuevo sobre el suelo.

«Maldita sea.» Evalle se encogió por el gemido de dolor que él dejó escapar.

El pecho de Tristan se movió mientras respiraba. Gimió al exhalar el aire, pero todavía estaba inconsciente.

Le estaba merecido por protagonizar esa estúpida escena acrobática. ¿Había creído que podía lanzarse por el aire como una marsopa fuera del agua y aterrizar sobre el suelo duro sin que el aire chocara contra él y lo dejara fuera de combate?

Por supuesto que golpearse contra algo equivalente a una pared de acero no lo había ayudado nada. Y tampoco el hecho de que se hubiera llevado la peor parte en la caída por tenerla a ella encima.

¿Había aterrizado de esa forma intencionadamente?

Tal vez sí, tal vez no, pero ahora que había escapado él ya no la necesitaba.

Y ella sí lo necesitaba a él.

Se puso en tensión, preparada para la batalla en cuanto él abriera los ojos.

¿Cómo había logrado salir del recinto encantado? Pero ya se preocuparía acerca de los mecanismos de su fuga en cuanto él volviera a estar del otro lado.

Evalle tenía tres dones que le había entregado el Tribunal y ni una pista más que el hecho de que no podía pedir hacer uso de un don a menos que lo empleara específicamente para cumplir con su acuerdo de recuperar a los tres mutantes en fuga.

Técnicamente, devolver a Tristan a su jaula no obedecía a ese criterio, ya que él se negaría de nuevo a ayudarla en cuanto volviera a estar en cautividad.

Habría estado bien que el Tribunal le hubiera entregado un manual de operaciones para eso que llamaban dones… un manual con una sección de resolución de problemas.

Tristan gimió en voz alta y se frotó la cabeza. Abrió un ojo y la escudriñó, luego se incorporó apoyándose sobre un hombro.

Ella se quedó muy quieta, observándolo a la espera de algún movimiento agresivo.

—¿Cómo has conseguido salir de ahí?

Él sonrió.

—Tú me sacaste.

—No, no lo hice. —O eso esperaba.

—Oh, sí lo hiciste. ¿Recuerdas que cogí tu brazo para quitarte aquel bicho?

—Sí —respondió ella con cautela.

—Empujé mi pie para atravesar la barrera mientras te estaba tocando y pude pasarla hasta el tobillo. Imaginé que si podía hacer eso al sujetarte la muñeca, sería capaz de atravesar la barrera con todo mi cuerpo si me abrazaba a ti. —Se frotó la cabeza—. No fue tan simple como pensaba. Casi me mato por escapar, maldita sea.

Ella era una mutante muerta en cuanto el Tribunal averiguara aquello.

Tristan se rio.

—Parece que las cosas están cambiando, ¿verdad?

Ella no tenía claro qué poderes poseía él o cuánta fuerza tenía estando allí fuera, pero en aquel momento los poderes de ella estaban completamente preparados.

—No sé si están cambiando. Pero el hecho de que estés fuera nos coloca a los dos en el mismo terreno de juego.

Él dejó de frotarse la cabeza y la miró.

—¿Tú crees?

—Puede que logres matarme, pero te arrastrarás porque habrás perdido alguno de tus miembros.

—Luchando el uno contra el otro perderíamos un tiempo que podríamos usar en buscar a esos tres mutantes.

Ella se quedó helada.

—¿Vas a trabajar conmigo?

—¿No era eso lo que querías?

Claro que sí, pero esa docilidad olía a algo sospechoso.

—¿Por qué te muestras dispuesto a ayudarme ahora que estás en libertad, Tristan?

—Digamos que creo que dices la verdad con eso de conseguir una audiencia para mí ante el Tribunal. No creo que puedas reunir a los tres mutantes desaparecidos sin mí, y no quiero que los maten. Te ayudaré, pero no podrás entregarlos hasta que yo consiga ver al Tribunal.

Ella se había ofrecido a pedir una reunión para él. No había dicho que fuera seguro que pudiera conseguirla, pero aclarar eso ahora no sería la mejor manera de seguir adelante con esa alianza potencial.

Una alianza inestable en la que no confiaba mucho.

Él se puso en pie y echó un vistazo al terreno donde había estado tendido, luego llevó la vista hacia donde debería estar la barrera invisible. Se lamió los labios donde le goteaba sangre y se fijó en la distancia que había entre ellos antes de decir:

—Debería estar donde te encuentras tú. ¿Cómo he acabado aquí?

«Probablemente tenga que ver con la forma en que te rompiste el labio cuando yo traté de meterte de nuevo en tu jaula.»

—Magia y aerodinámica... es difícil saberlo. Yo aterricé aquí.

Él alzó una ceja, sin darle mucho crédito.

Ella reparó en sus tejanos, su camiseta de camuflaje y botas de senderismo, atuendo que no llevaba cuando escapaba de ella en la jungla. Usó eso para cambiar de tema.

—¿De dónde sacaste la ropa?

—Cuando los kujoos me sacaron fuera la primera vez, me dieron a beber un brebaje con sangre kujoo. Puedo conjurar unas pocas cosas cuando las necesito, por ejemplo ropas. —Se encogió de hombros, indiferente ante el hecho de que eso lo colocara en otra categoría respecto a ella.

¿Qué clase de criatura era ahora entonces?

En parte velador, en parte mutante y en parte kujoo.

¿Y además brujo Medb?

Ella no quería pensar en esa posibilidad.

Él levantó un brazo y señaló en dirección al norte, según había dicho antes.

—Alrededor de sesenta kilómetros en esa dirección hay un pueblo.

Evalle hizo el cálculo matemático en su cabeza para convertir kilómetros en millas. Treinta y seis millas a través de un terreno irregular con un mutante fugado en quien no confiaba, animales letales y reptiles venenosos.

Qué fortuna la suya.

Las guías de viajes llamaban a eso aventura extrema.

Y había personas que pagaban para arriesgar sus vidas.

Si tenía que hacer una excursión a través de esa jungla, no quería hacerlo sin su puñal, especialmente ya que esa cuchilla tenía un poder extra.

—Quiero mi arma.

—No. —Tristan se apartó el cabello rubio de la cara con las dos manos y se inclinó para volver a atar sus botas de senderismo manchadas de barro.

—No te preocupes. No permitiré que te devore ninguna fiera.

—¿En serio? —dijo ella con ironía. ¿Por qué todos los hombres suponen que una mujer siempre necesita su protección? —Puedo cuidar de mí misma sin ningún arma—. Pero al cabo de una hora tendría que enfrentarse con el sol, si es que ese suave brillo que se divisaba al final de la oscuridad significaba que la mañana estaba llegando. Todavía había nubes que se cernían tan cerca del suelo que una niebla blanca formaba una especie de vidrio ahumado a su alrededor.

¿Cuánto tiempo llevaba allí? ¿Cinco... o seis horas? Su reloj barato no había sobrevivido al golpearse contra el suelo con Tristan cuando se lanzaron fuera del recinto.

—¿Cuándo llegará el amanecer?

—Pronto. —Él terminó de atarse los zapatos y se puso en pie—. Vamos a tener esta humedad pesada durante la mayor parte del viaje. Te avisaré antes de que empiece a salir el sol.

¿Pero su aviso llegaría diez minutos antes de que la luz del sol atravesara la espesa capa de niebla que protegía su piel? ¿O acaso diez segundos antes?

Inconsciente de su dilema, Tristan comenzó a adelantarla, luego se detuvo y dejó caer la cabeza mientras hablaba.

—Solo para que lo sepas, cuando me dieron el brebaje de la bruja, aprendí algunos trucos especiales. Si quisiera matarte podría hacerlo aquí fuera con la misma facilidad con que lo haría en esa jaula, y con poco esfuerzo.

Tras decir esto, emprendió el camino.

Si lo que decía era cierto estaría más segura si se mantenía fiel a él.

Si es que era cierto, claro...

Evalle mantuvo el paso, pero solo porque era capaz de ir al ritmo de sus largas zancadas y porque se mantenía en forma caminando bastantes kilómetros en Atlanta. La temperatura de treinta grados que hacía no era peor que un día de verano caluroso en casa, pero ni Georgia igualaba la humedad de ese bosque tropical.

Ella seguía atisbando el sol, esperando que esa pelota de fuego mortal evaporara las nubes en cuestión de minutos, como ocurre después de una mañana nublada en Atlanta. Pero el aire seguía impregnado de una humedad que caía en forma de constante llovizna. El cabello húmedo se le pegaba al cuello y a los hombros, la goma que le sujetaba antes la coleta se le había caído hacía rato con la fuga acrobática de Tristan.

Si él realmente pretendía trabajar con ella, debería estar dispuesto a compartir alguna información.

—¿Dónde creciste?

—En todas partes.

—Vamos, Tristan.

Él se detuvo ante un árbol caído, se agachó para levantarlo por una de sus puntas y se esforzó por apartar del camino aquel tronco de treinta centímetros de grosor.

Ella notó que él no había empleado su energía cinética. ¿Qué le habría provocado exactamente el brebaje de esa bruja?

Cuando emprendió la marcha otra vez, dijo:

—Viví en cinco casas adoptivas distintas.

Mierda.

—¿Entonces tú tampoco conoces a tus padres?

—Yo no he dicho eso. El último lugar donde viví estaba cerca de Chattanooga.

—¿Quiénes son tus padres? ¿Alguno de ellos tiene poderes?

—Quieres información, ¿pero qué tienes para intercambiar?

Ella ya se había ofrecido a hablar con el Tribunal. Con Tristan en libertad ella tenía todavía algo menos que intercambiar que antes.

—Ya sabes lo que tengo.

—Entonces no hablaremos hasta que no esté seguro de que habrá una oportunidad para mí.

Excepto por paradas ocasionales para beber de un coco o comer alguna fruta, ella caminaba fatigosamente y en silencio a través de una vegetación tan densa que se sentía como luchando contra un gorila. Ahora se esforzaba por avanzar siguiendo un camino lleno de barro que servía de atajo en una montaña.

Algo la picó.

Otra vez.

Por milésima vez.

Había hecho cursos de entrenamiento para la supervivencia, pero en cualquier caso prefería la ciudad. Incluso con el tráfico de Atlanta, se quedaba con el aroma de una noche fresca tras el hirviente calor de un día de verano. Civilización.

Después de cinco horas —o serían ya seis— sintiéndose como la fuente de alimento de cada uno de esos chupadores de sangre más pequeños que la uña de un dedo, ya empezaba a recordar con cariño las noches que había pasado persiguiendo depredadores sobrenaturales...

El amuleto alrededor de su cuello se calentó aún más.

Sentía un cosquilleo en la piel y la sensación de que había perdido algo importante.

En la ciudad, ella estaba en un estado de alerta constante.

Allí se volvía descuidada, suponiendo que Tristan conocía el terreno mejor que ella, ya que había caminado por allí con los kujoos la semana anterior.

Pero debería prestar más atención, porque algo la estaba persiguiendo con intención letal.

Su corazón dobló el ritmo con una sacudida que la preparó para huir o luchar haciendo circular adrenalina a través de sus miembros ante la proximidad de la batalla. Si se dirigía en voz alta a Tristan alertaría al enemigo, ¿pero conseguiría llegar a él por vía telepática?

«Tristan, ¿puedes oírme?». —Ella esperó alguna señal por su parte, pero él continuó por delante sin detener su ritmo. Hizo otro intento—. «Algo o alguien nos está siguiendo. Es peligroso. No quiero dañar ningún animal, pero me niego a ser comida fácil para nadie.»

«Te oigo —dijo él por fin—. Quédate cerca.»

Ella evaluó el entorno. Habían estado descendiendo gradualmente durante la pasada media hora, y el terreno se había vuelto más ondulante que cuesta abajo. Vides enmarañadas y una frondosa maleza de ramas obligaban a Tristan a ir abriendo el camino en ocasiones, pero había habido también algunos claros como aquel del lago y la cascada varios cientos de metros atrás.

El sendero se había estrechado con espesa vegetación a ambos lados.

Calculando la potencial emboscada, ella evaluó el terreno que tenían por delante y por detrás de ellos con un nueve en una escala del uno al diez.

La jungla había estado llena de sonidos momentos antes.

De pronto todo ruido cesó.

Se oyó el crujido de una rama, luego pisadas sobre la hojarasca.

No fue accidental. A lo que fuera que la acechara no le preocupaba que ella oyera que se aproximaba. Evalle captó una onda de poder que emanaba detrás de ella y a su izquierda. Había varios orígenes.

Sin duda depredadores, pero no del mundo de los humanos.

Tristan se detuvo y se dejó caer para atarse bien las botas de excursionismo.

¿Habría sentido algo?

Se volvió hacia ella, con los ojos alertas.

«Demonios —le susurró telepáticamente—. Beben de nuestro poder. Vincúlate conmigo si quieres vivir.»

El vínculo exigía una confianza absoluta entre los veladores. Además, ella no tenía ni idea de qué podía ocurrir si se vinculaban dos mutantes.

«¿Evalle? ¿Estás conmigo o no?»

Trece

«No puedo vincularme contigo, Tristan», le respondió Evalle telepáticamente. Continuaba mirando a su alrededor atenta a los demonios que se les acercaban.

Tristan suspiró y sacudió la cabeza.

«¿Y pretendes que yo confíe en ti?»

La primera bestia atacó, saliendo de entre los árboles y lanzándose contra Tristan. Demasiado imponente para ser un perro salvaje y no exactamente un lobo, con los colmillos expuestos y las garras extendidas, sus ojos ardían con ansias de matar.

Tristan se movió como una ráfaga, rápido como un relámpago, agitando su brazo para dar un puñetazo al animal justo en medio de sus ojos brillantes.

El demonio se irguió y regresó huyendo hacia un grupo de árboles jóvenes, luego rebotó para ponerse en pie y cargó de nuevo.

Evalle ya se había dado la vuelta para cubrir sus espaldas. De pronto advirtió el estruendo producido por la fuerza de un cuerpo enorme que lo rompía todo a su paso. Alzó las manos dispuesta a dar un empujón de poder al próximo animal, pero fueron dos los que surgieron de la selva.

Golpeó a uno de los demonios contra un tronco de hojas caducas tan grande que sus brazos no hubieran podido rodearlo. El otro demonio esquivó su ataque kinético en el último segundo, apartándose a un lado, y luego se aproximó a ella. Evalle le lanzó una explosión de energía y embistió al demonio contra la base del mismo árbol.

Este cayó al suelo reducido a un bulto inmóvil.

La urgencia de transformarse por entero en una bestia fluía

con tanta fuerza por sus venas que vacilaba a la hora de usar un cambio más pequeño, que era el de velador en su forma de batalla.

Puede que si lo hacía no fuera capaz de detenerse.

¿Y por qué Tristan no había adoptado su forma de bestia? Él no tenía por qué responder a nadie de lo que hiciera allí fuera.

«¡Transfórmate, Tristan!»

«No puedo.»

¿Por qué no? Pero hablar los distraería a los dos.

Desde el rabillo del ojo, lo vio luchar contra el primer demonio que había golpeado, y después contra uno nuevo.

Ella esperaba que el demonio al que había atacado con un puñetazo de poder volviera a la carga de nuevo, pero cuando recobró el sentido, comenzó a trepar por el viejo árbol con la habilidad propia de un ser humano. Cuando había subido unos metros, se instaló en una rama y permaneció al acecho desde allí arriba.

La otra bestia en la base del tronco comenzó a despertar.

Con un solo vistazo Evalle confirmó que el escalador del árbol estaba de hecho esperando a que su compañero se despertara para atacar en equipo.

Algo detrás de ella gritó de dolor. Tal vez Tristan tuviera poderes sobrenaturales sin necesidad de adoptar su estado de mutante. No era justo que además tuviera el arma de ella también. «Su arma.»

«Tristan, lánzame el puñal. He matado demonios con eso.»

«No tengo poder para lanzártelo.»

Ella se arriesgó a mirar y perdió toda esperanza de sobrevivir a aquello.

Tristan era el que estaba en el suelo y en aprietos. Un demonio tenía la parte superior de uno de sus brazos en la mandíbula, y tironeaba de los músculos y huesos con cada sacudida de su cabeza.

El otro animal contra el que Tristan había luchado yacía en el suelo sin cabeza.

Pero el que le estaba mordiendo el brazo parecía estar debilitando a Tristan. Sus movimientos eran muy lentos.

Un gruñido gutural que venía desde arriba agitó sus huesos y su columna. Evalle alzó la vista mientras el lobo-demonio que estaba por encima de ella arqueaba su cuerpo, preparándose para saltar.

Ella desvío de nuevo su atención al otro monstruo del suelo, que ahora estaba a cuatro patas y gruñendo.

Esos dos demonios debían de haber imaginado que la chica no podría sostener la pared de poder de frente y por encima de ella al mismo tiempo. El que estaba arriba saltó mientras el demonio del suelo se lanzaba al ataque.

Evalle cambió la posición de sus manos y empujó su poder hacia arriba, ideando un plan rápido. Cuando el animal que saltaba por el aire chocara contra el campo de fuerza ella lo lanzaría contra el otro que estaba en el suelo.

Su plan podría haber funcionado, pero el animal que aterrizó contra su campo de energía rebotó y se dio un golpe contra un pino lo bastante grueso como para hacerle bastante daño.

Y el demonio del suelo anticipó su movimiento.

Saltó hacia un lado.

Luego saltó en diagonal antes de que ella pudiera emplear su fuerza cinética para detenerlo.

Con los colmillos al descubierto, arremetió contra su rodilla.

Sus mandíbulas le machacaron el hueso con el primer mordisco.

Gritó de dolor. La bestia le clavó las garras en el muslo, desgarrándole la piel y los músculos. La sangre brotó de su pierna y se derramó sobre el hocico del animal. Ella le golpeaba la cabeza con los puños.

El cartílago se disparó a lo largo de sus brazos. La energía de la transformación inminente hizo que se retorciera su cuerpo.

No. La bestia no. No podía confiar en que Tristan no la delatara ante el Tribunal si se enfrentaban a él juntos, y se pondría roja si mentía acerca de su transformación.

Pero el hecho de agonizar refutaba todo eso.

Sus dedos se alargaron y les salieron garras. Apretó los dientes, sacudiéndose violentamente por el intento de contener la transformación.

Los dientes del demonio se clavaron en su rodilla. Un dolor cegador ardió a través de su pierna, subiendo hasta su abdomen y su pecho. La inminencia de la transformación le había dado un arma que no malgastaría. Ladeando su brazo hacia atrás, clavó una de sus afiladas garras en el ojo de la criatura.

Y continuó empujando.

El hueso cedió mientras empujaba la estaca en el interior del cerebro.

El otro ojo del monstruo rodó hacia arriba. Sus mandíbulas se aflojaron.

Ella se echó hacia atrás y balanceó su puño como un mazo, para después hacerlo caer sobre la cabeza del animal. La cabeza de la bestia se quebró. Dos de los colmillos enterrados en su músculo crujieron contra la línea de la piel.

La niebla que la envolvía era tan brillante que prácticamente le cegaba los ojos sensibles. ¿Cuándo había perdido las gafas? Buscó a tientas a su alrededor, las encontró y se las volvió a poner.

Un mareo la asaltó.

No podía enfocar la vista. Algo atacaba su cuerpo casi como un veneno, mermando su poder. Se arrancó de la rodilla los colmillos rotos y jadeó en busca de aire. Le salía sangre de las arterias abiertas con cada latido de su corazón. El dolor la invadía.

Iba a perder esa pierna… si es que no moría antes.

Le pesaban los brazos. Se le iba la cabeza. ¿Qué era lo que continuaba agotando su energía además de la pérdida de sangre?

Un líquido amarillento y verdoso se mezclaba con la sangre que le chorreaba de la pierna.

La saliva del demonio.

Tal vez era eso lo que había debilitado a Tristan. La saliva del demonio estaría atacando su sangre.

El demonio escalador que había rebotado después de la sacudida de su poder de telekinesis se había puesto en pie, y se enfrentaba a ella con ojos letales. Dio un paso tambaleante hacia ella.

Con su poder menguando, solo le quedaba una oportunidad.

Lanzó un estallido de energía al árbol que tenía a más de diez metros de distancia, dañando severamente el tronco de manera que este se desplomara sobre el lomo del demonio.

Ahora ya no le quedaba suficiente energía cinética ni como para quebrar un palillo de dientes.

Tristan bramaba de agonía.

Ella se retorció, apretando los dientes para tratar de soportar el lacerante dolor. La criatura todavía aferraba en sus fauces lo que quedaba del brazo herido de Tristan, y al tirar de él le sacudía el cuerpo entero adelante y atrás.

Ya que no tenía sentido guardar silencio ahora, ella gritó:

—¿Dónde está el puñal?

—En la bota… la derecha —graznó él con la voz sobrecogida por el pánico. La sangre cubría su brazo, el cuerpo y el suelo.

Arrastrando la pierna herida, ella reptó hasta su lado y trató de alcanzar su bota, incapaz de dejar de llorar de angustia al golpear la rodilla machacada.

Buscó dentro de su bota y enroscó los dedos en torno a la empuñadura del puñal.

La energía subió por su brazo.

Con la última explosión de fuerza en su cuerpo, Evalle arremetió contra la cabeza del demonio, clavándole el puñal entre los ojos. Eso había funcionado con demonios en el pasado y, aleluya, con este también. Estalló con una explosión de luz, y después quedó reducido a cenizas.

Tristan se cayó hacia atrás con un aullido lastimoso.

Nada que estuviera vivo debería sonar así.

Ella metió el puñal en su propia bota y avanzó hacia él. La carne y el músculo le colgaban del hombro, y su brazo era una mezcla asquerosa. Tristan no sobreviviría a aquello, del mismo modo que ella no podría sobrevivir a la herida de su rodilla machacada y sangrante.

—Tenemos que… curarnos —dijo él rechinando los dientes con la voz impregnada de dolor.

Ella era capaz de curarse algunas heridas mucho más rápido que los humanos, pero no una herida como esa.

—Tristan, tengo la rodilla destruida. No tengo el don de curar este tipo de heridas.

Se separó de su cuerpo para que él pudiera moverse. Tristan respiró varias veces con dificultad y se impulsó para incorporarse sobre el brazo sano. Su piel, antes dorada por el sol, ahora se había vuelto de un gris enfermizo.

Él jadeó.

—Ve… al lago.

Como si el agua pudiera reparar sus cuerpos devastados.

—¿Cómo podría ayudarnos eso?

—Tienes que limpiar la saliva… Está atacando nuestra sangre.

—Puede que eso detuviera la pérdida de poder, pero… —hizo un par de inspiraciones para continuar—. A menos que ese lago contenga agua mágica no va a reparar nuestros cuerpos machacados. Es demasiado tarde… la saliva nos está consumiendo.

Él la miró con expresión de desconcierto, luego se puso en pie con muchísimos gruñidos y apretando las mandíbulas. Extendió la mano hacia ella.

—Demasiado… para explicar.

Ella no podía presionarlo para que dijera nada más cuando era evidente que cada palabra le suponía una pérdida de su energía menguante.

—Ve delante si crees que puedes hacer algo. Yo no puedo caminar.

—Levanta. —Él mantenía la mano extendida.

Demasiado cansada para discutir, ella sujetó su mano con las dos suyas y dejó que la ayudara a ponerse en pie. Inspiró aire dificultosamente. Las lágrimas amenazaban con salir ante la irrupción de un dolor lacerante. En cuanto logró sujetarse en una pierna él la soltó.

—¿Qué demonios…?

Antes de que pudiera llegar a caerse, él la levantó como un bombero sobre su hombro sano y, a continuación, comenzó a caminar. Iba en dirección a la cascada que habían pasado un rato antes.

—Déjame en el suelo. No estás en condiciones de cargar conmigo.

Él no dijo nada, se limitaba a avanzar lentamente como un hombre que hubiera sido golpeado con un garrote.

Si ella luchaba los dos se harían daño, así que se quedó quieta.

El tiempo en el universo del dolor transcurre con una lentitud insoportable. Cada paso en falso sobre el accidentado terreno sacudía su pierna y le hacía llegar lágrimas a los ojos. Pero no estaba dispuesta a gritar ni quejarse, cuando a él tenía que estarle doliendo tanto o más que a ella.

Él murmuró algo y siguió abriéndose paso con esfuerzo.

Evalle no podía prestar atención a sus palabras porque el dolor la mantenía adormecida. El sonido de agua se hacía cada vez más fuerte, hasta que logró divisar el lago y la cascada por el rabillo de un ojo.

Él se metió en el agua clara, que no estaba fría, pero sí más fría que esa sauna que habían estado recorriendo tan fatigosamente.

Todo lo que ella tenía por debajo de la cintura se había reducido a un gigantesco latido infestado.

Tristan la sujetó con su único brazo y se hundió en el agua hasta el cuello. Susurró unas palabras que sonaron como un cántico.

Ella preguntó:

—¿Qué estás haciendo?

El siguió murmurando palabras extrañas.

—¿Estás tratando de hechizarme?

Él interrumpió su canto.

—Si lo hiciera… sería para conseguir que cerraras la boca. Estoy tratando de extraer… la saliva. El agua ayuda a limpiar la herida, mientras la saliva se escurre.

Ella le creía.

—La quemazón de la saliva se está aliviando, pero yo todavía me sigo debilitando.

Cuando él volvió a hablar, tenía más voz, y no sonaba tan tensa por el dolor.

—No creo que pueda extraer la saliva de tu cuerpo de la misma manera que puedo hacerlo del mío. Tendrás que ayudarme con eso.

—Entonces supongo que este no es un estanque mágico. —Sentía ahora en la rodilla un leve tamborileo de dolor que todavía palpitaba con cada latido de su corazón. No veía bien porque el pelo le tapaba la cara. Trató de apartárselo con una mano.

—Contén la respiración —le dijo él justo antes de sumergirla por debajo del agua.

Ella tomó una gran bocanada de aire justo a tiempo. Tristan la sujetaba contra él, apretándola con su brazo sano. Bajo el agua, Evalle observó que él entraba como en una especie de estado zen, con los ojos cerrados. Lentamente, movió su brazo herido, apartándolo de su cuerpo.

A ella se le retorció el estómago al contemplar su brazo destrozado con vívido detalle.

Él continuó haciendo algo, porque el músculo parecía enroscarse alrededor del hueso, estirando el brazo como si flotara.

La sangre dejó de rezumar de sus heridas. El músculo suelto continuaba volviendo a su lugar. El hueso se extendía, conectando las partes rotas, de modo que el brazo iba recuperando poco a poco su forma normal.

Ella abrió la boca conmocionada y tragó agua, asfixiándose.

Él la levantó para subirla a la superficie. Ella jadeó en busca de aire, y tosió escupiendo agua.

Tristan soltó un taco.

—Creí que podrías contener la respiración más que eso.

Ella tosió de nuevo.

—¿Cómo has hecho eso?

Al ver que no respondía, Evalle volvió a enfrentarse a él, que la observaba fijamente, al principio con incomprensión.

—¿De verdad no sabes cómo curarte a ti misma?

Lo último que ella querría sería reconocer debilidad delante de otra persona, especialmente tratándose de un hombre, pero él estaba insinuando que aquello tenía que ver con el hecho de ser mutante.

Tristan empleó su brazo recién curado para limpiarle a ella el barro que todavía le quedaba en el pelo.

En condiciones normales, Evalle le hubiera recriminado

que actuara como si pudiera hacer con ella lo que quisiera, pero no estaba como para preocuparse de eso ahora.

Tenía el cuerpo devastado y agotado por la lucha.

La saliva del demonio continuaba mermando su energía vital.

Tenía la pierna como si un elefante se hubiera parado encima y sentía un dolor de cabeza mortal.

Soltó un suspiro.

—No, no tengo ni idea de cómo te has curado a ti mismo. ¿Y por qué no te transformaste para luchar contra esos demonios?

—Tenía que reservar mi energía para... después. —Tristan la levantó en brazos, ahora con los dos.

¿El hecho de transformarse en mutante menguaba su energía? Interesante. Debía de haber creído que podría contra esos demonios sin transformarse y no habría tenido en cuenta que la saliva pudiera acabar con su energía sobrenatural.

¿Pero lo que pretendía hacer era tan importante como para que decidiera reservar su poder para más adelante?

Podría hacerle esas preguntas una vez salieran de allí. Lo primero era salvar su pierna. Y él todavía estaba en proceso de curación.

—¿Qué es lo que haces para curarte a ti mismo?

—Si de verdad no sabes cómo curarte tenemos que darnos prisa. Cuanto más tiempo permanezca la saliva en tu sistema más difícil será eliminarla.

Si ella no hubiera visto la reparación del brazo con sus propios ojos, no le habría creído.

—Entonces, ¿cómo funciona?

—Te lo demostraré.

¿No era eso lo mismo que había dicho Storm cuando ella le había preguntado cómo funcionaba la magia para seguirle el rastro?

¿Por qué los hombres no podían al menos por una vez dar una respuesta directa? A ella no le gustaba la idea de intentar algo desconocido, pero tampoco podía escapar de allí.

—Muéstramelo —le respondió.

—Quédate quieta un momento. Creo que puedo terminar

SHERRILYN KENYON-DIANNA LOVE

de extraer la saliva de tu pierna ahora que estoy más fuerte. El resto depende de ti.

Cuando la quemazón de la saliva cesó, Tristan dejó de susurrar su canto y caminó hasta la orilla. Se sentó en el suelo, chorreando agua por todas partes, y la recostó con cuidado en su regazo.

Evalle contempló con asombro el sorprendente cambio cuando él flexionó su brazo herido. La piel nueva había empezado a recubrirlo, allí donde antes se hallaba el músculo expuesto.

Tristan dijo:

—Sé que duele, pero es necesario que estires la pierna.

Ella asintió, luego reunió coraje y lentamente trató de estirarla, apretando los dientes y temblando por el esfuerzo. Los plátanos que había comido querían unirse a la fiesta, pero mantuvo la boca cerrada hasta que se aclaró la garganta.

—¿Y ahora qué?

—¿Tú sabes cómo soltar tu mutante interior, verdad?

—Tengo prohibido transformarme. —Esa era una respuesta segura. Ella no le estaba diciendo nada que él pudiera emplear en su contra en un momento dado.

—No me refiero a que adquieras del todo tu estado de bestia —aclaró Tristan.

Ella lo miró con una expresión que sugería que la saliva del demonio le había afectado el cerebro.

Él alzó las cejas.

—¿Cuántas veces te has transformado?

Una sola, después de todo, pero no compartiría esa experiencia con nadie a excepción de Tzader y Quinn, ya que ellos eran los únicos que lo sabían. Y había asumido el riesgo de transformarse esa vez solo para salvar la vida de los tres. Esos dos veladores se llevarían el secreto a la tumba.

Ella respondió:

—Acabo de decirte que no me está permitido transformarme.

Él sacudió la cabeza con incredulidad.

—¿No sabes una mierda sobre el hecho de ser mutante, verdad?

—¿Cómo se supone que debería saber algo cuando la única persona que podría enseñarme cosas se niega a hacerlo? —le espetó.

—Yo no puedo ayudarte si Brina nos mantiene separados.

—Ahora estamos juntos —señaló ella.

Él podría haberle pedido cualquier cosa a cambio en ese momento y a ella le habría costado mucho no aceptar para conseguir salvar su pierna.

Pero él no intentó ningún trueque, lo cual la sorprendió tanto como el hecho de que antes no se hubiera transformado en bestia.

Él se explicó.

—He tenido mucho tiempo para experimentar mientras estaba encerrado. Descubrí estados de transformación menores antes de llegar al estado integral de bestia. Hay una fase inicial en la que conectas con un poder que puedes usar sin llegar a convertirte en bestia.

Si dijera que no sentía curiosidad estaría mintiendo.

—¿Y cómo conecto con ese poder?

—Puedes convocar a tu bestia mutante lentamente y sentir cómo el poder se filtra en tu sangre, tus músculos y tus huesos, para luego detenerla justo antes de que se produzca el cambio de humano a bestia. Si logras hacer eso, podrás curar cualquier cosa. ¿Cómo crees que he logrado sobrevivir aquí? He sido mordido por una víbora de terciopelo.

—¿De terciopelo? ¿Qué es eso?

—Es una víbora enorme con colmillos inferiores y superiores. El veneno de su mordedura puede matarte en cuestión de minutos.

Ella miró a su alrededor, ahora tenía que añadir serpientes gigantes a la lista de cosas asquerosas a las que debía estar atenta. ¿Debería confiar en lo que Tristan le estaba diciendo, especialmente respecto a eso de conectar con su mutante interior?

Él no la había llevado a la luz del sol, y no había sacado provecho de su posición ventajosa. Por muy extraño que pareciera, a Evalle no le asustaba que Tristan la estuviera sujetando, lo cual debía tener que ver únicamente con el hecho de que su rodilla estaba destrozada, se hallaba casi agonizante y su presión sanguínea era muy baja.

Abriendo sus sentidos, trató de distinguir alguna emoción que emanara de Tristan, alguna pista que pudiera señalar una intención oculta tras esa insistencia en que asumiera el riesgo de transformarse en bestia.

Tristan no habría sobrevivido todo ese tiempo si fuera un estúpido. Emplearía cualquier ventaja que pudiera conseguir de la alianza con ella.

En el momento en que se abrió hacia él la golpeó un aluvión de emociones, chorros de ira... y frustración... eso era comprensible. No tenía por qué no estar furioso con ella... pero... eso no era todo.

Su emoción principal se aclaró inmediatamente.

La ira y la frustración emergían de una bola de preocupación.

¿Preocupación por ella? Sí. Preocupación por su pierna y su dolor. ¿Por qué se preocupaba por una mujer que lo había enviado de vuelta a prisión?

—Evalle, cuanto más esperes más difícil será curar tu rodilla. —La expresión seria de su boca indicaba que cuanto más tiempo dejara pasar más doloroso sería el proceso—. Si aún vacilas a la hora de confiar en mí, ten en cuenta que no tengo nada que ganar por el hecho de curarte, y sí mucho que perder.

Su instinto y su sentido empático estaban de acuerdo, solo le cabía esperar que él tuviera razón acerca de que pudiera hacer eso sin llegar a transformarse.

—Dime qué tengo que hacer.

—Cierra los ojos y piensa en el centro de tu cuerpo. Es un volcán que puede entrar en erupción y destruirlo todo o solo borbotear y derramar riachuelos de lava a los lados. Eso es lo que tú vas a hacer con tu poder.

Ella escuchó la cadencia de su voz y se concentró en convocar el poder de su interior.

Su bestia se alzó.

Ella entró en pánico y detuvo la llamada, abriendo los ojos.

—No puedo hacerlo. Me transformaré.

—¿Será acaso que yo soy muy superior a ti como mutante?

Eso la jodió. No le importaba si alguien la oía insultar mentalmente. Cerró los ojos con fuerza y respiró lentamente. Comenzó a hablar de nuevo.

Se retiró a su interior hasta que pudo sentir el burbujear de energía dentro de su cuerpo.

Concentrándose en eso, comenzó a convocar al mutante suavemente, deseando que la poderosa bestia creciera muy lentamente.

Dedos cálidos de fuerza comenzaron a rebosar a través de ella, justo igual que lava, surgiendo y alcanzando los moratones de su pecho y de sus brazos. Le dolían, pero de forma positiva. Él le dio instrucciones para que dirigiera la energía por su pierna.

Ella hizo lo que él le dijo y sintió deslizarse la corriente a lo largo de su muslo, luego en torno a su rodilla, creciendo en ese sitio hasta que...

Evalle se tensó ante el estallido de energía que le quemaba la rodilla. Gritó al sentir que la carne le quemaba y apretó los puños, tratando de no enloquecer.

Sintió que el calor blanco la engullía hasta que estuvo segura de que se desintegraría igual que el demonio que había matado. Pero lentamente el brillo blanco se transformó en una suave niebla fresca que de nuevo pudo respirar con sus secos pulmones.

Cuando abrió los ojos se halló apretando el brazo sano de Tristan con la fuerza suficiente como para romper un brazo humano.

Él tenía la cara bañada en sudor y las venas eran como cables tensos en su cuello.

Evalle finalmente se dio cuenta de que el dolor de su rodilla era ahora de intensidad leve. Relajó los músculos de sus manos y le soltó el brazo. Le había dejado marcas rojas que sin duda se convertirían en moretones.

—Lo siento. No quería... yo no sabía que...

—Está bien. —Él sacudió el brazo como para que volviera la circulación.

Ella comenzó a ponerse en pie y a apartarse de su regazo, pero él la detuvo.

—Da a los huesos unos minutos para que terminen de unirse y podrás descansar el peso en ellos. No tendrás fuerza durante un rato, pero serás capaz de cojear sin hacerte daño.

Pero ahora que ese dolor insoportable ya no ocupaba por entero su cerebro Evalle ya no se sentía cómoda sentada en su regazo.

Un gruñido gutural procedente de la jungla la distrajo de su incomodidad.

Alzó la vista para divisar un par de ojos dorados que los miraban fijamente. Eran los ojos de un animal que se hallaba en la oscuridad entre la espesa vegetación.

Ella todavía no estaba en condiciones de luchar contra ninguna criatura que tuviera garras y dientes. Y a Tristan probablemente le ocurriera lo mismo hasta que estuviera del todo recuperado.

Ella le susurró:

—Yo creo que es mejor que nos arriesguemos a ponernos en pie, a menos que tú puedas susurrar algún conjuro de esos tuyos que sirva para esa criatura que nos está mirando.

Tristan habló en voz alta, sin ni siquiera tratar de disimular sus palabras.

—No hay nada que pueda hacer para detener a un demonio.

¿Otro demonio? Ella no pudo impedir el temblor que sacudió su cuerpo ante la idea de enfrentarse a otro demonio con colmillos en su estado de debilidad.

Los ojos dorados se afilaron, a continuación un jaguar negro salió al claro y se levantó sobre sus patas traseras mientras una energía convertía su cuerpo. Se transformó en un hombre.

—¿Storm? —Evalle no podía creer lo que veían sus ojos ni pudo impedir la sonrisa que asomó a sus labios.

No había ninguna duda. Se trataba de Storm, desnudo y furioso.

Se cruzó de brazos, sin la menor preocupación por su falta de ropa.

El cuerpo de Tristan se tensó, y aferró a Evalle con más tensión también.

—Está todo bien, lo conozco —murmuró Evalle a Tristan, un poco distraída. Trataba de no mirar la silueta de Storm, pero sus ojos tenían voluntad propia y continuaban deambulando por debajo de su ombligo mientras luchaba por apartarse del regazo de Tristan. Trabajando media jornada en la morgue en Atlanta había visto muchos cuerpos masculinos, pero ninguno tan bien... equipado. Literalmente hablando.

El cabello negro le caía salvajemente sobre la piel bronceada de sus anchos hombros. Había racimos de músculos esculpidos en su pecho y en sus brazos, y pequeñas ondas se extendían por su abdomen cuando respiraba, ondas que llegaban hasta donde... ¿Dónde acababa de aparecer un taparrabos?

Storm bajó la vista ante esa prenda de piel de ante que de pronto le cubría sus partes bajas, luego miró con odio a Tristan.

—La desnudez no me molesta en absoluto. Pero entiendo que tú te puedas sentir incómodo al compararte conmigo.

Evalle desviaba la vista de un hombre a otro. ¿Tristan le había colocado ese taparrabos a Storm?

Tristan ayudó a Evalle a ponerse en pie y se encogió de hombros.

—Debería preocuparte andar por aquí desnudo... con tan poco que mostrar.

Storm dio un paso hacia Tristan, y este se volvió hacia él. Los cuerpos de ambos se tensaron preparados para la lucha.

Evalle ya había soportado toda la cantidad de lucha que podía aguantar en un día.

—No estoy de humor para veros jugar a quién la tiene más grande.

Tristan sonrió.

—No es necesario. Yo ya sé quién la tiene más grande.

Storm se detuvo, pero lo rebatió:

—Puede que sea cierto teniendo en cuenta los avances que se están haciendo con los implantes.

Antes de que aquello se les fuera de las manos otra vez, Evalle los interrumpió.

—Creo que deberíamos salir de aquí antes de que alguna criatura nos ataque.

Storm preguntó con tono burlón:

—¿Cómo? ¿No disfrutabas la forma en que te estaba maltratando? ¿Y quién le permitió escapar de su jaula?

—No me estaba maltratando... —Se interrumpió al ver la furia que expresaba la mirada de Storm. No iba a reconocer que había dejado escapar a Tristan de forma intencionada—. Íbamos de regreso a Atlanta y...

—La estaba protegiendo. —Tristan se acercó a Evalle.

Storm le miró la rodilla, todavía en fase de curación y aún no totalmente recubierta de piel.

—Impresionante cómo has cumplido con tu misión de protegerla. Si yo no hubiera aparecido habría muerto antes de llegar al próximo pueblo.

Tristan la rodeó con su brazo de manera posesiva, y ella se sintió como si le clavaran agujas en la piel. Incapaz de apartarse, le susurró:

—Suéltame.

—No.

—Suéltame o te haré daño —insistió de nuevo en un susurro.

—No creerás que cargué contigo hasta el río solo para que te dieras un baño.

Ella no podía creer que Tristan hubiera dicho eso, y por supuesto iba en beneficio de Storm. Si no hubiera estado todavía tan inestable en una pierna, le habría dado una patada en el culo.

—Quítame las manos de encima.

—Haz lo que te dice —le advirtió Storm.

—¿O me harás daño? —se burló Tristan.

—No te haré daño. —Storm sonrió con intención malévola—. Bueno, tal vez un poco cuando te parta el cuello, pero no lo sentirás por mucho rato.

A ella la alcanzó una fuerte emoción procedente de Storm. Estaba enfadado... no, no era eso exactamente.

¿Estaba... celoso? ¿En serio? Eso iluminaba su día.

Esos dos iban a ponerse tontos otra vez.

Tristan sonrió, burlándose de Storm.

—Vamos, me gustaría tener una alfombra de jaguar en mi próximo apartamento.

Evalle se apartó bruscamente de Tristan, manteniéndose a la vez ligeramente alejada de Storm porque si no sería incapaz de pensar.

—No tengo tiempo para una batalla de testosterona. Y tú tampoco, Tristan, si queremos encontrar a esos tres mutantes.

—¿Entonces ahora trabajas con él? —preguntó Storm.

La sonrisa de Tristan se ensanchó.

Evalle miró con odio a Tristan para contenerlo, luego miró a Storm por encima del hombro.

—Tenemos un acuerdo.

La expresión de decepción del rostro de Storm la machacó. Había acudido en su busca, tal como le prometió, ¿pero no entendía por qué ella tenía que pegarse a Tristan?

—No tan rápido —le dijo Tristan—. Tenemos un acuerdo que no lo incluye a él.

Ella se dio la vuelta.

—¿A qué te refieres?

Tristan levantó las manos, con las palmas hacia arriba.

—Si a ese mujeriego le corresponde estar aquí, que sea entonces él quien te lleve hasta el próximo pueblo. O se va Storm o me voy yo.

Storm no dijo nada, lo cual a ella le resultó aún más preocupante que su ira. ¿Qué era lo que pensaba? ¿Que ella le había pedido a Tristan que tocara su cuerpo?

Evalle no podía permitirse perder a Tristan, pero tampoco abandonaría a Storm después de que hubiera acudido hasta allí a buscarla. Le dijo a Tristan:

—No irás a ninguna parte sin mí si pretendes que hable a tu favor en el Tribunal.

Los ojos de Tristan se movieron de Storm a Evalle, forzándola a tomar una decisión.

—¿Recuerdas cuando te dije que los dioses y diosas podían ser tramposos? Tú dijiste que las palabras exactas de Loki fueron: «Permitiré que aquel que recupere a los tres mutantes desaparecidos y los entregue a VIPER se vea libre de sus anteriores transgresiones». No necesito que intercedas a mi favor ante el Tribunal. Lo único que tengo que hacer es presentarme ante ellos con esos tres para negociar mi libertad. Y encontrarlos no será un problema, ya que fui yo quien les dije dónde esconderse en Atlanta.

Tristan iba a estropear su trato con el Tribunal.

—Eres un hijo de...

Él sacudió un dedo de un lado a otro.

—No, no... a Brina no le gusta que sus subalternos suelten tacos. Decide si es conmigo o con él con quien quieres asociarte.

—Técnicamente no se trata de una asociación —dijo ella en beneficio de Storm—. Se trata solo de un acuerdo.

Tristan no transigió.

—¿Estás conmigo o con él?

—Sabes que necesito tu ayuda. —El sonido de disgusto que surgió detrás de Evalle redujo sus expectativas de poder suavizar aquello con Storm. Sin duda él se daría cuenta de que Evalle no lo dejaría allí. Nadie iría a ninguna parte antes de que ella solucionara las cosas con Storm.

Tal vez no debería importarle lo que él pensara habiendo tanto en juego, pero le importaba. Percatarse de su decepción contrarrestaba la felicidad que había sentido al verlo.

Dijo con voz firme:

—No pienso dejar aquí a nadie.

—¿Alguno de vosotros puede teletransportarse? —preguntó Tristan.

—No —le espetó Evalle, perdiendo la paciencia—. ¿Adónde quieres llegar?

—Yo sí puedo. —Tristan desapareció.

—¡Maldita sea! —Se volvió hacia Storm—. No puedo creer que se haya tele...

Storm también había desaparecido.

Catorce

*E*valle cerró los ojos, luego los abrió de nuevo, deseando que Storm estuviera allí.

Nada. Ni Storm. Ni Tristan.

Nada más que las enredaderas de la jungla que rodeaban el pequeño claro cerca del lago donde estaban.

¿Dónde se había ido Storm? ¿Acaso Tristan se lo habría llevado? ¿O le habría hecho algún daño?

Nadie podía tener tan mala suerte.

Alzó los puños al cielo.

—¡Ya tengo bastante! ¡Matadme ahora mismo y ahorradme toda esta mierda!

—¿Cuál es tu problema?

Evalle se sobresaltó y bajó los brazos para encontrarse a Storm de pie frente a ella. Dolor, irritación y frustración se mezclaron en su pecho. La había vuelto loca con su desaparición.

—¿Dónde demonios te has ido?

—A ponerme ropa de verdad. Traje una bolsa de tela que podía colgarme al cuello para llevar ropa que ponerme al recuperar mi forma humana. —Llevaba unos tejanos desteñidos y una camiseta marrón oscuro.

El corazón de ella hizo esa extraña danza que había estado perfeccionando cada vez que ese *skinwalker,* con capacidad para transformarse en el animal que quisiera, estaba cerca.

Cosa que no estaba dispuesta a dejarle saber después de que la mirara con odio y actuara como si ella hubiera permitido que Tristan la manoseara. ¿De qué había ido toda ese número entre él y Tristan?

Él la seguía mirando con rabia.

—Volvamos al tema de por qué te exponías así al peligro. ¿Cuál es tu problema?

—Te diré cuál es mi problema, Storm. Para empezar, haces que mi aura se vuelva de color dorado, y luego te comportas como si estuviera cometiendo un crimen con Tristan.

—Dejarlo escapar de su jaula y permitirle que te toque son crímenes. —El matiz feroz de su voz sonaba posesivo.

El aire húmedo entre los dos era vibrante.

Evalle consideró cómo se sentiría más tarde cuando no encontrara una manera de regresar a otro continente.

—No le dejé escapar, no intencionadamente. —No iba a detallar cómo Tristan la había agarrado y había saltado con ella a través de la barrera invisible—. Tristan aceptó ayudarme.

Storm emitió un sonido que de ningún modo podía ser interpretado en clave positiva.

—¿Ayudarte a qué? ¿A practicar en un concurso de camisetas mojadas?

A modo de acto reflejo, ella bajó la cabeza para ver cómo su camiseta empapada se le pegaba a los pechos. Tenía los pezones erectos. Se cruzó de brazos tapándose las condenadas tetas y lo miró con rabia.

Se negaba a sentirse culpable por nada de aquello.

—Nos atacaron varios demonios. Uno de ellos le desgarró el brazo. —Storm no se inmutó, sus ojos seguían afilados como si estuviera sumido en oscuros pensamientos. Ella continuó—. Y me aplastaron la rodilla. Tristan me llevó al lago con su único brazo sano para que pudiera limpiar la saliva del demonio de las heridas.

El rápido cambio en el rostro de Storm, de la ira a la preocupación, redujo la irritación que ella sentía, pero su rostro volvió a cambiar de expresión rápidamente otra vez. Miró su pierna con suspicacia.

—No parece aplastada.

—Eso era lo que estaba intentando explicarte. Cuando tú apareciste, él me estaba enseñando cómo curarme a mí misma.

—¿Qué fue exactamente lo que Tristan te enseñó?

El sarcasmo no mejoraba nada su humor. Su actitud tan fría debería congelarla, pero a pesar de esa frialdad Storm no parecía estar tan enfadado como antes.

Ella soltó una gran bocanada de aire y trató una vez más de aclarar la idea equivocada de Storm.

—Tristan tiene más experiencia que yo como mutante y sabe cómo controlar la transformación en bestia. Me enseñó cómo convocar niveles de poder sin llegar a transformarme que puedan servirme para curarme.

Con los pies separados y de brazos cruzados, a Storm solo le faltaba un cartel que dijera NO ESTÁ EN VENTA colgado del cuello.

—Así que te transformaste.

—No, por supuesto que no. Esa es la mejor parte. Solo hice uso de mis poderes como mutante. —Ella no podía dejar de advertir su exterior de piedra. Ni ese brillo suspicaz en la mirada—. ¿Qué pasa contigo? Hace diez minutos estaba a punto de perder mi pierna… y probablemente también mi vida. Eso no importa, ¿verdad?

Ella se apartó hacia un lado con gesto de enfado y se estremeció ante el dolor que aún sentía en la pierna.

En la dura mirada de él apareció una nota de preocupación.

—¿De verdad tenías la pierna machacada?

—Sí.

Storm se puso en cuclillas y examinó su rodilla al descubierto y sus tejanos ensangrentados claramente destrozados por unas garras. Apartó a un lado un trozo del tejido y tocó suavemente la piel abultada.

—¿Te duele mucho?

—Bastante, pero me voy curando en cuestión de minutos. —Ella evitó poner más peso en la pierna y se encogió de hombros—. Sí duele, pero puedo soportarlo.

Él relajó los hombros al ponerse en pie. Le tocó el rostro con las yemas de los dedos.

—No me gusta verte herida.

El corazón de ella se retorció ante la mirada de gravedad que él le dirigió, como si quisiera mutilar a cualquiera que le hiciera daño.

—Necesito moverme para averiguar dónde ha ido Tristan. ¿Cómo me encontraste?

Él examinó su alrededor mientras le contestaba.

—Tuve algo de ayuda. Dejé pasar una hora desde que te fuiste a medianoche, después contacté con Nicole y le pedí que localizara el amuleto.

Evalle hubiera preferido que Nicole no se viera involucrada, especialmente porque a la pareja de Nicole, Red, no le gustaba Evalle y no le había hecho gracia que ella llevara a Storm transformado en jaguar ante Nicole dos noches atrás.

—¿Despertaste a Red? Ella molestará mucho a Nicole por eso.

La mirada de Storm dejó de vagabundear y se encontró con la de Evalle.

—Hubiera arrastrado a Sen fuera de la cama para encontrarte de haber creído que él podría serme de ayuda.

¿Cómo se suponía que podía seguir enfadada con él si le decía cosas como esa?

—Pero Nicole solo hizo un conjuro de invisibilidad temporal con el amuleto cuando nos lo prestó. No lo entiendo.

—Yo hice un conjuro de protección con el amuleto la última vez que te vi.

Por eso el amuleto había estado brillando y advirtiéndole del peligro justo antes de ser atacada. Storm había tratado de protegerla desde la distancia.

—¿Pero cómo pudo Nicole averiguar tan rápido dónde estaba?

—Empleó un cuenco de predicciones para determinar la localización del amuleto hasta dar con esta región. Y yo tuve acceso a un jet privado.

¿Cómo pudo acceder a un jet privado? Pero no quería malgastar el tiempo interrumpiéndolo.

Storm se encogió de hombros, y dijo:

—Crecí en Chile y he deambulado por todo el país. En cuanto llegué aquí solo se trataba de seguir tu rastro con la magia que usé... Su voz se extinguió y apretó los labios con un gesto de remordimiento.

Pero ella captó su desliz, lo cual le recordó que tenía que exponerle una queja seria.

—Hablando de la magia que cambió mi aura... ¿qué hiciste? ¡Está de color dorado!

Él soltó un suspiro.

—No lo sé.

—Respuesta errónea. Arréglalo.

—No estoy seguro de poder hacerlo, pero no tienes tiempo para nada de esto ahora si pretendes encontrar a Tristan. Asumo que tenía algún plan cuando estabas deambulando por ahí con él.

Ese condenado Tristan.

Era cierto que le había arreglado la pierna, pero podría haber hecho que se teletransportaran juntos. Si la hubiera apartado de los demonios, ella no habría acabado con la rodilla hecha pedazos.

Y él no se había transformado. ¿Acaso había estado ahorrando energía para teletransportarse?

Dejaría eso de lado para seguir en movimiento.

—Tristan sabe dónde están los otros mutantes en Atlanta y aceptó ayudarme a localizarlos.

—Te estaba mintiendo.

—Tal vez me mentía sobre lo de ayudarme, pero creo que decía la verdad al afirmar que los mutantes están en Atlanta. —Aunque Tristan hubiera mentido por omisión, no le había vuelto a quitar el puñal ni la había dejado tirada, cuando hubiera podido hacerlo. ¿Por qué se había quedado con ella? No podía perder el tiempo ahora en eso. Miró a su alrededor, se sentía derrotada al pensar que tenía que recorrer tanta distancia en tan poco tiempo—. ¿Hay alguna oportunidad de que puedas seguir su rastro al teletransportarse?

—No. Si se dirigía de vuelta a Atlanta llama a Tzader o a Quinn para que empiecen a buscarlo mientras nosotros regresamos.

—No puedo pedir ayuda a nadie, y menos a ellos. El Tribunal me lo prohibió. —A continuación un pensamiento la asaltó.

No había probado ninguno de los dones, ya que únicamente podía usarlos por la explícita razón de encontrar a los mutantes desaparecidos y entregarlos.

—¿Qué ocurre, Evalle?

—El Tribunal me dio tres dones. —Estaba excitada—. Creo que sé cómo seguir el rastro de Tristan. —Su intención era encontrar a Tristan para poder localizar a los tres mutantes desaparecidos, por lo tanto sí podía usar un don.

Pero si su razonamiento era incorrecto, no tenía ni idea de cuál podría ser el daño colateral.

—Entonces hazlo —la alentó Storm.

Si usaba ahora un don solo le quedarían dos para capturar a los tres mutantes y hacerse cargo de Tristan.

No tenía elección, pero no se alegraba de tener que hacer eso.

—No puedo creer que tenga que malgastar un don en esto —murmuró.

—¿En qué? —Storm dio un paso para acercarse a ella.

—En teletransportarme. Y no sé cómo hacerlo, así que probablemente lo arruinaré todo y... —Alzó la mirada hacia él—. No puedo dejarte aquí, pero puede que me equivoque y te haga daño si no me sale bien.

Storm la cogió en sus brazos.

Ella se dejó ir, disfrutando la sensación de tener su cuerpo cerca del suyo.

Él bajó la cabeza y le dijo:

—Yo evitaré que te marees. Convoca tu don.

Ella abrió la boca para hablar, pero los labios de Storm cubrieron los de ella.

Desde que conocía a Storm había descubierto que besar curaba muchos males.

La boca de él consiguió absorber de ella toda la lucha. Sus manos la apretaban, pero con cuidado. Como si él supiera hasta dónde poner a prueba exactamente su capacidad de ser tocada. Ella nunca había permitido que nadie la besara o estuviera lo bastante cerca como para tocarla desde que escapó de aquel sótano.

No hasta que conoció a Storm días atrás.

Él se detuvo y levantó la cabeza.

—Haz que nos teletransportemos los dos ahora o no saldremos de aquí en horas.

No fue tanto lo que dijo, sino sobre todo el tono de seriedad de su voz y el ansia que oscurecía sus ojos lo que la decidió a moverse.

Ni siquiera titubeó.

—Por el poder que me ha otorgado el Tribunal ordeno que Storm y yo seamos teletransportados al mismo lugar donde se halla Tristan.

El mundo empezó a girar a la vez que un pensamiento acudía a su mente.

¿Y si Tristan se había teletransportado a algún lugar peligroso para el que él estaba preparado pero ella y Storm no? Y si…

Storm la apretó contra él y la besó otra vez, apartando de su mente cualquier pensamiento que no tuviera que ver con él.

Una necesidad nada familiar desató un ansia en su interior. Sus labios la acariciaban, su lengua era juguetona. Deslizó los dedos en sus caderas, moviéndola suavemente contra él.

El calor formaba ondas en su abdomen.

Él susurró palabras de serenidad mientras le daba besos en el cuello. Ella se estremeció, ansiando lo que ese beso prometía. Su cuerpo ansiaba que él la tocara.

Aquella era la única manera de teletransportarse.

Él le besó la mejilla una vez, dos veces.

Ella se inclinó hacia atrás sobre su brazo y volvió la cabeza, tratando de respirar mientras los labios de él le acariciaban la garganta.

Inmediatamente los colores que giraban en torbellino se unieron en distintas líneas.

El viaje casi había acabado. Demasiado pronto.

Ella sonrió cuando Storm se detuvo y volvió a besarla.

¿Acaso lo haría todo con esa intensidad? Cuando sus pies volvieron a tocar terreno sólido, el pecho de Storm se expandió con una profunda respiración. Soltó un gruñido como si estuviera tan decepcionado como ella al darse cuenta de que el viaje había terminado demasiado pronto.

Él le tomó la cara con una mano y le susurró:

—Bienvenida a las líneas aéreas de Evalle. Café, té o…
esto. —La besó de nuevo, murmurando—: Mantén los ojos
cerrados.

Ella sonrió contra sus labios y siguió su consejo.

Algún día, cuando aquello hubiera acabado, tal vez…

Algún día.

Una nueva preocupación la asaltó con brutal velocidad. Si
Tristan se había teletransportado a Atlanta, allí sería donde ella
y Storm habrían aterrizado.

A esta hora sería… temprano de la tarde.

¿Y si el sol estaba sobre sus cabezas? Todavía aferrada a
Storm, Evalle abrió los ojos a la centelleante luz solar.

Quince

*T*zader caminaba de un lado a otro por el salón de juntas del piso número dieciocho del edificio de Quinn, uno de los muchos que este poseía en el centro de Atlanta.

Sus entrañas le aconsejaban no hacer aquello, especialmente no a Vladimir Quinn.

No es que Tzader quisiera arriesgarse a destruir la mente de nadie, pero Quinn y Evalle eran sus amigos más íntimos.

Después de Brina.

Se detuvo. ¿Cómo podía pensar Brina que él no pondría su seguridad en primer lugar? ¿Qué le estaba ocurriendo?

Ella era su mundo.

Su idea de registrar la mente de Conlan O'Meary tenía algún tipo de validez. Había una remota posibilidad de obtener información, remota pero aun así suficiente como para que Tzader no pudiera rechazar la idea con la conciencia tranquila.

Y Quinn era el mejor rastreador de mentes.

El tono seco de Oxford de Quinn interrumpió los pensamientos de Tzader. «Estaré allí en un momento. Me hice cargo del trabajo de Evalle en la morgue cuando iba de camino.»

«¿Dónde creen que está?»

«Ausente por motivos personales. Puede que no le guste que haya intervenido, pero tendrá mi ayuda esta vez lo quiera o no.»

Dejaría que Quinn hiciera lo necesario para asegurar que Evalle conservara su trabajo después de que el Tribunal se calmara. Ella valoraba su independencia más de lo que un asmático valoraba el oxígeno.

«Ella lo agradecerá», dijo Tzader.

«Tal vez». Tras decir esto la voz de Quinn desapareció.

El reloj antiguo que había sobre una mesita auxiliar sonó suavemente anunciando las cinco. A aquella hora de la tarde de un viernes, el tráfico fomentaría el mal genio en cualquier ciudad, pero si esa niebla de azufre descendía sobre las calles de Atlanta aquella noche, las autopistas se convertirían en zonas de batalla sangrientas.

Quinn entró al salón de juntas con paso tranquilo, pero la tensión se reflejaba en las arrugas de su frente. Pulsó algunos botones de su teléfono móvil. Su traje europeo gris ceniza se adaptaba a su cuerpo atlético con una precisión que solo los mejores sastres podían ofrecer. A las mujeres parecían gustarles todos esos cortes sofisticados y su acento británico, una de sus cualidades más elegantes, adquirida después de haber pasado sus años tempranos en los guetos de Rusia.

Tzader detuvo su paseo de un lado a otro y miró la puerta.

—¿Dónde está Conlan?

—Nuestro joven O'Meary está de camino. Luego tendrá que pasar a través del control de seguridad del edificio.

Cuando Tzader arqueó una ceja con expresión divertida, Quinn se rio y se encogió de hombros.

—Debo mantener las apariencias en todas mis propiedades corporativas.

Los detectores de metal no podían detectar un arma protegida contra la vista, como las dos cuchillas sensibles colgadas del cinturón de Tzader. Las cuchillas habían gruñido al personal de seguridad cuando Tzader había pasado a través del escáner, pero eran invisibles a los ojos humanos y las máquinas cuando él necesitaba que lo fueran.

Quinn dejó de manipular el móvil y lo deslizó en el bolsillo interior de su chaqueta.

—He oído hablar de ataques de bestias en mi vuelo de vuelta desde Whashington. Supuse que eran mutantes, a juzgar por las descripciones escabrosas. ¿Qué ha ocurrido?

—Acabo de salir de una reunión de VIPER. Hay una niebla misteriosa que planea cerca del terreno que hay alrededor de todos esos ataques. Tiene un olor sulfúrico que provoca que todo aquel que entre en contacto con ella se vuelva agresivo y al instante pierda la cabeza por la cólera. Esta niebla parece ser un catalizador para que los mutantes se transformen. Nos consta que hay unos ciento treinta y cuatro que se han transformado en diferentes partes del país.

—Yo vi una niebla que estaba muy baja y cubría una sección masiva de Virginia. La sobrevolamos. Era de un color amarillento.

—Es esa.

—¿Y qué o quién está provocando la niebla?

Tzader se frotó la barbilla y soltó un suspiro cansado.

—Diría que no lo sabemos, pero alguna gente está sacando conclusiones sobre los mutantes en general.

Quinn hizo el salto mental que Tzader esperaba.

—¿Sabemos algo de Evalle?

—Sí, pero lo que Sen me contó después de la sesión informativa no es bueno.

—Déjame adivinar. ¿El señor Encantador quiso regodearse porque Evalle está fuera de nuestro alcance ahora?

—Ojalá eso fuera todo. Dijo que Tristan se había escapado otra vez. —A Tzader le había costado contenerse para no borrarle a Sen la sonrisa de la cara.

—¿El mutante del que nos deshicimos ayer? ¿De quién demonios ha sido la culpa?

—Según el Tribunal, Evalle está detrás de esa fuga.

Algún insulto en ruso asomó a los labios de Quinn, y sonó tan letal como los pensamientos de Tzader. Quinn cruzó la habitación y se detuvo cerca de Tzader, que estaba mirando fijamente a través de la ventana.

No se había formado una niebla amarilla en Atlanta. No todavía.

Tzader le contó el resto.

—El Tribunal cree que Evalle y Tristan podrían estar conectados con la niebla, cree que ellos podrían estar construyendo un ejército de mutantes transformados.

—Eso es absurdo.

—Es absurdo creer que Evalle lo haría, pero de Tristan puede esperarse cualquier cosa —dijo Tzader—. Sin embargo, ninguno de los mutantes actualmente transformados tiene los ojos verdes de los mutantes que conocemos.

—¿Entonces cómo pueden relacionar esto con Evalle y Tristan? Tal vez esas criaturas no sean mutantes. Es como decir que cualquier cosa con una melena, cuatro patas y una cola es un caballo, pero no ser capaces de distinguir que una cebra o una jirafa son algo diferente.

—Estoy de acuerdo, pero el Tribunal no hace esa distinción —explicó Tzader—. Sen indicó que el Tribunal había encomendado una tarea a Evalle con un tiempo limitado. Al ver que Tristan había escapado, el Tribunal dictaminó el decreto de matar a todos los mutantes que aparecieran a la vista, con independencia del color de sus ojos. —Con solo pronunciar en voz alta esas palabras a Tzader se le helaba la sangre en las venas.

—Maldita sea. ¿Por qué no envían a Sen tras ella? Aunque nosotros no sepamos qué tipo de criatura es él, el Tribunal sí lo sabe, y es tremendamente poderoso. Él podría encontrarla antes que ningún otro.

—Sen dice que le han dado parámetros para traerla de vuelta que él no puede discutir, y el Tribunal no la tocará hasta que expire su tiempo. Incluso si Sen pudiera ir en busca de Evalle, ¿de verdad crees que no se aprovecharía de esa orden que permite matar mutantes?

—El Capitán Gilipollas realmente podría ayudar —soltó Quinn. Dio un puñetazo al marco de la ventana, abollándolo. Para ser alguien que se enorgullecía de mantener el control, Quinn tenía bastante temperamento—. ¿Por qué VIPER permite que esa niebla se siga extendiendo?

—Porque nadie, ni tan siquiera las deidades asociadas con VIPER, logran detenerla.

—¿Con todo el poder que controlamos en la coalición no podemos detener esto? ¿Por qué no?

Eso era lo que Tzader había estado preguntando a todo el mundo de VIPER durante la última hora. Incluso había contactado con Macha, que había sido incapaz de controlar la niebla maloliente que continuaba filtrándose únicamente en los estados del litoral.

—Nadie lo sabe con seguridad, pero las fuentes de VIPER

especulan que podría ser por culpa de la misma persona que haya creado la niebla o de alguien que pueda ejercer la misma magia para influenciarla.

—El hecho de que esta niebla pueda provocar un comportamiento agresivo inmediato en los humanos y desencadenar la transformación de los mutantes en bestias sugiere que se trata de una niebla dotada de conciencia.

—Eso era lo que yo estaba pensando —se mostró de acuerdo Tzader. La niebla estaba dotada de vida.

—Tenemos que encontrar a Evalle antes de que alguien acabe con ella.

—Lo sé, pero nadie nos dice nada, ni siquiera Brina.

La expresión de Quinn ofrecía consolación.

—Y tú no quieres presionarla hasta que podamos ofrecerle alguna información acerca de aquel que la traicionó, ¿verdad?

—No precisamente ahora. Evalle necesita a Brina de su lado, ya que ella es la persona más poderosa a quien le está permitido acompañarla a las reuniones del Tribunal. Imagino que si logramos convencer a Brina de que Conlan no es una amenaza y le demostramos que estamos haciendo todo lo posible para descubrir al traidor, ella estará dispuesta a apoyar a Evalle. —Y tal vez se daría cuenta de que Tzader ponía la propia seguridad de Brina por encima de todo.

Él había intervenido para proteger a Brina muchas veces desde que la había conocido cuando ella tenía catorce años. Había perdido el corazón la primera vez que oyó su risa. El sonido se había quedado en su mente como esa canción favorita que aparece una y otra vez. Ella se había reído porque él había fallado el blanco al arrojar su cuchillo por una pulgada, pero lo que no sabía era que estaba practicando con su mano no dominante. Él había permitido que ella creyera que lo aventajaba cuando lanzó su daga y la clavó justo en el centro.

El padre de ella había advertido a Tzader tiempo atrás que no aceptaba estar bajo las órdenes de ningún hombre a excepción del patriarca Treoir, y que a veces ponía a prueba los límites incluso con él. Tzader había sonreído, agradeciendo a su padre ese consejo y más decidido que nunca a conquistar el corazón de la joya de Treoir.

Los padres de ambos deseaban esa unión. Todo el mundo la deseaba.

Nadie tanto como Tzader.

¿Brina realmente había dejado de amarlo?

Algo tenía que haber cambiado. Ella había dejado claro que quería romper la relación.

Quinn habló, haciendo volver a Tzader al asunto de Evalle.

—El Tribunal podría prohibirnos que contactemos con Evalle...

Tzader lo interrumpió.

—El Tribunal le ha dado a ella la orden de no contactar con nosotros.

—Eso podría explicar por qué hemos sido incapaces de co- municarnos con ella por vía telepática, y Brina habrá tenido que apoyar la declaración del Tribunal.

—Renunciaré a ir detrás de Evalle si Brina logra expli- carme cómo es posible que permitan que Evalle sea cazada como un perro por VIPER.

Quinn curvó sus labios con una sonrisa algo siniestra.

—En otras palabras, comenzamos a buscar antes de la puesta de sol.

—Exacto.

Una voz acudió a la mente de Tzader, preguntando: «¿Maestro?».

Tzader respondió: «¿Sí?».

«Conlan O'Meary informando. Estoy entrando en el edifi- cio ahora.»

Tzader respondió: «Muy bien». Y a continuación dijo a Quinn:

—Conlan dice que está de camino. ¿Estás seguro de que si- gues queriendo hacer esta prueba?

—Todos hacemos cosas que preferiríamos no hacer, in- cluida Brina. Tal vez ella sea más objetiva que tú y que yo. Sin embargo, siento la necesidad de señalar que Conlan tiene una coartada para la noche en que el traidor nos tendió la embos- cada y caímos en esa trampa Medb en Utah.

Tzader también había considerado lo ocurrido dos años atrás. Les debía la vida a Quinn y a Evalle, que habían formado un vínculo con él cuando luchaban para escapar de los Medb. Él había sufrido una herida fatal, a la cual había sobrevivido únicamente porque ni Quinn ni Evalle habían roto el vínculo a pesar de que corrían el riesgo de morir con él.

Tzader asintió y dijo:

—He pensado acerca de eso. Conlan tiene la habilidad de dividir su imagen. Pudo haber dejado una réplica realista en su casa mientras viajaba a las Llanuras de Sal el día que fuimos capturados por los Medb. El único modo que hubiéramos tenido de descubrirlo habría sido enviando a su casa a alguien capaz de captar la diferencia de interactuar con una copia. Ninguno de nosotros sospechaba de él en ese entonces, así que no lo hicimos.

—Bien pensado.

Tzader hubiera deseado tener la habilidad de Quinn para examinar las mentes, con tal de ser él quien asumiera ese riesgo. Había ido a la caza del traidor cada uno de los minutos que podía robar a sus deberes como maestro. Cuando encontrara a esa rata le haría lamentar el día en que había nacido.

Quinn flexionó su mano.

—Llevo un tiempo sin poner a prueba el inconsciente de alguien de manera tan profunda y, si lo recuerdas, la última vez los resultados no fueron precisamente deseables.

—Eso es una forma diplomática de decir que el chico sufrió un derrame cerebral durante la sesión —bromeó Tzader—. Era un trol condenado por haberse comido a una familia de humanos. Si no hubieras indagado tan profundamente nunca habríamos descubierto que su secuaz estaba escondido. Salvaste un montón de vidas con eso. —Tzader se rascó la barbilla—. Y el hecho de que explotara su cerebro tampoco fue culpa tuya.

—Si yo no hubiera abierto un camino para que un espíritu demoníaco cazara al trol y tomara el control de su mente, el trol habría sobrevivido.

Tzader comenzó a cuestionar el barómetro de su amigo para la justicia cuando Quinn añadió:

—No me interpretes mal. No es que sienta compasión por un depredador psicópata. Simplemente creo que merecía un castigo menos humano que una muerte rápida.

Pero había algo que mantenía a Quinn más contemplativo de lo habitual. Tzader le preguntó:

—¿Crees que hay algo escondido en el inconsciente de Conlan?

—En realidad no —dijo Quinn, que todavía sonaba distraído—. Es un hombre decente y un velador leal. Es... no lo sé. Solo pensaba en voz alta.

—Lo sé. A mí tampoco me gusta la idea de que hagas esto. —Tzader volvió a examinar a través de la ventana a la gente que se apresuraba a lo largo de la calle Peachtree, inconsciente de la potencial amenaza. Odiaba no ser capaz de advertirlo públicamente, pero los humanos tampoco serían capaces de contener la niebla si VIPER no lo era.

El pánico solo aumentaría la crisis.

Si el traidor tenía algún tipo de vínculo con los mutantes, Brina tenía razón en presionar para conseguir una respuesta ahora, pero Tzader quería darle a Quinn una última oportunidad de ponerse al margen.

—Es tu decisión, pero ten en cuenta que te necesito fuera en el campo ayudándonos a luchar contra esa niebla y esas bestias más de lo que te necesito asumiendo este riesgo.

Quinn hizo un gesto con la mano.

—No puedo permitir que sea otro quien lo intente. Nunca tuvimos un druida que igualara mi habilidad para registrar las mentes. Incluso si un druida ha registrado la mente de Conlan y no encontró nada, yo haría una segunda investigación. Eso obligaría a Conlan a soportar un saqueo mental y el riesgo sería el doble. Además, solo existe peligro si nos equivocamos al pensar que es inocente.

Tzader entendía todo esto en el nivel de la lógica, pero el factor de riesgo seguía colgando en el aire. Evalle no se lo perdonaría si como resultado de aquello Quinn dañaba el cerebro del chico... o le provocaba la muerte.

Y él no merecería ser perdonado.

Pensando en ella, Tzader preguntó:

—¿Has sabido algo de Storm desde que nos separamos la otra noche?

—No podemos encontrarlo.

Tzader lanzó a Quinn una mirada afilada.

—¿Te refieres a que no está en la ciudad?

—Sí. Tú dijiste que Evalle había sabido de los mutantes transformados a través de Storm. Creo que hablaron cuando ella iba de camino a la reunión del Tribunal anoche. Me puse en contacto con Devon Fortier esta mañana antes de salir para Washington. Él está investigando la operación de un trol relacionada con el local que sirve como tapadera y tenía un equipo siguiendo una pista en la estación de Amtrak anoche. Necesitaban un rastreador. Trató de localizar a Storm durante al menos dos horas después de que desapareciera alrededor de la medianoche.

—¿Storm mencionó si había visto a Evalle o si sabía que ella había sido atacada en su camino a la reunión del Tribunal?

—Lo investigué. Devon dijo que Storm siguió el rastro del trol en un tiempo récord y que luego desapareció. Storm no dijo ni una palabra a nadie. Nadie lo ha visto ni ha sabido nada de él desde entonces.

Tzader golpeó un puño contra la palma abierta.

—Tiene que haber sido por eso que Evalle llegaba tarde a Woodruff Park. Probablemente fue abordada por él.

—Cierto, pero ella es una mujer hecha y derecha aunque nosotros pensemos que continúa siendo la pequeña guerrera flacucha a la que tuvimos que impedir que siguiera usando una habitación de almacén como apartamento.

—Ella es inocente en lo que tiene que ver con los hombres.

—Falta de experiencia, quizás —argumentó Quinn. Luego su voz bajó adquiriendo un tono solemne—. Pero dudo que sea inocente.

Tzader entendía a qué se refería Quinn. Habiendo observado a Evalle durante los últimos dos años, ellos suponían lo que debía haber sufrido más allá de haber estado encerrada en un sótano durante dieciocho años.

Alguien debía de haberle hecho un daño físico.

Ella era lo bastante poderosa como para defenderse contra cualquier humano, pero no eran los humanos lo que les preocupaba a ellos en aquel momento.

—Veo adónde apuntas —reconoció Tzader, apretando con

fuerza su puño—. Pero eso no significa que esté preparada para alguien como Storm.

Quinn soltó una risa.

Tzader miró a su alrededor.

—¿Qué?

—Suenas como un padre sobreprotector. No podemos protegerla de todo.

Tzader murmuró:

—Sí podemos protegerla de algunos tipos duros…

Quinn se puso serio.

—Lo estuve observando las pocas veces que ha estado cerca de ella. Creo que el mayor peligro lo tendrá alguien que la amenace, lo cual me recuerda una cosa. ¿Sen dijo que sabía algo del ataque de Evalle… ya que él tuvo que haber aparecido al mismo tiempo?

—No, el gilipollas se quedó duro como una piedra cuando se lo pregunté. Dijo que no podía hablar sobre los asuntos del Tribunal.

—Uno de estos días… —se aventuró Quinn, con los ojos llenos de malicia.

Alguien llamó a la puerta, desviando la atención de Quinn.

—Pasa.

Conlan O'Meary entró en la habitación, primero saludó con un gesto de cabeza a Tzader y después reparó en Quinn. El joven había entrenado para equipar su cuerpo desgarbado con unos buenos músculos. Su cabello castaño claro, un poco largo, estaba peinado hacia arriba, con un estilo parecido al de la mayoría de los jóvenes empresarios que había en el edificio. Unas gafas sin montura daban calidez a sus ojos grises y disminuían el aire letal que exhibía cuando estaba entrenando.

Ahora mismo, esos ojos estarían haciendo un esfuerzo importante por ocultar el debate interior que debía estar surgiendo en su mente al darse cuenta de que no había presente ningún druida.

Cualquier velador esperaría a un druida a la hora de someterse a una prueba mental de forma normal, pero los druidas en ocasiones podían ser engañados.

En cambio Quinn no.

Con un matiz de culpa en la voz, Quinn le ofreció a Conlan:

—Puedes retirar tu consentimiento a hacer esto si quieres.

Pero los tres sabían que si hacía eso quedaría marcado como altamente sospechoso.

Conlan sacudió la cabeza y esbozó una sonrisa que clamaba a gritos su inocencia.

—No tengo nada que esconder. Compruébalo tú mismo.

Tzader esperaba que estuviera diciendo la verdad y no fuera el mismo tipo de actor brillante que había sido su padre durante tantos años. Tan brillante que ningún velador se había dado cuenta de que estaba vendiendo su gente a los Medb.

Dieciséis

Storm adoraba la habilidad de la teletransportación. Evalle nunca se había mostrado tan receptiva ni le había permitido abrazarla durante tanto tiempo. Era una buena cosa que todo estuviera dejando de dar vueltas y sus pies tocaran al fin terreno sólido. Él no podía impedir que su cuerpo reaccionara cuando la tenía en sus brazos.

Si él había tenido alguna duda acerca del momento al que irían a parar cuando regresaran a la realidad de Atlanta, Evalle se la aclaró cuando se puso a gritar:

—¡Sol!

Volvió la cabeza para ver qué había detrás de él.

Los ojos sensibles de ella no se ajustaban tan rápidamente como los suyos. La luz brillante que se cernía sobre ellos no procedía del sol, sino de algo casi igual de malo.

—¡Un tren!

Él la empujó contra una pared de cemento segundos antes de que el metro saliera disparado a través del estrecho túnel que había a pocos centímetros de su espalda. Las ruedas repiquetearon contra las vías con un rugido atronador, y un torrente de viento los alcanzó cuando el último vagón pasó zumbando detrás de ellos.

Pero aleluya, habían llegado a un túnel oscuro. Bajo tierra, donde la luz del sol no podía dañar a Evalle.

Necesitaría unos minutos para recuperar el control de su corazón después de aquello.

Debería haber estado preparado para aterrizar en cualquier localización. Por ejemplo a plena luz del día de una tarde de viernes o en medio de una vía de tren.

Ella lo distraía endiabladamente, pero atraparla con la guardia baja el tiempo suficiente como para haber disfrutado de esos dulces labios había sido condenadamente bueno.

Las manos de ella se interpusieron entre los dos con tanta rapidez que Storm no tuvo la oportunidad de moverse antes de que ella lo empujara con fuerza suficiente para enviarlo al otro lado de las vías.

Él se golpeó la espalda contra la pared de cemento del lado opuesto y resbaló. Con su instinto de lucha en aquel momento suspendido aterrizó en el suelo en cuclillas. Giró la cabeza de un lado a otro para aclarar su visión y gruñó.

Evalle era condenadamente fuerte cuando usaba sus poderes. Se sacudió de encima el dolor, se puso en pie y avanzó hacia ella.

—Uy, Storm, eso ha sido una especie de accidente. —Ella no se movió, pero a la vez había adoptado una postura de batalla y tenía los puños apretados.

Siempre preparada para luchar.

Él continuó avanzando con paso firme, pero dejó caer las manos a los lados como para demostrarle que no representaba una amenaza.

El tono receloso de ella se convertía en enfado cuando él hacía algo que la ponía nerviosa.

—Si no querías resultar herido, no deberías haberme acorralado.

Él era capaz de detectar una mentira con mayor rapidez que cualquier aparato diseñado por un hombre.

Evalle acababa de ser sincera.

Alguien la había arrinconado en algún momento de su vida… y le había hecho daño.

Su jaguar se alzó, preparado para la caza. Storm se obligó a sí mismo a mantener el control, pero si alguna vez descubría quién le había hecho daño… ¿qué sería capaz de hacer?

Esa persona solo viviría lo suficiente como para suplicarle a ella que lo perdonase. Storm tenía una conexión con Evalle que no alcanzaba a comprender, y que iba más allá del hecho de que ella estuviera bajo su protección.

Cuando llegó al otro lado de la vía, se detuvo frente a ella, reconfortado al ver que no se apartaba. Evalle era demasiado orgullosa para reconocerlo, pero él esperaba que eso significara que ella sabía que nunca sería capaz de hacerle daño.

Sin embargo, su pasado sí podía herirla.

La mujer a quien él quería dar caza todavía representaba una amenaza mortal para Evalle si sus visiones eran correctas. Hasta el momento nunca se habían equivocado. Él pretendía mantener cerca a Evalle mientras buscaba la manera de detener a la bruja que había asesinado a su padre.

Levantó la mano lentamente hacia el rostro de Evalle, ignorando la hostilidad que se desprendía de ella. Storm entendía los mecanismos de defensa que una persona desarrolla para sobrevivir. Las gafas de sol ocultaban sus ojos verdes, pero él había visto aquellas brillantes joyas con forma exótica. Probablemente el maquillaje nunca había tocado su piel de color miel, y tampoco lo necesitaba. El cabello negro le caía por los hombros y hasta la mitad de la espalda.

Y mejor no hablar de esos labios suaves.

Era una belleza natural, pero espinosa como un cactus.

Storm colocó con cuidado la mano en su mejilla, sin apenas tocarla.

Eso apaciguó su hostilidad y esta fue reemplazada por un velo de confusión. Mejor. A él le gustaba verla un poco fuera de sitio a veces, pero odiaba ver en sus ojos esa expresión poseída.

—Siento haberte asustado. No quería hacerte daño. Además, tú no puedes hacerme daño a mí.

—¿Por qué no… estás hecho a prueba de balas?

—Tal vez.

—Puede que estés hecho a prueba de balas, pero no a prueba de mutantes —replicó ella.

Oírla con su confianza atrevida de nuevo en su sitio le dio la posibilidad de hacerle perder el equilibrio de nuevo.

—Lo único que está en cuestión es si estoy hecho a prueba de Evalle.

Separó los labios y la curiosidad asomó a sus ojos antes de que le diera tiempo a cerrar los labios de nuevo.

Si él le sonreía ahora probablemente volvería a recibir un empujón.

No le importaba. Sonrió.

Ella apretó los dientes, se cruzó de brazos y dio golpecitos en el suelo con un pie. Los pensamientos asaltaban su rostro, agitando sus ojos con algo que terminó aceptando con un encogimiento de hombros.

—Ya lo entiendo. Estás siendo amable conmigo para que te ayude a encontrar a esa mujer.

Él notó que los músculos de su garganta se tensaban reprimiendo un gruñido de irritación. Strorm había usado ese argumento para convencerla de que necesitaba su ayuda. Tenía que encontrar a la bruja ashaninka que había matado a su padre y que todavía poseía tanto el alma suya como la de su padre. Su habilidad para descubrir si alguien mentía o no, tenía que ver originariamente con su raíz ashaninka.

La contrapartida de ese don era un dolor incapacitante que se derramaba por todo su cuerpo si decía una mentira.

Había aprendido a ser inteligente con sus palabras cuando había que decir la verdad pero a la vez retener información, como había ocurrido días atrás cuando tuvo que informar a Sen acerca de Evalle mientras daban caza a los kujoos… y como aquella mañana cuando ella había preguntado por su aura.

Disimular la verdad también le provocaba dolor, pero era un dolor tolerable que podía ocultar. Mentir abiertamente le provocaba un dolor atroz.

Ella miró de arriba abajo el túnel iluminado con luz tenue.

—Tengo que ponerme en acción. ¡Oh, mierda! —Se agarró la cabeza.

—¿Qué ocurre?

—Nada… dame un minuto. —Respiró de forma entrecortada durante unos segundos, luego lentamente bajó los brazos—. Debería de haber tenido en cuenta lo malo que sería esto en Atlanta.

—¿El qué? ¿Qué te ocurre?

Se frotó el cuello.

—Telepatía. Tzader probablemente tiene a todo el mundo tratando de localizarme. Yo tenía mis escudos mentales activados incluso en Sudamérica, pero Trey lo continúa intentando.

Es un telépata megapoderoso, y la fuerza con la que me llama es tan intensa que es como tener un altavoz gritándome al oído. Incluso con mis escudos dispuestos de manera que no puedo oír a nadie más, la voz de Trey es como el repiquetear constante de un tambor.

—¿Se ha dado cuenta de que estás aquí?

Ella negó con la cabeza, y paró de repente con un gruñido de dolor.

—No lo creo. ¿Puedes encontrar el rastro de Tristan?

—Ahora sí puedo. —El residuo del mutante había estado atosigando la nariz de Storm desde que aterrizaron allí. Señaló hacia su derecha en dirección al tren que acababa de pasar junto a ellos y empezó a caminar—. Tendremos que recorrer este túnel rápidamente, entre los trenes.

Evalle comenzó a caminar a su lado, al principio callada y mirando hacia adelante. Finalmente preguntó:

—Dije que te ayudaría y lo haré. ¿Qué pasa con el asunto de encontrar a esa mujer?

Esa mujer. Storm disfrutó un momento su pequeño arrebato de celos. Eso suavizaba el que había sentido él antes respecto a Tristan.

—Ella no es un problema justo ahora. Tenemos algún tiempo antes de que necesite buscarla.

Él esperaba que Evalle lo presionara por no responder su pregunta, pero ella siguió caminando fatigosamente a su lado sumida en sus propios pensamientos. Le había contado la verdad a Evalle al decirle que la había visto en su visión de la mujer ashaninka, pero no le había explicado por qué necesitaba la ayuda de Evalle para localizarla.

En su visión, la bruja ashaninka intentaba matar a Evalle.

Y eso no ocurriría mientras a él le quedara una gota de aliento en su cuerpo.

Storm no era capaz de precisar cuándo esperaba encontrarse con la bruja ashaninka porque en su visión no había ningún elemento temporal. Algunas veces las visiones se cumplían en cuestión de horas y otras veces tardaban semanas o meses en cumplirse.

Cuando tuvo su última visión, apenas unas horas antes de

que Evalle tuviera que reunirse con el Tribunal, Storm había recurrido al único argumento que serviría para que ella le permitiera emplear su magia. La había convencido de que necesitaba su ayuda, pues de lo contrario Evalle no habría consentido que él empleara la magia en beneficio de ella.

Evalle sería capaz de encarar la muerte con tal de proteger al mundo.

Él tenía que conseguir a Evalle fuera como fuese.

Lo asaltaba en sueños cada noche desde la primera vez que puso sus ojos en ella, hasta el punto de que despertaba cada día extenuado. Su cuerpo la deseaba todo el tiempo mientras estaba despierto. Afortunadamente, ella le había permitido marcarla con su aroma, aunque no se había dado cuenta exactamente de qué había hecho con su magia.

¿Pero por qué la magia habría alterado su aura, convirtiéndola de plateada a dorada?

En cualquier caso, con el aura dorada, plateada o sin aura, ella era... excepcional, como una intensa esmeralda que podrías encontrar metida en un lugar diminuto.

Una piedra preciosa que tenía que ser levantada y tratada con cuidado, pero que brillaba sin igual.

Él podía aceptar la lujuria por una mujer, pero desearla más de lo que había deseado nunca a ninguna otra era algo que no entraba en sus planes. No con aquel asunto de la bruja sin cerrar.

Pero se mentiría a sí mismo si afirmara que aquel deseo por Evalle era meramente físico.

Y si ella supiera cuánto la deseaba huiría más veloz que una gacela perseguida por un león.

Ella se dio unos golpecitos con la mano en el muslo en señal de que estaba mentalmente agitada por algo que la molestaba.

—Nunca respondes a mi pregunta sobre esa mujer que estás persiguiendo.

Tendría que decirle algo.

—Mi padre la conoció cuando viajó a Sudamérica para ayudar a tribus remotas, era una especie de indio navajo misionero si quieres decirlo así. Era un chamán, pero sentía que su tribu había abandonado las tradiciones, perdiendo el contacto con sus rituales. Quería ayudar a otras tribus a preservar sus costumbres.

—¿Por qué escogió Sudamérica?

Storm valoró mentalmente cuánto revelar.

—Tenía un amigo que había comenzado a hacer programas de compromiso con la comunidad con tribus primitivas para mostrarles cómo conservar su propia cultura al tiempo que aceptaban ayuda para sobrevivir. Mi padre decidió probarlo durante seis meses, pero terminó quedándose allí. Los ashaninka le dieron la bienvenida y lo acogieron muy bien... todos salvo una persona. La mujer que estoy buscando para recuperar la bondad que le fue arrebatada en un acto que le provocó la muerte.

Esa mujer había traicionado a su padre y le había robado el alma, y a continuación lo había asesinado. Cuando Storm encontró el cuerpo frío de su padre, su mente quedó fuera de sí con el deseo de hallar al asesino. La mujer se aprovechó del dolor de Storm y lo convenció de que podría mostrarle la cara del asesino de su padre.

Y así lo hizo, justo después de haber tomado el control del alma de Storm.

Pero él era mucho más poderoso que su padre y había logrado atacarla antes de que ella fuera capaz de convertirlo en su demonio personal. Ella había escapado, pero él la encontraría.

¿Cómo reaccionaría Evalle si él le contara que no tenía alma? Los pocos que lo habían sabido en Sudamérica lo tacharon de demonio y habían tratado de matarlo.

—¿Qué es lo que te robó esa mujer? —preguntó Evalle.

—Ambos tenemos secretos. Yo no te he forzado a compartir los tuyos —dijo él con la mayor suavidad posible. Cuando Evalle asintió él cambió de tema—. Vamos a encontrar a tus tres mutantes, luego buscaremos mi blanco.

—Son cuatro mutantes ahora que Tristan está libre.

—Puede que no convenga que vuelva a una jaula —añadió Storm oscuramente.

Ella calvó en él una mirada de advertencia.

—Él es el único que sabe dónde están escondidos los otros tres. No puedes matarlo.

No todavía. Storm asintió en señal de comprensión, y no de conformidad.

Él consideraba a Tristan responsable del problema que Evalle tenía con el Tribunal. Tristan obviamente pretendía utilizar lo que ella le había revelado acerca de su oportunidad de libertad para hacer su propio trato con el Tribunal. Tristan debería haber pensado en su futuro al formar equipo con los kujoos.

Storm siguió el rastro del aroma de Tristan a lo largo del túnel. Al cabo de un rato empezó a pensar que quizás Tristan había tomado precauciones por si Evalle encontraba una manera de seguirlo a pesar de su teletransporte. A última hora de la tarde Storm ya estaba seguro de eso. Literalmente topó con una pared, una pared de cemento donde se terminaba el rastro de Tristan, lo cual significaba que probablemente desde allí había vuelto a teletransportarse, por lo menos al otro lado.

¿Por qué había perdido el tiempo conduciéndolos hasta allí? Si quería teletransportarse de nuevo ¿por qué no hacerlo de inmediato?

—Aquí termina el rastro de su aroma —anunció Storm—. ¿Qué quieres hacer?

Ella se apartó algunos mechones sueltos de la cara con un gesto inconsciente. Sus gafas de sol ocultaban cualquier signo de cansancio en sus ojos, pero no importaba cuán a menudo ajustara él su velocidad a la de ella, pues cojeaba y se demoraba detrás de él la mayor parte del tiempo.

Finalmente reconoció:

—Estoy molida y hambrienta.

—Hay una salida de servicio más adelante. Las dos que pasamos estaban cerradas. ¿Crees que podrás abrir esa?

Ella arqueó una ceja con astucia.

—Me ofende que tengas que preguntarlo.

Ante la puerta de salida, ella levantó las manos y movió los dedos en el aire. Sonó un chasquido en el interior de la puerta y luego esta se abrió para dejar al descubierto un largo corredor.

Él la siguió hacia el interior, advirtiendo que Evalle cerraba la puerta cinéticamente sin tan siquiera darse la vuelta. Después de atravesar otra puerta, se mezclaron con una multitud que se dirigía hacia las anchas escaleras de cemento que conducían al nivel de la calle.

Él levantó la mano para detenerla, bastante seguro de haber oído un sonido alentador por encima de las escaleras.

—Dame un minuto.

—¿Para qué?

—Para ver cómo está el tiempo arriba. El sol todavía no se ha puesto.

—Oh, eso es cierto. Mi reloj corporal está desajustado.

Él subió corriendo las escaleras y estuvo encantado de ver nubes oscuras que acompañaban al trueno que había oído. Se apresuró a bajar y la cogió del brazo.

—Estaremos bien. Hace mal tiempo.

—Me siento culpable por estar encantada aunque sepa que el tráfico va a empeorar.

Sus tejanos desgarrados recibieron varias miradas insinuantes antes de que fuera tomada por una pobre indigente.

Cuando él llegó a la acera de la calle Peachtree, en el centro de Atlanta, le sugirió en tono informal:

—Podríamos ir a comer algo rápido al Six Feet Under, y puedes quedarte en mi casa, a menos que quieras ir corriendo a encontrarte con Tzader y Quinn.

La parte más dura de tener a Evalle tan cerca sería no poder tocarla, pero soportaría cualquier cosa con tal de que ella estuviera a salvo.

Evalle se apartó del tráfico de gente y se volvió hacia él con una expresión de desconfianza que arrugaba su frente.

—¿Alguien te contó que el Six Feet Under es mi restaurante favorito?

—Me hacía a la idea de que podía ser uno de tus favoritos.

—¿Por qué?

—Cuando estuvimos buscando la piedra Ngak en el parque Piedmont, le pregunté a Quinn por un lugar donde comer. Él dijo que a ti y a Tzader os gustaba ese restaurante, lo cual significa, pensándolo mejor, que puede no ser buena idea ir allí.

Podríamos ir a alguna otra parte… como mi apartamento, por ejemplo. Puedo pedir que nos traigan comida a domicilio.

Ella soltó una risita.

—¿A tu apartamento? Bien. No. Necesito estar fuera de la vista, pero lo que haré es ir a casa un rato.

A él no le gustaba la idea de que se quedara sola ni siquiera unas pocas horas. No es que esperara que accediera a ir a casa con él, pero valía la pena haberlo intentado.

—¿Entonces por qué no me dejas comprar algo de comida y llevártela a tu casa?

—Déjame que lo piense… —Se dio unos golpecitos en la mejilla con un dedo y lo miró con expresión burlona—. Pues no. —Comprobó su reloj—. ¿Podemos encontrarnos dentro de tres horas justo donde nos teletransportamos, en el interior de la estación de North Avenue?

—Claro, pero tienes aspecto de necesitar más descanso que ese.

—¿Has oído eso de que tendrás todo el descanso que necesites una vez estés muerto? Si no encuentro a Tristan pronto voy a tener mi descanso garantizado —dijo con un bostezo—. Y no digas a Tzader ni a Quinn nada acerca de mí ni de qué estoy haciendo, ¿de acuerdo? El Tribunal dijo que no podía pedir ayuda a nadie de VIPER. Espero que no interpreten tu ayuda de forma que te ponga en un aprieto, pero ni te la pedí ni pude detenerte.

Ella tenía razón.

—Lo entiendo. —Su teléfono móvil había estado vibrando desde su regreso. Si respondía alguna de las llamadas, tendría que abandonarla o mentir al receptor.

Era demasiado pronto para infligirse dolor a sí mismo mintiendo, y no tenía intención de dejarla.

Antes de que ella se diera la vuelta, Storm la detuvo poniéndole una mano en el hombro. Como ella no reaccionó ante el contacto, él bajó la cabeza como si tuviera algo que decirle, y le susurró «dulces sueños». Justo a continuación la besó.

Los músculos de Evalle se tensaron bajo sus dedos hasta que sus labios tocaron los de ella, luego se entregó a su beso.

Maldita sea, adoraba la sensación de tenerla en brazos.

Deseaba que pensara en él cuando cerrara los ojos.

Como ella no se apartó, él alargó el beso unos segundos más de lo que originalmente pretendía, pero no podía pasarse horas saboreándola. Ella se ablandó, acoplándose contra su pecho. Sentir cómo se abría lentamente a él era adictivo, pero cuanto más tiempo dejara continuar aquello más difícil sería soltarla.

Haciendo acopio de toda su fuerza de voluntad, él levantó la cabeza.

Ella siguió con los labios separados, como si no estuviera preparada para terminar el beso. Demonios, él tampoco estaba preparado, pero si permanecía un solo minuto más tan cerca de ella sería incapaz de alejarse caminando sin tambalearse.

Él apartó las manos.

—Será mejor que me vaya. Te veré dentro de tres horas.

—Bien. Hasta luego. —Ella pestañeó, mirando alrededor como si le preocupara que alguien de VIPER o algún velador pudiera reconocerla, y luego se encaminó por la calle Peachtree.

Seguirla podría ser complicado.

Storm permitió que ella le sacara distancia para que no notara que la seguía. La siguió con la vista durante más de cien metros hasta que ella se dispuso a tomar un atajo por la calle Marietta.

Se dirigía directamente a ese edificio abandonado desde donde la había visto salir esa mañana.

Storm apostaba a que vivía bajo la superficie.

El hedor a azufre seguía invadiendo su nariz mientras caminaba, pero también era cierto que su sentido del olfato propio de un jaguar captaba olores en ocasiones desde muy lejos. Sonaron sirenas en la distancia. Ahora que lo pensaba, llevaba ya un rato oyéndolas. ¿Habría habido algún vertido por parte de algún camión en la interestatal?

Se detuvo en la esquina, ya que Evalle advertiría su presencia si la seguía durante el último tramo hasta su apartamento. Ella estaría a salvo durante las próximas tres horas. Él se dirigió de vuelta hacia el centro de la ciudad.

Evalle necesitaba más ayuda para localizar a Tristan de la

que Storm podía ofrecerle. Puede que ella tuviera prohibido preguntar a alguien, pero él sí podía hacerlo. Su primera elección para indagar dónde se hallaba Tristan sería una bruja, y probablemente habría alguna bruja ashaninka escondida en la ciudad.

Evalle se preocuparía si él involucraba a Nicole. Y además Nicole, por otra parte, era una bruja blanca.

Para vencer el fuego con el fuego necesitaría a alguien que se hallara del lado oscuro. VIPER había traído a una bruja de la familia Sterling para que ayudara a localizar la piedra Ngak antes que los kujoos.

Por supuesto que a Evalle no le gustaba Adrianna, especialmente viendo que la bruja flirteaba descaradamente con cualquier agente de VIPER. Storm no tenía un interés sexual en Adrianna, pero podía aprovecharse de sus habilidades... con independencia de qué fuera lo que ella le exigiera a cambio.

Y le había prometido a Evalle que no daría caza a Tristan por su cuenta mientras ella estuviera descansando.

En cuanto a la otra bruja, la ashaninka, sería mejor que la encontrara antes de que ella encontrase a Evalle.

Diecisiete

*E*n el exterior de la sala de conferencias se estaba produciendo una tormenta de truenos, mientras diferentes tipos de tensiones vibraban en el interior de esas paredes.

Quinn empleó su habilidad cinética para atenuar las luces en la sala y para cerrar las persianas. No quería distracciones una vez comenzara a poner a prueba la mente de Conlan.

Tzader había estado al acecho en la habitación, comprobando las cerraduras de la puerta y prácticamente haciendo temblar las paredes con su rabia hasta que Quinn le envió un mensaje telepático para que se calmara. Le recordó a Tzader que el suelo entero estaba asegurado. En varios edificios dispersos por el país, y también por varios otros, Quinn mantenía de forma permanente un piso vacío para localizaciones específicas, tal como ese.

Una zona a la que solo podía accederse a través de un ascensor que tenía una clave de acceso explícitamente ideada para uso de los veladores.

Tzader se había retirado a un rincón y estaba quieto como una piedra, si es que uno pudiera imaginar una piedra que lanzara energía.

Había gotas de sudor en la frente de Quinn, una reacción poco frecuente en él. ¿Temía manipular de forma indebida la mente de alguien que consideraba inocente? No, pero Tzader había regresado de su reunión con Brina como si le hubieran dado una patada en los huevos. Algo había ido terriblemente mal. Si Quinn debía hacer un registro mental para aplacar la demanda de acción de la diosa guerrera, así lo haría, por ella y por su amigo.

—Estoy preparado —dijo Conlan tranquilamente, como si interceptara la reticencia de Quinn. Estaba sentado en una silla acolchada de oficina con los ojos cerrados y de espaldas a Quinn, que se hallaba de pie tras él.

La siguiente respiración de Conlan fue temblorosa y entrecortada.

El tiempo se acababa.

Cuanto antes terminaran con aquello, más pronto podrían encontrar a Evalle, antes de que se metiera en esa niebla y se transformara. Incluso si ella lograba controlar a su bestia para que no matara, alguien podría matarla a ella.

Quinn habló con un tono hipnótico.

—Concéntrate allí donde puedas hallarte en paz y esto será más fácil para ti. —Luego colocó las manos en la cabeza de Conlan y le cerró los ojos. El tacto no era necesario para acceder a una mente, pero el tacto aumentaba su habilidad para ahondar en el inconsciente más rápidamente.

Y probablemente con menos perturbación del cerebro de Conlan.

Cuando Quinn comenzó a deambular por la mente del joven notó que había zonas como puertas en las que podía entrar y mirar, zonas que correspondían al pasado y al presente.

Quinn habitualmente evitaba cualquier consulta que tuviera que ver con el futuro porque el futuro no estaba del todo formado como sí lo están los sucesos presentes o pasados. El futuro contiene elementos desconocidos, y el conocimiento obtenido de esas incursiones a menudo puede cambiar el rumbo de las cosas.

Y no siempre para bien.

Si encontraba algo que demostrara la inocencia de Conlan, Quinn evitaría formar un vínculo con el espíritu de Larsen O'Meary. Tal vez la buena noticia era que si O'Meary realmente había muerto, todavía existiría un vínculo entre el padre y el hijo, porque ambos eran veladores.

Era inusual que dos veladores en una misma familia nacieran solo bajo la estrella PRIN, y además con solo una generación de diferencia. Se sabía poco acerca de esas conexiones.

Abriendo el pasaje al presente de Conlan, que lo cubría

todo desde la última vez que había dormido, Quinn no encontró nada malo y tampoco nada que pudiera ayudar. Cuando pasó de allí al pasado de Conlan, topó con una inundación de tristeza. Vio a un Conlan afligido luchando por aceptar la traición de su padre y su muerte.

La madre de Conlan había abandonado a su hijo tempranamente, dejando que creciera al cuidado de su padre.

Cuando fueron informados acerca de los poderes de Conlan a través de un druida, y después de que el padre de Conlan hubiera resultado ser un traidor, los veladores se llevaron a ese chico de diecisiete años para entrenarlo y protegerlo.

Había llegado el momento de indagar en torno a alguna conexión específica con los Medb, algo que hubiera permanecido como una imagen confusa o una conversación telepática que Conlan tratara de guardar para sí. Quinn buscó algún recuerdo que el joven pudiera haber usado para doblar su imagen y así poder viajar… algo parecido a tener una experiencia fuera del cuerpo. Quinn no halló nada más que unas pocas experiencias de ejercicios de entrenamiento.

Los recuerdos pasaban uno tras otro frente a los ojos de Quinn sin un atisbo de nada inapropiado. Lentamente relajó la respiración ante la confirmación de que aquel O'Meary demostrara ser el velador honorable que Quinn y Tzader creían que era.

Pero sin una prueba irrefutable de su inocencia, Brina esperaría un informe completo, incluyendo un registro de la zona precognitiva del cerebro de Conlan. Conlan había mostrado signos de habilidad precognitiva varias veces durante el entrenamiento, pero no mostraba todavía un don especial.

Había sido en aquella zona de la mente donde Quinn se había conectado con un espíritu anteriormente una vez… por accidente.

Era un encuentro que no quería repetir, pero aquella zona daba también acceso al futuro y su informe tenía que incluir una revisión de eso también.

Tragando saliva para ahuyentar el miedo que trepaba por su garganta, Quinn concentró su mente completamente en la de Conlan y comenzó a revisar un rincón tras otro hasta

SHERRILYN KENYON-DIANNA LOVE

entrar en la zona del futuro, donde en un lugar oscuro latía una energía.

Quinn vaciló, pero no le sorprendía encontrar esa energía en aquel área turbia. Resignado a aquella misión, Quinn convocó a Larsen O'Meary.

Al principio no ocurrió nada, pero él no había esperado que el espíritu estuviera allí colgado esperándolo. Al momento, notó que la temperatura subía de repente, y luego bajaba mucho de golpe.

El espíritu estaba buscando conexión.

Aumentando sus energías, Quinn llegó más lejos hasta alcanzar la conexión.

Esperaba notar algo brillante y fuerte, pero aquello era frío y muerto, perturbador. La última vez que había intentado algo similar, el espíritu se había conectado de nuevo a la mente que lo hospedaba, que en este caso sería la de Conlan.

Ahí era donde Quinn tenía que decidir si iba a soltar su espíritu para dejarlo viajar a otra dimensión a través de la conexión con la mente de Conlan.

Una dimensión que abría un camino para cualquier imagen que Conlan pudiera albergar sobre el futuro.

Las palmas de Quinn estaban húmedas, pero no podía echarse atrás ahora y salvar a Conlan completamente. Cuando soltó su espíritu para viajar, se sintió ligero y como flotando hacia delante. Se encontró con una masa de color confusa y amorfa.

Había sonidos retorcidos. Y sombras que centelleaban en un caleidoscopio de diseños psicodélicos.

Se inclinó hacia delante para alcanzar el espíritu de Larsen, pero falló dos veces. Cuando Quinn dio a su espíritu un empujón extra hacia delante, las formas y colores que giraban en espiral retrocedieron, como si fueran de un polo magnético opuesto. Se dio cuenta de que tenía que bajar sus escudos mentales para poder llegar más lejos.

Aquella era la prueba real para ver si de verdad creía en la inocencia de Conlan. Y así fue.

Tzader le habría prohibido ese movimiento... si hubiera tenido alguna capacidad de intervención en la decisión de Quinn.

Desconectando sus escudos, Quinn lo intentó de nuevo y esta vez sí logró atravesar una puerta.

Se desplazó para conectar con su actual visión, adoptando un cambio metafísico que le permitía interactuar con las criaturas en este paso hacia el futuro.

Permaneció de pie inmóvil, permitiendo que las imágenes a su alrededor cobraran una y otra forma. Las imágenes se agitaban de repente borrosas y de pronto casi enfocadas. Cuanto más fuerte era la emoción, más definida se volvía la imagen.

¿Dónde estaba Larsen?

No debería ser capaz de tender una emboscada a Quinn aquí, pero nada era consistente ni invariable cuando se trataba de explorar el futuro.

Un canto vino hacia Quinn desde la distancia, luego creció en volumen, pero nunca sonó más alto que una conversación.

Quinn ni se movía ni respiraba, para evitar alertar a alguien de su presencia; él era un intruso en esa dimensión.

No era nada bueno ser descubierto en un lugar donde se supone que no has de estar. Y cuanto menos interfiriera, menos interferiría en el porvenir.

La niebla se disipó lentamente y se hundió para cernirse a sus rodillas, dejando ver diez figuras vestidas con túnicas grises. Había antorchas ardiendo en el interior de una catedral. Todas las figuras miraban hacia delante, donde había una persona envuelta con una túnica de color rojo sangre de pie sobre una tribuna de piedra enfrente de ellos.

Un escalofrío recorrió la columna de Quinn.

El lugar donde estaban reunidos recordaba a lo que le habían enseñado acerca del imponente salón de TAur Medb.

Pero fue el olor a limones podridos lo que confirmó que estaba viendo un aquelarre de los mayores enemigos de los veladores: los Medb.

«¿Me buscabas, velador?»

Quinn se esforzó para no reaccionar al oír una voz tan cerca de su oído. Volvió la cabeza para enfrentarse a Larsen O'Meary. Quinn contuvo las arcadas al ver la piel desgarrada del cuerpo muerto de O'Meary. No podía permitir que una reacción descontrolada lo dejara al descubierto como intruso que era en aquella dimensión.

Larsen dijo: «Me pregunto por qué alguien querría venir en busca de mi espíritu. Agradezco esta conexión, y permitiré que seas testigo de un atisbo del futuro solo a condición de que aceptes proteger a mi hijo».

¿Llegar a un acuerdo con un bastardo al que en realidad le importaba un comino su hijo? A Quinn le encantaría interrogar al espíritu y asfixiarlo hasta darle muerte. Pero eso sería redundante, y no quería arriesgarse a alertar a los Medb de su intrusión.

Si hacía eso les permitiría acceder a la mente de Conlan.

Quinn protegería al joven por encima de cualquier otra cosa.

Si aquella realmente era una visión premonitoria, tener conocimiento de los planes de los Medb podría ser una noticia estupenda para los veladores, así que Quinn aceptó alentar al espíritu a que continuara.

Larsen volvió la mirada hacia la reunión en curso. Su piel osciló con el movimiento.

Quinn hizo lo mismo y deseó que la visión cobrara más lentitud, para poder ver las caras de todos claramente. Detuvo el movimiento cuando el canto terminó y la figura de la tribuna se bajó la capucha de la capa.

No debería haberse sorprendido al ver su identidad, si cometía un solo error Kizira sabría que estaba presente.

Aquel era un territorio nuevo para él, que jamás había encontrado probando una mente, y no era el lugar donde quería aprender las consecuencias de cometer un error.

Convocó su estado de paz más profundo para permanecer invisible.

La sacerdotisa Medb se dirigió a su grupo:

—He tenido la visión de un asalto al castillo de Treoir.

Como descendiente directo de los Medb, Kizira le había dicho a Quinn una vez que sus visiones estaban destinadas a transformar la realidad. Ella añadió:

—He visto el rostro de aquel que lidera el asalto.

El autocontrol de Quinn se tambaleó ante la fuerte urgencia de proteger a su reina guerrera. Por mucho que quisiera volver inmediatamente junto a Tzader para que descubrieran como proteger a Brina, no podía hacerlo.

No antes de averiguar todo lo que pudiera de Kizira. Trató de no pensar en lo que le ocurriría a Kizira si atacaba a Brina. A pesar de que Kizira era de los Medb, le había salvado la vida una vez… y había compartido su cuerpo con él.

Obligó a su mente a quedarse de nuevo quieta.

La voz de Kizira se alzó jubilosa.

—Hemos estado esperando durante mucho tiempo esta oportunidad y esperando a aquel que nos entregaría la llave para nuestro éxito. Da un paso adelante, hermano, y dile a todos cómo triunfaremos sobre los veladores, que te han perseguido a pesar de que lleves su misma sangre en las venas.

Un hombre en el centro del grupo avanzó hacia delante y levantó las manos hacia su capucha mientras hablaba.

—Hay un mutante que está preparado para conducirnos a la victoria asaltando la protección del castillo de Treoir. En compensación, hemos ofrecido a ese mutante lo que nadie más puede ofrecerle: que los mutantes dejen de ser las víctimas de los veladores.

Cuando la capucha cayó sobre los hombros del orador, el rostro de Conlan, junto con esa cicatriz en forma de coma que tenía en la mejilla, provocó un escalofrío en la columna de Quinn.

Conlan dijo:

—Cuando llegue la hora de tomar posesión del castillo de Treoir, sacerdotisa, te entregaré a Evalle Kincaid, que destruirá a los habitantes del castillo y abrirá las puertas para ti.

En esa fracción de segundo, superado por sus propias emociones, Quinn perdió su capacidad de autocontrol.

Kizira ladeó la cabeza, y su mirada se afiló hasta alcanzarlo.

Abrió los ojos con asombro. Reconocimiento. Confusión. Conmoción.

En el segundo siguiente, buceó en su mente con una ráfaga de emociones. ¿Qué estás haciendo aquí? Te echo de menos. Si intervienes morirás. No deberías estar aquí… ¿me has traicionado?

Su mente era firme y fue rápida, para actuar antes de que él pudiera levantar sus escudos mentales contra ella.

Demasiado tarde.

Ella estaba en el interior de su mente, el último lugar que él permitiría a nadie.

Y ella era de los Medb.

Larsen se rio y aulló. Qué idiotas sois todos.

Quinn llamó a su espíritu de regreso, volviendo a colocar su cerradura mental con la velocidad de un relámpago. Apretó los dientes contra el dolor abrasador que sintió a través de su cabeza y su cuerpo.

La presión aumentó en la cabeza de Quinn y se expandió, preparada para explotar. Sintió en los ojos un dolor feroz que lo cegaba.

Conlan gemía y gritaba.

Alguien gritaba algo a Quinn, pero él no podía distinguir las palabras. Su cabeza clamaba tener alivio. Veía tonalidades rojas… ¿o era sangre?

En la distancia, oyó a Conlan aullando como un animal que tratara de liberarse de una trampa de acero en la que ha caído.

Algo lo golpeó con fuerza en la cara… de nuevo… levantó una mano para detener el ataque. Abrió los ojos.

Tzader estaba de pie junto a él con el rostro enfermo de preocupación.

—¿Qué ha ocurrido, Quinn? ¿Puedes oírme?

—Yo… yo… —Cayó de rodillas, incapaz de sostenerse en pie. Un líquido caliente le salía de la nariz y los oídos. Su visión se había teñido de sangre.

Tzader estaba allí con él.

—Dime qué hacer.

—Conlan… ¿está vivo?

—Sí, pero está mal. Necesita un curandero.

—Dame… un minuto. —Quinn sintió una ráfaga de bilis en la garganta. Algo se agitaba en el centro de su cabeza. Apretó los dientes con fuerza.

—¿Quieres luces?

—No.

—Quinn, te sangra la nariz, los ojos y los oídos. Dime que no vas a morir por esto.

—No… lo creo. —Quinn levantó la mano como para indicar que necesitaba un minuto, pero le llevaría más tiempo aplacar aquel dolor infernal en su cabeza. No estaba seguro de que Conlan no pudiera oírle, así que habló a Tzader telepáticamente aunque eso aumentara su dolor—. «Los Medb tienen un plan… asaltar el castillo de Brina. Han mencionado… a Evalle.»

Cuando Quinn logró abrir los ojos, el rostro borroso de Tzader todavía estaba desencajado ante la sorpresa. Luego flexionó la mandíbula con ira. Tzader dijo: «No tocarán ni a Brina ni a Evalle».

Quinn se abstuvo de decir que Evalle ayudaría voluntariamente a los Medb. Le importaba un bledo lo que dijera esa jodida visión. Era imposible que ella hiciera eso.

Respiró un par de veces con dificultad, luchando por decidir cuánto contar a Tzader antes de recuperarse.

Tzader era el maestro, y tendría que actuar por encima de cualquier cosa que él le dijera.

Quinn no le pondría en un aprieto dándole una información que no estaba confirmada.

«¿Cuándo?», preguntó Tzader.

«No lo sé. —Quinn tragó el gusto asqueroso que sentía en la garganta—. Puede que sea ahora o en cuestión de meses… simplemente no lo sé.»

«¿Estás seguro de que era Conlan?»

«Sí. Tenía una cicatriz en la mejilla derecha… la cicatriz que Conlan se hizo entrenando… el mes pasado.» Quinn percibió la decepción que acarreaba el silencio. Sintió una punzada de rabia en el estómago.

Tzader sacó su teléfono móvil. «Vamos a encerrar a Conlan.»

Quinn asintió y lamentó haberse movido cuando casi vomita. Apretó los dientes y dijo: «Pero una visión no es una evidencia del todo sólida. VIPER no podrá retenerlo durante mucho tiempo, tal vez ni siquiera durante un día entero».

«Lo sé. Haremos cuanto podamos por obtener respuestas

rápido. Basándonos en lo que tú viste podemos justificar el dar caza a Evalle como parte de nuestra investigación sobre el traidor.»

Quinn de hecho se alegraba de que no pudieran encontrarla justo ahora para tener tiempo de pensar en esa visión un poco más. Tiempo para convencerse a sí mismo de que Evalle no sería la llave para la captura que pretendían los Medb... y el asesinato de Brina.

Pero Kizira le había confesado que era reverenciada como una de las mejores adivinas de los Medb.

¿Habría alguna manera de que Larsen hubiera intercedido en esa visión?

Quinn se estremeció al recordarla a ella dentro de su mente.

Ella había estado en una visión futura, lo cual significaba que no podía acceder a su mente ahora mismo, suponía...

¿Pero y qué había de ese espíritu que había matado al trol?

Quinn renunció a pensar. Si hubiera podido arrancarse la cabeza en aquel mismo momento y meterla en un congelador lo habría hecho.

Conlan se desplomó en la silla con un gemido.

Tzader había terminado una llamada y estaba haciendo otra. Alzó la mirada y vio a Quinn observándolo.

—No sé qué es lo que más necesitas, si un médico o un curandero.

—No, solo descansar. —Quinn no tenía ni idea de cuánto tardaría en recuperarse.

—¡Demonios! ¡Estás sangrando por todas partes, Quinn!

—Consigue un curandero para Conlan... Yo no puedo desmayarme... vete... trata con los mutantes... —Quinn gimió ante el esfuerzo que le costaba cada palabra, pero necesitaba que Tzader lo entendiera.

—Tómatelo con calma. Sé lo que estás diciendo. Llamaré a un curandero para que se ocupe de Conlan en su propio espacio. No quieres estar cerca de nadie en quien no confíes del todo mientras estás vulnerable, y yo me ocuparé del problema de los mutantes. Tan pronto como alguien lleve a Conlan a la propiedad de VIPER, yo te llevaré a tu hotel.

Todo lo que pudo pronunciar Quinn fue un «sí».

Más calmado ahora, se apretó la cabeza entre las manos. Nunca permitiría que nadie supiera donde estaba a excepción de Tzader y de Evalle. No quería hacer perder a Tzader ni un minuto de su tiempo, pero dudaba que pudiera llegar a su habitación de hotel por sus propios medios.

Se oyó un golpe seco en el suelo. Probablemente Conlan había caído inconsciente.

Quinn susurró:

—¿Y qué hay de encontrar a Evalle?

—En cuanto os tenga a los dos controlados, llamaré a la única persona que podría encontrarla más rápido que nosotros.

—¿Quién?

—Isak Nyght y sus chicos de negro. Por mucho que desprecie meterlo en esto, creo que él podrá localizarla antes que nosotros.

Tzader nunca entraba en pánico, pero claramente estaba alcanzando un nivel alarmante de preocupación si estaba dispuesto a recurrir a Isak Nyght para encontrar a Evalle.

Quinn y Tzader sospechaban que Isak Nyght estaba interesado por Evalle, lo cual significaba que no sabía que ella era una mutante.

Porque la mayor prioridad de Isak en este mundo era matar mutantes.

Dieciocho

*E*valle se apresuró a través del hormigón desnivelado, donde había malas hierbas surgiendo entre las grietas. Se alegró de que su pierna hubiera sanado y ya no tuviera que cojear. Mantenía un ojo atento a cualquier movimiento en el páramo de sombras oscuras que se extendían entre ella y la puerta del ascensor que tenía ante la vista.

Gemían sirenas en la distancia. Todo era normal en su hogar. Podría acostumbrarse a algo normal. En unos pocos minutos estaría en el interior de su apartamento subterráneo junto a *Feenix*, con comida y en su cama.

Storm le había ofrecido comida y cama, pero no en ese orden a juzgar por lo que ella leía en sus ojos. O tal vez simplemente lo había malinterpretado. Tan solo se conocían hacía unos pocos días y ella no tenía planes de hacer nada con él, ni con ningún otro hombre, que requiriera quitarse la ropa. Debería explicarle que estaba perdiendo el tiempo si esa era parte de su motivación para estar pegado a ella.

Soltó un largo suspiro y se dirigió al ascensor que la llevaría hasta su apartamento. Cuando llegó ante la puerta del hogar donde vivía la abrió lentamente, a la espera de escuchar a *Feenix*. Normalmente él la oía llegar y corría al salón a su encuentro.

Tenía que estar preparada o podía chocar con él.

¿Dónde estaba?

Nada parecía trastornado.

Las plantas interiores llenaban los rincones y todos los lugares de la casa donde alcanzaba a llegar un poco de luz. Los muebles desgastados no habían vuelto a ser tapizados por los elfos durante la noche.

Se movió en silencio a través de la habitación por si algún extraño hubiera superado su sistema de seguridad, lo cual era inimaginable. Un intruso necesitaría habilidad cinética y el código, que ella cambiaba diariamente, para quebrantar su sistema.

Solo Tzader y Quinn conocían el código de acceso a ese lugar.

Cuando se aproximó a la cocina y oyó unos suaves gruñidos de concentración, se relajó.

Feenix estaba a salvo.

Dio un paso en el interior de la cocina de acero inoxidable y sonrió ante la imagen de *Feenix* sentado en el suelo murmurando para sí mismo… hasta que se dio cuenta de lo que estaba haciendo.

—¡No, mis ollas nuevas no!

Feenix dio un salto en el aire, agitando las alas y abriendo los ojos tan brillantes como dos señales de tráfico naranjas. Dejó escapar un graznido estrangulado.

Le salía humo de la nariz, anunciando un estallido de fuego que podría derribar una pared de cemento.

—Tranquilo, cariño. No quería gritar. —Lo único que quedaba de las dos ollas que Quinn le había regalado eran las dos asas de madera que estaban en el suelo.

Feenix finalmente se instaló sobre la encimera de la isla de la cocina. Sus ojos estaban llenos de preocupación. Replegó las alas y volvió la cabeza para ver el desastre que había en el suelo, luego volvió a mirarla a ella.

Evalle lanzó una mirada a la caja de fragmentos de metal que le había dejado antes de irse. Estaba solo a medio comer. No era que hubiera estado hambriento, solo había sido travieso. Pero no podía guardar bajo llave todo lo que tuviera un aspecto plateado.

Si lo hacía lo próximo que perdería sería el horno de acero inoxidable y la nevera.

Preguntó con voz tranquila:

—¿Qué ha ocurrido?

La mirada preocupada de *Feenix* recorrió la habitación en busca de una respuesta, que podía ser difícil, ya que su vocabulario era muy limitado. Entonces sonrió, como si hubiera encontrado la palabra perfecta.

—Fue un accidente.

Buena salida. Cuando apenas llevaba dos días en la casa con ella, la había sobresaltado y Evalle había dejado caer un vaso de agua, que se hizo pedazos. Él había entrado en pánico, volando por todas partes y haciendo ruidos aterrorizados.

El maldito hechicero que era su anterior dueño debía de haberlo torturado cada vez que algo se rompía, lo cual ocurriría a menudo, ya que *Feenix* tendía a ser torpe.

En aquella ocasión, cuando por fin logró que *Feenix* aterrizara en el suelo, tardó una hora en calmarlo. Le explicó que los accidentes ocurrían y que no pasaba nada.

No iba a explicarle justo ahora la diferencia entre una travesura y un accidente.

—Hablaremos de esto más tarde, ¿de acuerdo?

—Sí. —Soltó una risa sofocada y agitó las alas, bailando de atrás adelante en su expresión de felicidad.

Ella se hizo un bocadillo rápido, comió y luego llevó a *Feenix* a su habitación, sonriendo al oírle contar del uno al ocho, pasar luego al diez y seguidamente al nueve. Ya casi había aprendido a contar.

Con las luces apagadas, colocó a *Feenix* sobre la cama y se acostó a su lado. Se ducharía más tarde. Al cerrar los ojos, un remolino de imágenes se agolpó en su cabeza. Storm apareciendo en medio de la selva, y Storm abrazándola mientras se teletransportaban… y Storm besándola.

Y ese beso se quedó con ella, aquel que le había dado mientras le susurraba «dulces sueños». Como si su voz profunda, sus ojos oscuros y sus labios firmes la hubieran hipnotizado hasta que únicamente pudiera pensar en besarlo otra vez.

También le dolían los pechos.

¿Qué le había provocado todo eso?

Los hombres no la afectaban de esa forma.

¿Por qué él sí?

No iba a negar las sensaciones que se estaban desencadenando en su cuerpo, pero si Storm no hubiera sido tan fuerte, al empujarlo a través de las vías del túnel habría podido matarlo.

Cuando él aplastó su cuerpo contra el de ella en el túnel del metro, trató de no reaccionar. Pero había sido atacada en la oscuridad. Empujada contra una pared y...

Se formaron ondas en sus brazos, preparados para transformarse.

Ella apartó las imágenes de su mente hasta que su respiración se calmó. Se concentró en el beso de Storm y sintió que se derretía.

Pero Storm no era la clase de hombre que quedaría mucho tiempo satisfecho solo con besarla. Puede que ella no hubiera tenido relaciones, pero sabía dónde creía Storm que llegarían las cosas entre ellos y dudaba de que alguna vez ella fuera capaz de abrirse así a alguien.

Debería decirle la verdad, que no podía darle lo que quería, lo que cualquier hombre querría de cualquier mujer. Le había permitido tocarla más de lo que se lo había permitido nunca a nadie, pero había líneas en su mente que no podía cruzar.

Y como mutante, le estaba prohibida cualquier cosa remotamente cercana a la procreación.

Incluso si estuviera dispuesta a asumir el riesgo de la intimidad, el sexo podría desencadenar una reacción violenta mucho mayor que la que había tenido lugar ese mismo día. Podría transformarse y matar a alguien que pretendiera tener sexo con ella.

Storm tendría que entender que dejarse conmover por un beso requería un nivel de confianza que ella era incapaz de dar. De hecho, tan solo pensar en ello le reclamaba demasiado esfuerzo.

La oscuridad se cernió en torno a sus pensamientos.

Estaba a punto de quedarse dormida cuando una voz susurró:

—La confianza es capaz de nutrir un corazón hambriento.

Evalle se sentó erguida y abrió sus sentidos.

No había nadie en la habitación a excepción de ella y de *Feenix*.

Puede que estuviera soñando, pero era la misma voz femenina que había oído cuando trataba de dar caza al kujoo. Excepto que esta vez oyó esa voz en el interior de su cabeza, y no hablando en voz alta.

Diecinueve

*I*sak Nyght estaba sentado al borde de su escritorio. Observaba a través del cristal de la ventana de observación y el hangar anexo, donde seis hombres cargaban municiones en armas especializadas que él había diseñado.

Hizo girar el teléfono móvil en el aire, y luego volvió a hacerlo una y otra vez, divertido por el mensaje de voz que acababa de escuchar.

¿Tzader Burke quería algo de él?

Isak había investigado a Burke, quería saber quién era aquel tipo antes de decidir si devolverle o no la llamada.

Sus contactos en la defensa nacional de Washington D. C. le habían explicado hacía unos pocos minutos que Tzader estaba conectado en un nivel muy alto de la cadena alimenticia política en D. C. También lo estaba Isak, porque sabían que cazaba criaturas no humanas. O mejor dicho, mataba criaturas no humanas, como esos mutantes que se transformaban en bestias.

Esa niebla amarilla que se escurría justo por encima del suelo en las ciudades estaba desatando esa transformación.

Lo cual significaba que tenía blancos más importantes que Tzader Burke.

Su contacto de hecho le había advertido que fuera cuidadoso, añadiendo que había llegado a D. C. el rumor de que a Tzader no le gustaba mucho que los Nyght Rider estuvieran en el Sudeste, especialmente en Atlanta.

Duro.

Isak no rendía cuentas ante nadie y tenía sus propios contactos a los que recurrir, pero solo les pedía favores si se trataba de algo significativo.

Y las criaturas no humanas no eran significativas.

Podía encargarse de Tzader Burke sin tener que llamar a D.C.

Isak pulsó el botón para devolver la llamada, más por curiosidad que por otra cosa.

Tzader le respondió al otro lado.

—Hola, Isak.

¿Cómo había sabido quién lo llamaba? Isak tenía bloqueada la identificación en todos sus teléfonos.

—¿Qué es lo que quieres, Burke?

—Saber si has visto a alguien.

Isak sonrió.

—¿Qué te hace pensar que pueda haber visto a alguien que tú conozcas?

—El hecho de que a vuestra brigada Nyght se le pierden muy pocas de las cosas que pasan en la ciudad. Sé que has estado cazando en Atlanta.

—Entonces sabrás que no cazo humanos. ¿Tienes alguna criatura no humana de la que quieras hablarme? —Se hizo un breve silencio—. ¿No? Entonces creo que no hay nada de qué hablar.

Tzader dejó escapar un gruñido.

—Veo que realmente te has ganado el nombre de capullo.

—Ahora estás tratando de halagarme.

—Puedes decirme lo que quiero saber o puedo conseguir que se te haga difícil merodear por Atlanta.

Isak dijo:

—Sí, sí. Tengo formas mejores de emplear el tiempo. Si has perdido a alguien pon un informe de desaparición a la policía de Atlanta. —Estaba a punto de poner fin a la llamada pulsando una tecla cuando Tzader dijo—: Estoy buscando a Evalle Kincaid.

Esta vez el silencio se hizo del lado de la línea donde estaba Isak. ¿Cómo era posible que Tzader conociera a Evalle? El contacto de Isak le había indicado que Tzader manejaba proyectos especiales para D. C, pero no le había dicho exactamente en qué consistían esos proyectos.

—¿Sigues ahí, Isak?

—Estoy aquí. ¿Qué sabes de Evalle?

—Más de lo que imaginas.

Isak extendió y flexionó su dedo índice. ¿Sabría Tzader que Evalle trataba con demonios? La primera vez que Isak la había conocido un demonio se disponía a comérsela. Él hizo estallar al demonio y lo redujo a pedacitos. ¿Por qué lo llamaría Tzader a menos que tuviera alguna corazonada acerca de la relación de Isak con Evalle, por extraño que fuera eso? Había tenido que secuestrarla para poder cenar con ella.

Isak preguntó otra vez:

—¿De qué la conoces y por qué la buscas?

—No puedo decirte eso. Solo quiero saber si tú o alguien de tu equipo de vigilancia la habéis visto.

—O si has tenido noticias de ella.

Eso confirmaba que Tzader sabía que Isak y Evalle se conocían lo bastante como para hablar por teléfono.

—Ni una palabra.

—Si la ves o sabes algo de ella, dímelo enseguida.

—¿Por qué debería hacerlo?

—Porque su seguridad está en juego. Eso es todo lo que puedo decirte sin ponerla en un riesgo mayor.

—Supongo que si me topo con ella te lo haré saber —dijo Isak desafiante.

—Déjame ser claro. Te estoy pidiendo una información si te importa su seguridad. Más allá de eso, mantente alejado de ella. Tu capacidad de continuar respirando depende de no cabrearme con nada que tenga que ver con ella. —Tzader colgó el teléfono.

Isak apretó el botón de apagado de su teléfono y levantó la radio de su escritorio. Llamó a Laredo Jones, su mano derecha, que estaba en el hangar con su equipo. Cuando Jones respondió, Isak dijo:

—Trae el equipo a mi oficina. Salimos de caza.

Veinte

*L*a noche había caído sobre Atlanta cuando Evalle sacó su moto del garaje del apartamento y giró por la calle Marietta, en dirección al hospital Grady para encontrarse con su merodeador favorito.

Una niebla amarillenta se extendía por la acera.

Nunca había visto una niebla como aquella.

Las sirenas chillaban al este de la ciudad.

Tratándose de una ciudad que normalmente era bulliciosa a las nueve de la noche, las calzadas del centro estaban fantasmalmente vacías. Se detuvo en un cruce, poco después de adentrarse en la niebla, que era lo bastante translúcida como para ver a través.

El hedor a azufre le quemaba la nariz.

Contactó con su capacidad empática y captó una hostilidad que no parecía humana. Su bestia se agitó, interesada en la batalla.

Eso era nuevo y algo que tenía que evitar.

Alejó sus sentidos de la nube de niebla y buscó otra ruta.

Un nuevo sendero de niebla había comenzado a llenar las calles detrás de ella, flotando en su estela.

Atrapándola.

Tenía las palmas húmedas. Aquella niebla no era natural.

¿Sería capaz de contener la respiración y avanzar lo bastante rápido a través de la niebla amarilla que había frente a ella y llegar hasta el aire limpio sin transformarse en bestia?

«Si me quedo aquí un minuto más no voy a tener elección.»

Inspiró profundamente y corrió hacia delante, pero aminoró el ritmo cuando la visibilidad disminuyó. No podía arriesgarse a golpear a un transeúnte.

Al adentrarse más en la niebla comenzó a ver cuerpos caídos... cuerpos no, pedazos de cuerpos. ¿Qué los había atacado?

Al otro lado de la calle a su izquierda, un chico adolescente que llevaba una sudadera con capucha y una mochila corría en la misma dirección que Evalle. Una mujer vestida con traje de negocios caminaba igual de rápido hacia él, ambos con la misma urgencia por salir de la niebla. Pero cuando la mujer alcanzó al chico, aminoró el ritmo y le lanzó su maletín, golpeándolo a un costado.

Los pulmones de Evalle clamaban por aire, pero ella trató de frenarlos. Si se involucraba en esa pelea tendría que respirar.

El chico dio un salto y empujó a la mujer contra la pared de granito del edificio que había a un lado de la acera.

Mierda.

Aminorando la marcha de la moto, Evalle se quitó el casco y respiró. El azufre le quemó la garganta. Su bestia tembló en el interior de su cuerpo. Antes de que pudiera desmontar, la mujer había golpeado al adolescente dejándolo inconsciente.

Mientras Evalle se apresuraba hacia él, la mujer retomó su camino despreocupadamente, como si tan solo se hubiera detenido a preguntar por una calle. Evalle llegó hasta el joven y comprobó que tendría poco más de veinte años.

Ella tosió por el aire cargado de azufre y se inclinó para ofrecerle una mano al chico, al tiempo que le preguntaba:

—¿Estás bien?

Él la empujó y la amenazó con un puño.

Ella le cogió el brazo para detenerlo.

—Tranquilo, para.

—Que te jodan. Sácame las manos de encima o te mataré. —Alzó otro puño que ella detuvo. Tenía una mirada salvaje y enloquecida.

Ella lo soltó al tiempo que lo empujaba para dejar espacio entre los dos.

Aquella niebla estaba afectando a los humanos.

Su primera idea fue advertirle a ese chico de que huyera de

la niebla, pero él estaba completamente fuera de sí, de modo que lo que hizo fue quitarse las gafas y dejarle ver algo realmente escalofriante.

A él los ojos prácticamente se le salieron de las órbitas. Se dio la vuelta y salió corriendo.

En cualquier otro momento ella hubiera protegido su identidad no humana, pero tan desquiciado como parecía nadie iba a creerle si le daba por hablar de unos ojos verdes encendidos.

Tenía suerte de no haberla visto transformada.

Se detuvo, para cobrar conciencia de sus emociones. Su bestia quería pelear, pero ella tenía controlada su ansia por transformarse. ¿Acaso la niebla no afectaba a los mutantes?

Una ráfaga de energía abofeteó su piel.

Se dio la vuelta y se halló ante una persona a punto de transformarse en bestia.

Era una criatura horrorosa, con pelo en los brazos y piernas. La cabeza deformada sobre sus hombros tenía una boca llena de colmillos, nariz picuda, unas orejas enormes y algunos pedazos de pelo en la cabeza, además de un único cuerno que salía justo de su frente.

Y ojos marrones.

¿Un mutante? No tenía los ojos verdes como los suyos, ni negros como los de Tristan cuando estaba en su jaula.

¿Sería ese un nuevo tipo de mutante?

¿Sería este tipo de criaturas las que habían estado transformándose y asesinando? Si así era, la niebla tenía que estar detrás de ese estallido.

La criatura rugió y levantó unos brazos cortos y gruesos con dedos llenos de garras que se extendieron hacia ella.

Evalle comprobó rápidamente si había humanos. Ninguno... ninguno que todavía siguiera con vida. Levantó las manos y lanzó un estallido de energía cinética contra él.

La criatura retrocedió unos pasos y ladeó la cabeza.

Debería haberse golpeado contra el contenedor que había unos metros detrás de él.

Ella no quería matar a la bestia si en lugar de eso podía encontrar la forma de controlarla y encerrarla dentro del contenedor. Entonces le pediría a Storm que hablara con VIPER. Capturar una de esas cosas podría ayudarles a descubrir qué clase de criaturas eran, por qué la niebla provocaba su transformación y cómo detener lo que estaba ocurriendo.

Basándose en su línea de trabajo, llegó a la conclusión de que alguna criatura sobrenatural había creado esa niebla para provocar la transformación de las bestias, ¿pero por qué?

La bestia embistió hacia delante y alzó un puño amenazante.

Ella se rio.

—No me asustas...

Algo fue disparado contra su abdomen, ella lo sintió como un enorme y duro balón. El golpe de fuerza cinética la hizo tambalearse y caer hacia atrás.

Tomó aire y se incorporó sobre los codos.

Un hombre con ropa de segunda mano, una barba desaliñada y el pelo estropeado salió de atrás de la bestia conduciendo una bicicleta desvencijada. Pasó por delante de la bestia sin lanzarle una mirada, como si no existiera, pero miró a Evalle largamente y con curiosidad antes de pedalear hacia ella.

¿No habría visto a la bestia?

Pero la bestia sí vio al hombre de la bicicleta y se dispuso a ir tras él.

Ya basta. VIPER tendría que conseguir otro conejillo de indias para sus averiguaciones.

—Eh, jodido, ¿quieres jugar? Pues toma esta.

La bestia se detuvo y volvió hacia ella unos ojos podridos de maldad.

Ella levantó la daga y esperó a que atacara.

No tardó mucho.

Evalle se puso en pie de un salto y avanzó. Con la primera zancada, empleó su poder cinético para impulsarse y correr de lado sobre la pared durante unos pasos, de modo que la bestia acabara quedando a su izquierda.

Esta extendió hacia ella unas garras de seis centímetros.

Ella dio la vuelta desde la pared y quedó fuera de su alcance en el último momento. Y arqueándose sobre su cabeza le clavó su puñal a un lado de la garganta, susurrando un hechizo para que nadie pudiera sacarlo de allí.

Cuando aterrizó sobre el suelo y se giró para mirar a su alrededor, un líquido púrpura salía de la garganta de la bestia.

Aulló, agarrando el puñal, pero la cuchilla mágica no podría ser retirada de allí salvo por la mano de ella.

Se agitó salvajemente y dio puñetazos al puñal, pero en menos de un minuto se derrumbó. Cuando la criatura finalmente murió, su cuerpo se transformó volviendo a ser el de una mujer de veintitantos años.

El líquido púrpura se convirtió en polvo. Su corazón había dejado de latir, así que ya no brotaba sangre de la herida.

Evalle retiró el puñal, que salió limpio. Cuando volvió a mirar el cuerpo, este se deterioraba ante sus ojos, hasta que el cadáver entero quedó reducido a un puñado de polvo gris que se esparció por sí solo.

Por mucho que valorara no tener que ocuparse de un cuerpo, esa no era una señal positiva. Si no había forma de seguir el recuento de las bestias muertas, eso podía significar que el número de bestias que se habían transformado fuera mucho mayor de lo que creían.

No podía estar segura, pero si ese hombre de la bicicleta realmente no había visto la bestia tal vez aquella niebla les estaba sirviendo de manto.

Cruzó la calle y subió a su moto con un nuevo destino en mente antes de ir a ver a Grady. Haría una primera parada en Five Points, que recibía ese nombre por cinco calles que se encontraban en el centro de Atlanta, en el parque Woodruff.

A distancia de una manzana del lugar donde había luchado contra la bestia, salió de la niebla entrando en la noche despejada y rodeó el parque Woodruff hasta encontrar a un brujo adolescente de pelo rubio jugando al ajedrez. Aparcó la moto y se sacó el casco para dirigirse a Kellman. Él y su hermano gemelo, Kardos, vivían en las calles. Ella y Grady mantenían vigilados a la pareja de brujos, pero Kellman era quien desempeñaba la tarea nada envidiable de mantener a Kardos lejos de los problemas la mayor parte del tiempo.

Ella esperaba que Kellman pudiera localizar a su hermano rápidamente.

—¿No te has dado cuenta de que el parque está vacío, Kell? —preguntó cuando llegó cerca de los escalones de cemento de la fuente, donde se hallaba sentado Kellman frente a un anciano afroamericano que llevaba un equipo de gimnasia azul.

—Supongo que está tranquilo —murmuró Kell, distraído porque estaba estudiando su próximo movimiento—. ¿Qué pasa, Evalle?

—Necesito que hagas algo por mí —dijo ella.

Kell levantó un caballo, todavía sin mirarla mientras le preguntaba:

—¿Puedes esperar hasta que termine este desempate? —Hizo el movimiento y golpeó el cronómetro de plástico que comenzó a contar de nuevo el tiempo de su oponente.

Evalle avanzó unos pasos.

—La verdad es que no puedo esperar. También necesito que encuentres a Kardos.

Kell alzó la vista y sus ojos azules registraron la urgencia que había en ella.

—¿Es algo serio?

—Sí. Tú y este caballero tenéis que salir de las calles y meteros en el interior de un edificio ahora mismo.

El anciano volvió su rostro hundido hacia ella, con la mirada tan afilada como pétrea.

—¿Por qué?

—Hay una niebla letal filtrándose en la ciudad. Huele a azufre y está haciendo que la gente enloquezca. Que la gente se vuelva loca hasta el punto de ser muy peligrosa.

Si la niebla había cruzado carreteras, cosa que probablemente sí habría hecho, las carreteras se habrían convertido ahora mismo en terreno de batalla. Eso explicaría el continuo ulular de las sirenas.

El fuerte hedor la alertó, pero no lo bastante rápido. Alzó la vista y vio la maldita niebla desplazándose por encima de la fuente.

—Está aquí. Tenéis que moveros. Encuentra a Kardos y métalo dentro también.

Kellman, que era siempre el más sensato y educado de los gemelos, suspiró y le dijo al anciano:

—Ella suele tener razón con estas cosas.

—Entonces te rindes con la partida.

Ella nunca comprendería a los hombres.

—Eso no es justo. Además esto es para poneros a los dos a salvo.

—No hay problema, Evalle. Joe tiene razón, lo entiendo.

—Pero mientras Kell se levantaba, la niebla se agolpó en torno a ellos. Sus ojos pasaron de estar serenos a ser amenazantes en cuestión de segundos. Dio un golpe al tablero de ajedrez, desparramando las piezas, y se abalanzó sobre su oponente.

Evalle sujetó a Kell antes de que pudiera atacar al anciano, que comenzaba a gruñir algo feroz. Tampoco podía permitir que Joe los atacara a ella y a Kell. Empleó su energía cinética para hacer girar el polvo en remolino como un pequeño tornado y luego lo arrojó como un látigo a los ojos del anciano.

Mientras el viejo se agitaba a ciegas, Evalle arrastró a Kell fuera de la zona. Después de tomar aliento varias veces, ella lo sacudió.

—¿Estás conmigo o no, Kell?

—Sí. No entiendo lo que ha ocurrido.

—Yo sí. Te dije que la niebla es muy peligrosa. ¿Puedes encontrar a Kardos?

—Está durmiendo en el refugio.

—¿Está enfermo? —Ella no podía imaginar otra razón por la cual ese agitador estuviera ahí dentro cuando lo que hacía siempre era vagar por las calles toda la noche.

—Algo parecido. Bebió un líquido asqueroso. —Estiró la camisa azul marino que llevaba, una camisa que le habían dado y que era demasiado grande para su complexión delgada.

—Se merece la resaca. Ve al refugio y dile que se quede allí hasta que la niebla haya pasado. —Bajó la voz y se inclinó hacia Kell—. La niebla está provocando que algunas personas se transformen en bestias.

Kellman sonrió incómodo.

—Dímelo a mí. Yo nunca hubiera atacado al viejo Joe.

—No, me refiero a auténticas bestias con garras y colmillos... y con cierto poder.

Eso lo hizo palidecer.

—¿En serio?

—Sí. Ahora dime dónde vive Joe para poder llevarlo a casa.

Kell le dijo que vivía en un edificio vacío que había allí cerca, y luego miró el tablero de ajedrez con una expresión dolorosa.

—No puedes volver a entrar en la niebla para recuperarlo —le dijo Evalle—. Te conseguiré otro.

—No te preocupes por eso. Ten cuidado, y gracias por llevar a Joe a casa. —Se dirigió hacia el refugio, corriendo para alejarse de la niebla.

Evalle volvió a adentrarse en la niebla amarilla y tironeó del viejo Joe mientras este se sacudía y trataba de golpearlo todo, gritando que quería patearle el culo a alguien.

Que se pusiera a la lista. A ella también le encantaría patear algún culo.

En cuanto logró sacarlo al aire fresco, se calmó. Ella lamentaba haberle tenido que echar polvo en los ojos.

—Kell me ha dicho dónde vives. Si dejas que te guíe, encontraré agua para limpiarte los ojos, ¿de acuerdo?

Él aceptó. Ella dejó su moto en el parque y tardó quince minutos en caminar con él dos manzanas y encontrar un kiosco donde vendieran agua. Le compró un sándwich y otra botella de agua para la cena. Después de limpiarle los ojos y convencerlo de que se mantuviera alejado de la niebla, se apresuró a regresar al lugar de donde venía.

Tenía la camisa de manga corta y los tejanos empapados de sudor. Entre la niebla y el calor, los ataques solo podrían ir a más.

Dobló una esquina y derrapó para detenerse frente a dos hombres cargados de armas pesadas.

Eran armas para matar demonios, como aquellas que Isak Nyght llevaba la primera vez que lo había visto. Había empleado su arma cargada de dinamita para matar a un demonio que ella estaba interrogando.

—Hola, Evalle. —Oyó decir a Isak detrás de ella.

Se dio la vuelta.

—¿Qué hay, Isak?

Algunos hombres tenían presencia. Isak se imponía en el espacio, se hacía dueño del territorio que lo envolvía allí donde estuviera, no importaba que llevara traje de combate o pantalones y camisa de vestir. Esa noche llevaba unos pantalones de combate negros y una camiseta a juego, además de un cinturón cargado de armas sobre su cuerpo enorme. Esas enormes manos habían sostenido en otra ocasión una delicada copa de vino y habían tocado su rostro mientras la besaba sin decir una palabra.

La mirada de él recorrió todo lo que había alrededor y luego permaneció fija en ella para decirle:

—Según parece hay humanos transformándose en bestias por todas partes. Estamos aquí para mantener las calles a salvo.

«Tómate un respiro. Isak no sabe que eres un mutante.»

—¿Has visto alguna?

—Todavía no. Pero he visto las víctimas que han provocado. —Isak miró a su equipo—. Adelantaos y yo os alcanzaré.

Lo único que le faltaba era quedarse a solas en la oscuridad con un hombre que en cierta ocasión la había raptado para lograr cenar con ella.

Él afirmaba no haber visto ninguna bestia, así que ella preguntó:

—¿Cómo sabes el aspecto que tienen esas bestias si no has visto ninguna?

—Vi una en el extranjero justo antes de que matara a mi mejor amigo. Un mutante. Parecen humanos, hasta que se transforman en monstruos que matan todo lo que tienen a la vista.

Ella no quería que él matara a ningún mutante, pero no creía que la criatura que había encontrado en la niebla fuese un mutante. No como ella y como Tristan. Isak y sus hombres podrían ayudar a proteger a los humanos si sabían cómo distinguir a las bestias entre la niebla.

—He oído algunos informes de los ataques —se aventuró ella, esperando que prestara atención a lo que estaba a punto de decirle aunque tuviera que disfrazarlo un poco para poder compartir cierta información—. Me da la impresión de que la niebla oculta a las bestias. Tal vez las hace invisibles.

Él dejó que el arma colgara del cordón sujeto a su cinturón y usó una mano para rascarse la barbilla, cubierta de unos pelos de barba. Algunos hombres se dejaban una barba incipiente para tener un aspecto sexi. En el caso de Isak, simplemente no se había molestado en afeitarse hoy.

Eso no cambiaba el hecho de que esa barbita le diera un atractivo provocador.

Él deslizó la mirada hacia ella.

—La invisibilidad explicaría por qué no hemos visto ninguna de esas criaturas en la niebla a pesar de nuestro equipo de visión nocturna.

—¿Pero tenéis un equipo de imagen térmica, no?

—Claro. Pero no me arriesgaría a matar a un humano disparando sin tener una visión clara de las bestias.

Ahí era donde ella tenía que ser cuidadosa.

—¿Has conseguido alguna descripción de las bestias?

—Uno de los de mi equipo del oeste derribó una. La criatura recuperó su aspecto humano al morir, luego sencillamente se evaporó.

—¿Vieron la altura de la bestia?

—Sí, esas cosas miden más de dos metros. —Un destello de comprensión brilló en sus ojos—. Podemos registrar el calor y atender a la diferencia de tamaño entre una criatura tan alta y un humano.

Ella soltó un suspiro de alivio, pero tenía que marcharse de allí.

—Eso es estupendo. Tengo prisa, pero me alegro de verte.

Él le cogió la mano, la levantó e inspeccionó los arañazos que tenía en los codos.

—¿Cómo es posible que cada vez que te vea tengas rasguños?

—Simplemente soy torpe, supongo.

Él se llevó su mano a los labios para besarle los nudillos, luego la soltó y usó un dedo para levantarle la barbilla.

El corazón de ella bombeó con una nueva energía. Isak no levantaría una mano contra ella, no mientras no supiera que era un mutante. En el poco tiempo transcurrido desde que lo conocía él había matado un demonio que la consideraba una comida, luego la había ayudado a escapar de una situación incómoda con las fuerzas de la ley y le había ofrecido encargarse de cualquiera que la estuviera molestando.

Ella no tenía a nadie de quien quisiera «que se encargaran», a excepción de Sen, tal vez, pero dudaba de que el propio Isak pudiera enfrentarse a Sen y sobrevivir.

La preocupación de Isak por su seguridad despertaba en ella extraños sentimientos y le provocaba emociones. Especialmente la noche que habían compartido esa cena privada y había visto el lado encantador de ese soldado.

Él se inclinó y la sorprendió con un beso tierno. Durante los escasos segundos que sus labios la rozaron ella los notó firmes y calientes. Cuando él levantó la vista, los ojos le brillaban con intenso interés.

Ella sintió un escalofrío caliente recorrerle la piel.

Le gustaba Isak, pero pasar tiempo con él añadía un problema más a su lista interminable de problemas, y tenía la suficiente sensatez como para mantener las distancias con un hombre sexualmente tan intenso.

O no, si tenía en cuenta todo el tiempo que había pasado con Storm, que le había arruinado la posibilidad de una pequeña siesta después de su beso.

Nunca había habido en su vida un hombre que fuera algo más que un amigo y nunca había querido mantener una relación, pero ahora dos hombres a la vez le demostraban decididamente su interés… y para ser honesta, estaba comenzando a gustarle esa clase de atención.

Storm e Isak eran todo lo diferentes que dos hombres podían ser, excepto en lo referente a mostrarse protectores con ella.

Isak sonrió con humor pícaro.

—Uno de estos días voy a descubrir qué es lo que se esconde detrás de esas gafas oscuras.

«Esperemos que no.»

Ella le devolvió la sonrisa.

—Tendremos que tener esa cena que te sigo debiendo.

—Esperaba que no se tomara eso como una invitación a se-cuestrarla de nuevo—. Pero ahora tengo que salir corriendo.

Y correría hasta llegar a su moto, del todo decidida res-pecto a la dirección que iba a seguir. Ahora tendría que dar un rodeo, porque no quería que él viera que había pintado de negro su hermosa moto dorada, ya que en ese caso le haría más preguntas.

La radio de él emitió un sonido. La sacó del cinturón y pulsó un botón. Después de un rápido intercambio con uno de sus hombres, que había localizado una ancha zona de niebla, Isak volvió a colocar la radio en su sitio.

—¿Dónde está tu moto?

—A una manzana de aquí. —Señalo en la dirección opuesta a donde estaban sus hombres.

—Una cosa más.

—¿Sí?

—¿Por qué te anda buscando un tal Tzader Burke?

Oh-oh. Ella no tenía ninguna habilidad para fingir, pero se encogió de hombros con indiferencia y trató de apartar la preo-cupación de su voz.

—No lo sé. ¿Cómo has sabido de él?

—Simplemente he sabido de él.

¿Cuánto sabría Isak acerca de Tzader?

—¿Cómo sabes que me está buscando?

—Contactó conmigo preguntándome si yo o algún miem-bro de mi equipo de vigilancia te habíamos visto.

Si Tzader había recurrido a Isak en busca de ayuda signifi-caba que estaba verdaderamente preocupado. Aquello se con-vertiría en una noche infernal si el Tribunal la sorprendía co-municándose con Tzader o con Quinn.

—¿Por qué quería encontrarme?

—No lo dijo. ¿Tú quieres que te encuentren?

Desearía tener a Tzader y a Quinn a su lado más que cual-quier otra cosa, pero no a costa de provocar la ira del Tribunal.

—No.

—De acuerdo.

Su corazón tartamudeó un rápido agradecimiento a Isak por aceptar encubrirla sin ni siquiera saber por qué.

Él preguntó en un tono excesivamente curioso:

—¿De qué conoces a Tzader?

Ella no tenía ni idea de lo que Tzader habría dicho y no podía negar que lo conocía.

Dio un paso atrás para indicar que se marchaba y dijo:

—Me he cruzado con él en la morgue un par de veces. No es mi tipo.

Eso hizo que la severa expresión de Isak se relajara.

—No me gusta que te ande acechando. La próxima vez que me lo encuentre sabré todo lo que haya que saber sobre Tzader Burke, para que no tengas que volver a preocuparte por él.

Ella no podía permitir que Isak empleara sus formidables recursos para investigar a Tzader.

—No es necesario. Es un amigo, eso es todo.

Isak asintió y la dejó marchar sin más preguntas. Ojalá aceptara su explicación y no anduviera husmeando en torno a Tzader.

Si lograba salir de ese lío con el Tribunal, Isak conseguiría esa cena que ella le debía.

Veintiuno

*E*valle conducía por la carretera de dos carriles que había detrás del hospital de Grady y le quedaban veinte minutos antes de tener que encontrarse con Storm en la estación de tren de MARTA. Había luces parpadeando en la parte delantera del hospital y sirenas que aullaban desde la interestatal.

¿Cómo detendrían esa niebla y todas las muertes?

Aparcó cerca de la cuneta, apagó el motor, levantó el visor de su casco y miró a su alrededor. La mayoría de la gente evitaba el corredor oscuro entre la parte trasera del hospital y la interestatal, especialmente cerca de las once de la noche.

Llamó en voz alta:

—¿Grady?

—¿Me llamas? —Él tomó forma frente a ella, sonriente.

Oh, diosa. Él no debería haber podido cobrar forma humana sin haber estrechado la mano de algún ser poderoso como ella. Pero ahí estaba, y tenía aspecto humano. A los agentes de VIPER solo les estaba permitido estrechar la mano a uno de esos merodeadores durante un minuto como máximo.

Si alguien de VIPER descubría lo que ella había hecho por Grady, Sen no tendría que esperar la decisión del Tribunal para encerrarla.

Grady no habría sido capaz de hacer eso ayer... ¿tan solo había transcurrido un día? Ella le había dado la mano una y otra vez durante más de veinte minutos, para que él pudiera mantener su forma humana en la boda de su nieta. Grady había muerto en los ochenta, así que no pretendía hablar con su nieta, sino tan solo oler la capilla llena de flores y oír pronunciarse los votos de boda, porque sus sentidos eran más agudos cuando tenía su forma humana, en lugar de su forma de fantasma merodeador.

Así que Evalle había roto una regla y le estrechó la mano más del minuto que le estaba permitido, lo cual podía traerle como consecuencia la expulsión de VIPER. Pero no podía arrepentirse de haberlo ayudado después de ver la felicidad desenfrenada que exhibía anoche.

De todas formas, considerando la larga lista de supuestas transgresiones que se le atribuían, sostener la mano de Grady durante demasiado tiempo era desde luego un asunto menor.

—Deja de mirarme como si fuera un fantasma —murmuró él.

—Eres una especie de fantasma. —Se frotó los ojos cansados—. ¿Qué más ha cambiado después de ese apretón de manos?

—¿Aparte de que tengo mejor aspecto? —Sonrió, mostrando una dentadura de un blanco suave en contraste con la piel oscura y arrugada. Luego frunció el ceño—. Cuando lo hago por mi cuenta solo logro que dure unos pocos minutos, ya me gustaría a mí estar todo el día por ahí con esta pinta.

Ella sonrió, pero con una sonrisa triste.

—Ojalá pudieras.

Él ladeó la cabeza y observó la moto.

—¿Qué demonios le has hecho a tu moto?

La moto no le podía haber quedado peor pintada ni aunque se lo hubiera propuesto.

—La he pintado con un aerosol de color negro encima del dorado para camuflarla y que nadie pudiera reconocerla, pero más adelante podré quitar la pintura. También cubrí la matrícula con números de vinilo.

Grady se cruzó de brazos.

—¿Esto tiene que ver con la emboscada que te tendieron esta mañana?

En realidad no, pero tampoco podía decirle la verdad.

—Eso ocurrió justo antes de la reunión del Tribunal. Creo que trabajan para alguien, quizás como cazadores de recompensas. De lo que estoy segura es de que olía a magia Noirre.

Él bajó la voz.

—Me alegra que tengas cuidado, pero no sé si esa pintura te servirá para esconderte. Si esos hombres que te asaltaron esta mañana andan todavía por ahí no deben de estar contentos de haber perdido su premio para los Medb.

Así que los Medb debían de estar detrás de esa emboscada. Grady tenía razón sobre la pintura, pero ella había maltratado así su moto por otra razón: para evitar ser fácilmente localizada por VIPER, Quinn o Tzader.

Grady dijo:

—He oído que algunos de los merodeadores trataron de advertirte.

—Me di cuenta de eso más tarde, pero en aquel momento no podía detenerme a hablar con ellos. Estaba intentando no llegar tarde a esa maldita reunión del Tribunal.

—Esos hombres eran cazadores de recompensas.

Grady normalmente luchaba duro por un apretón de manos antes de soltar ninguna información, pero parecía contento con su actual forma semihumana, así que ella no iba a cuestionárselo.

Ella preguntó:

—¿Serían de la banda de Dakkar? —Evalle tenía un asunto serio con Dakkar. VIPER permitía a la gente de Dakkar ir a la caza de recompensas siempre y cuando no interfirieran con los asuntos de VIPER.

—No. Son mercenarios que van por libre y trabajan para los Medb. Están buscando mutantes.

Evalle necesitaba ayuda para encontrar a Tristan, pero tenía que ser cuidadosa a la hora de hacer las preguntas o pondría a Grady en un aprieto entre ella y el Tribunal. Él casi muere en manos de los kujoos al intervenir unos días atrás.

Claro que él ya estaba muerto, pero los kujoos le habrían hecho cosas horribles, y ella dudaba de que el precio que tuviera que pagar fuera menor si era reprendido por el Tribunal.

Dio unos golpecitos en el manillar.

—Me pregunto si los hombres que me tendieron la emboscada pretendían capturarme a mí o iban a la caza de otro mutante.

—Ambas cosas son posibles. He oído que iban en busca de una mujer mutante, pero creían que se hallaba con un hombre al que también querían cazar.

¿Quién haría eso?, se preguntaba Evalle.

—¿Esos hombres encontraron otros mutantes, o andan todavía por ahí a la caza?

—No he oído una palabra de los cazadores de recompensas desde esta mañana. —Levantó la cabeza, olisqueando, y luego la miró—. ¿Has oído hablar de esa niebla amarilla que se cierne sobre la ciudad?

—La he visto de camino hacia aquí. Hace enloquecer a la gente. ¿Has oído que esa niebla esté en alguna otra parte además de Atlanta?

—Sí. Está también en la costa Oeste. Los humanos creen que los mutantes son una especie de criaturas parecidas a Frankenstein. Piensan que alguien los ha creado. Será mejor que tengas cuidado.

—Yo no me he transformado en bestia.

—No, pero he oído que VIPER ha abierto la veda para dar caza a los mutantes.

—¿A todos? Pero a mí no, ¿verdad?

—No lo sé. Ve con cuidado.

Tenía que moverse, ¿pero dónde estaría Tristan? Chasqueó los dedos y se le ocurrió una forma de averiguar si Grady tenía alguna idea de a dónde había ido a parar Tristan después de teletranportarse en el túnel del metro.

—¿Conoces algún lugar subterráneo donde los hombres de Medb podrían esconderse? ¿Como por ejemplo en los alrededores de las estaciones de la red metropolitana del centro?

Grady miró a lo lejos, frunciendo los labios como si estuviera reflexionando.

—¿Un lugar subterráneo, dices? Una vez oí hablar de unos túneles que, según dicen los viejos merodeadores, fueron estropeados cuando se construyó el metro.

Ella tuvo ganas de reírse cuando le oyó referirse a los «viejos» merodeadores. Grady había muerto treinta años atrás, cuando dormía a la intemperie en las calles cercanas al hospital.

—¿Dónde están esos túneles?

—¿Qué vas a darme a cambio?

Ella murmuró «increíble», al tiempo que sacaba una botella de un Forester añejo de su maletero. Se la ofreció:

—Aquí tienes.

A él se le escapó una auténtica sonrisa al ver eso, y luego la miró expectante.

—¿Esto es todo? ¿Ni hamburguesa ni patatas fritas?

Lo mataría, si no fuera que ya estaba muerto.

—Tengo prisa. Tuve tiempo de hacer una sola parada, y el McDonald's no ofrecía ningún combinado con Forester añejo. Necesito información, Grady.

El vejestorio la ignoró mientras se concentraba en abrir la botella. Dio un trago largo, luego suspiró y se limpió la boca con el dorso de la mano.

—No me mires así. Hay un lugar subterráneo, o al menos lo hubo hace un tiempo, pero esos tipos son más viejos que Matusalén, así que yo no sé si...

—¡Grady!

—De acuerdo... Se supone que hay una madriguera de túneles donde los humanos no tenían acceso. El metro atraviesa ese sistema de túneles en un par de sitios. Esos túneles discurren de arriba abajo como colinas subterráneas, así que las zonas de contacto pueden estar tanto cerca de la superficie como en las profundidades. Son espacios grandes como habitaciones. Estaban allí antes de que todo eso fuera construido. —Agitó la mano que tenía libre para abarcar la ciudad que se extendía a su alrededor.

—¿Por qué construiría alguien esos túneles?

—Tú no eres la primera criatura no humana que ha habitado Atlanta, Evalle. Mucho antes de que los vagabundos murieran y se convirtieran en merodeadores hubo miles de muertos durante la guerra civil que no pudieron cruzar al otro lado. Y no todos ellos eran soldados. Atlanta no podría haberse reconstruido si alguien no hubiera encontrado un lugar donde pudieran ir a parar los espíritus extraviados.

—¿Crearon un hogar para espíritus? —Tuvo la visión de una siniestra casa de acogida para espíritus.

Cada vez que Grady enderezaba los hombros y su voz se volvía instructiva, como ahora, ella se preguntaba si se habría dedicado a la enseñanza cuando estaba vivo. Tenía una voz que le recordaba a la de Morgan Freeman, que podía desempeñar cualquier papel, desde vagabundo hasta presidente.

Y la pronunciación y manera de hablar de Grady podía recordar desde el habla rota de la calle hasta la fluidez de un profesor universitario, que era como sonaba ahora.

—Los fantasmas proliferaron hasta que se convirtieron en un problema serio. La gente evitaba comprar casas porque se rumoreaba que estaban habitadas por fantasmas o poner un negocio en edificios donde se asustaban los trabajadores. Los espíritus estaban igual de preocupados con las personas, las industrias y el progreso, que perturbaban los terrenos donde descansaban. Alguien tuvo la sabia idea de darles otro lugar donde residir. Así que los túneles y las habitaciones como cuevas se construyeron por debajo de la superficie mucho antes de que surgieran los rascacielos y el metro.

—¿Y los fantasmas simplemente se fueron?

—He oído que algunas personas, tal vez exorcistas, convencieron a los espíritus de que habitaran en las profundidades, pero otro rumor afirma que fueron engañados.

Ella comenzó a pensar en la posibilidad de estar metida bajo la superficie con una banda de espíritus.

—¿Son amistosos?

—No tengo ni idea. Ninguno de los espíritus que hay por aquí arriba se iría allí abajo a ese Laberinto de los Muertos.

—Supongo que estás bromeando con el nombre…

Grady había empinado de nuevo la botella. Tomó un trago largo y luego la bajó hasta que sus ojos se encontraron con los de ella.

—No, no estoy bromeando. No vayas allí abajo. Si esos hombres que te tendieron la emboscada están allí, déjalos. Puede que no tengan la posibilidad de volver a ser un problema para ti, porque ambos sabemos que algunos espíritus no son agradables. Si ese lugar está lleno de criaturas enfadadas, especialmente antiguos soldados, será muy peligroso.

«Ahora resulta (¡menuda suerte la mía!) que el Laberinto de los Muertos está en mi lista de cosas que hacer antes de morir.»

Ella comprobó su reloj... se hacía tarde para el encuentro con Storm.

—Ya es suficiente. Tengo que irme. ¿Podrías mantenerte, por favor, fuera de la vista, mientras atraviesas lo que sea que le esté pasando ahora a tu cuerpo?

Él pareció herido.

—¿Por qué quieres eso?

—Porque no sé lo que Sen haría si descubriese que no has adoptado tu forma sólida por tu propia cuenta.

Grady olfateó y agitó su botella en una mano.

—Él no me asusta.

A ella sí la asustaba la idea de lo que Sen pudiera hacerle a Grady.

—Tampoco me ayudaría en mi caso ante el Tribunal.

Eso le hizo cambiar de actitud.

—En ese caso, seré discreto, pero si averiguo que te encierran tendré que tener unas palabras con Sen.

Puede que Macha la ayudara.

—Te veo más tarde.

Miró su espejo retrovisor mientras se alejaba y hacía una mueca de disgusto al contemplar la forma todavía sólida de Grady. Conduciendo hacia el extremo norte de la ciudad no encontró cuerpos tendidos por ahí. Aquella zona no parecía haber sido contaminada por la niebla. La gente circulaba por las calles. ¿La niebla se manifestaba tan solo en algunos puntos? ¿La gente ignoraba lo que oía en las noticias porque no veía niebla a su alrededor?

¿O aquella gente sabría que la niebla estaba detrás de las muertes?

Después de un par de vueltas encontró un lugar donde aparcar al oeste de la calle Peachtree, cerca de la avenida norte de la terminal del metro.

Su moto tenía un hechizo de protección. Si alguien que no fuera ella intentara conducirla se llevaría una sorpresa desagradable. Pero quién sabe si esa pintura en aerosol alteraría los símbolos del hechizo tallado en la estructura.

Tzader lo sabría, ya que era él quien había hecho el hechizo en la moto como un regalo para ella. Pero no podía consultarle nada ahora.

Descendió por los escalones anchos de la escalera que conducía al nivel del metro y trató de no pensar en la advertencia de Grady.

Laberinto de los Muertos.

Si Tristan estaba allí, ella no tenía ni idea de cómo traspasar una pared de cemento para encontrarlo o cómo hacerlo salir fuera. No podía usar el mismo don otorgado por el Tribunal dos veces, así que teletransportarse a alguna otra parte ya no era posible.

Cuando llegó al nivel de las vías, encontró a Storm apoyado contra una pared de cemento cubierta de baldosas donde los pasajeros esperaban los trenes.

La observó acercarse hacia él como si solo la viera a ella en el mundo.

Llevaba su habitual camiseta oscura y sus tejanos descoloridos. Su cabello negro estaba peinado hacia atrás, dejándole la cara despejada y acentuando la dureza de sus ángulos y el tono moreno de la piel que le proporcionaba su sangre india americana.

Había un grupo de cuatro mujeres que fingían charlar mientras desviaban la mirada hacia Storm, cuyos poderosos hombros tensaban la camiseta al tener los brazos cruzados.

Había una sexualidad feroz en ese hombre de apariencia indómita.

Las mujeres se sentían atraídas por el riesgo.

Los hombres se mantenían a una distancia prudente de ese peligro desatado.

Cuando estaba a dos pasos de Storm, Evalle vio que una de las mujeres del grupo de cuatro la examinaba de arriba abajo, claramente perpleja por la forma en que Storm le sonreía.

Evalle tenía cosas demasiado importantes como para preocuparse por ese gesto de desdén. Esas mujeres no le importaban. En realidad no. Pero enviarles un pequeño empujón de energía bastaría para sacudir la expresión arrogante de sus rostros.

Storm le hizo un pequeño gesto y le advirtió:

—No juegues con los humanos.

Evalle lo miró y se encogió de hombros.

—No sé de qué estás hablando.

Él se rio.

—¿Preparada?

Ella asintió y siguió el camino hasta la entrada de servicio, donde Storm se mantuvo vigilante mientras ella empleaba su energía cinética para abrir la puerta y volver a cerrarla luego. Tan pronto regresaron a los corredores oscuros, se situaron sobre una estructura que tenía la altura de un pie y se extendía junto a las vías. Allí era donde los trenes repostaban, cargándose de energía. Ella se había preocupado la primera vez que Storm se había subido en el escudo protector que impedía el acceso, pero resultó que era más fuerte de lo que pensaba.

Evalle miró por encima del hombro para comprobar que los había engullido la sombra en aquella zona semioscura. Luego le preguntó a Storm:

—¿Has oído hablar de la niebla que huele a azufre y las transformaciones de mutantes?

—Oí hablar de los efectos colaterales en las noticias. El tramo final de la interestatal 285 está cubierto de chatarra. La gente se está volviendo loca en algunas zonas, y se disparan unos a otros. —Continuó avanzando por un momento—. Puede que tus mutantes estén muertos.

—Espero que no. Creo que Tristan y los otros mutantes tal vez estén aquí abajo.

—¿Cómo has podido averiguar algo con solo tres horas para descansar?

«Porque solo dormí media hora.»

—Vi a un merodeador que conozco de camino hacia aquí.

—¿Tu amigo Grady?

—Sí. Dijo que hay un laberinto de túneles y habitaciones aquí abajo, donde los espíritus se mudaron después de la guerra civil. Soldados y espíritus de civiles. Lo llaman el Laberinto de los Muertos.

Storm no se rio, pero podía haberlo hecho a juzgar por la

mirada cómica que le dirigió cuando ella se lo quedó mirando en silencio.

—Oye, yo no le puse el nombre a ese sitio —dijo en su defensa—. En cualquier caso, puede que hayamos perdido el rastro de Tristan porque se ha teletransportado a través de la pared de cemento hasta el interior del laberinto. La única idea que se me ocurre es regresar al último lugar donde tenías su rastro y comprobar si hay algún acceso a otra parte en algún punto cercano.

—¿Por qué volver a ese punto si allí no está?

—He considerado la idea de bajar mis escudos mentales para ver si puedo llegar hasta él en caso de que Trey no produzca interferencias. Pero también me quedan todavía dos de los tres dones que obtuve del Tribunal. No quiero usar otro cuando todavía no he encontrado a los mutantes, pero los dos que tengo tampoco me ayudarán mucho si no los encuentro.

—¿De qué manera estás pensando emplear un don?

—No estoy segura. Podría pedir una manera de comunicarme con los mutantes en el interior del laberinto, pero eso podría abrir también el camino a un enjambre de fantasmas. Todavía lo estoy pensando.

Storm avanzó diez pasos en silencio, dando la impresión de que estaba sopesando alguna idea, hasta que dijo:

—Yo también tengo alguna información.

¿Dónde había estado durante las últimas tres horas?

—¿La has conseguido de algún merodeador?

—No. De Adrianna.

Ella murmuró:

—Ya sabemos cómo has pasado tus tres horas.

Una sonrisa asomó a sus labios.

—No me tomé tres horas.

Evalle levantó una mano.

—No necesito saber los detalles.

Él le cogió la mano, la llevó hasta sus labios y le besó la palma.

—Adrianna y yo tuvimos un intercambio exclusivamente de trabajo.

Ella apartó su mano e ignoró el hormigueo que le subía por el brazo y se extendía por su pecho después del contacto.

—¿Hiciste un trato con una bruja superior?

—¿Acaso hay alguien que entregue información a cambio de nada?

—Pues no. ¿Qué tuviste que darle?

—Le dije que le devolvería el favor cuando me lo pidiera.

Evalle se estremeció ante esa idea.

—Yo se lo devolveré, ya que lo hiciste por mí.

—No discutamos por tonterías ahora. —Storm giró la cabeza, como si escuchara el ruido de un tren, luego se dirigió de nuevo a ella—. Todavía sigue con VIPER.

—¿Por qué? Yo creía que solo la habían traído para que ayudara a encontrar la piedra Ngak.

—No sé por qué sigue aquí y no se lo pregunté, pero probablemente tenga algo que ver con el hecho de que los mutantes se estén transformando en bestias y con la niebla. Adrianna dijo que VIPER había dado la orden de dar caza y matar a todos los mutantes.

¿Tendría razón Grady?

—Te refieres solo a los mutantes que se están transformando y matando, ¿verdad?

—No, también me refiero a ti y a Tristan.

—¿Pero por qué querrían hacer eso? Espera… ¿Has dicho que también a Tristan?

La mandíbula de Storm se puso rígida.

—El Tribunal descubrió que Tristan había escapado. Creen que tú lo ayudaste.

—¿Cómo descubrieron que Tristan estaba fuera?

—Adrianna cree que alguien lo localizó en Atlanta con una cámara de seguridad del metro. Dice que está cerca, cree que Tristan está bajo tierra por esta zona, y eso encaja con tu información sobre el Laberinto de la Muerte. Tristan tiene planes para los mutantes.

Evalle valoraba la información, pero hubiera preferido noticias mejores.

—Me imaginé que Tristan tendría más planes que los que me incumbían directamente a mí cuando me dejó en la selva.

—No me refería a eso. Tristan no entregará a los mutantes ante el Tribunal bajo ningún concepto. Va a trabajar contigo. —Se detuvo y ladeó la cabeza para escuchar—. Viene un tren.

—¿A qué te refieres? ¿Qué es lo que ella te dijo exactamente sobre Tristan?

—Solo tenemos un minuto para protegernos antes de que nos alcance el tren.

Ella cedió y avanzó hasta encontrar una hendidura en la pared de unos sesenta centímetros de profundidad. Se metió allí y llamó a Storm.

—¿Dónde estás?

Él apareció frente a ella.

—Estoy buscando otro sitio donde meterme.

El repiqueteo del tren sonaba cada vez más fuerte y sus luces iluminaban ya el borde de la ropa de él.

Ella podría hacerlo.

—Tú… puedes… compartir este lugar conmigo.

—¿Estás segura? No quiero terminar lanzado de una patada bajo un vagón del metro.

Ella le dirigió una mirada afilada y le espetó:

—Entonces mantén tus manos quietas. Ven aquí antes de que te aplasten.

Él dio un paso adelante y se metió en el hueco con ella. Ella inspiró y espiró, inspiró y espiró. Aquello funcionaría. Ella iba a estar bien. No había razón para inquietarse solo porque no pudiera ver más allá de su cuerpo.

Storm puso las manos en la pared, una a cada lado de la cabeza de ella.

—Mis manos prometen comportarse —bromeó.

Ella alzó la vista.

Los labios de él se curvaron en una sonrisa que aligeró su tono, pero sus ojos delataban al animal enjaulado que había dentro de su cuerpo.

El corazón de ella se aceleraba ante su proximidad. Los músculos de su pecho se retorcían y se estiraban, sacudiendo su cuerpo con más fuerza que la vibración del tren que se aproximaba.

Storm puso su rostro más cerca del de ella.

—Hueles como si estuvieras recién duchada... dulce y tentadora.

¿Por qué se sintió como si todavía estuviera desnuda después de la ducha cuando él dijo eso? Observó que su boca decía algo más, pero no pudo oír las palabras por el ruido del tren. Luego él dejó de hablar y se quedó quieto. La siguiente mirada que le dirigió era resignada.

Ella abrió mucho la boca para decirle «¿Qué?».

Él la besó. Su boca se adaptó a la de ella con una sensación de familiaridad, como si sus labios se conocieran desde hacía mucho tiempo. Se hizo dueño de su boca, pareja de la suya, y convirtió su cuerpo en una sustancia líquida y dócil.

El sabor de él era tentador. Una tentación peligrosa de la que ella debería alejarse a gran velocidad. No podía. No lo haría.

La lengua de él la exploraba, cuidadosamente al principio, y luego con una mente aventurera.

El tren rugió al pasar, haciendo vibrar la pared a su espalda.

La ráfaga de viento empujó el cuerpo de Storm más cerca del suyo, de modo que le rozó los pechos, que ella sentía hinchados.

Se estremeció, respirando con tanta dificultad como un corredor al máximo de su velocidad cuando se hizo el silencio después de que el último vagón desapareciera abruptamente en la distancia. Entonces es cuando se dio cuenta de que las manos de él continuaban apoyadas en la pared, pero ella se había puesto de puntillas y le ponía las manos sobre los hombros.

Entonces se echó hacia atrás y bajó los brazos, y luego se relamió los labios, saboreándolo otra vez. Si él continuaba haciendo eso ella perdería la cabeza como para llegar a cruzar la línea alguna vez.

Sabía que no debía.

—No podemos continuar con esto.

Él se apartó de ella y se pasó una mano por la cara con frustración. Había disgusto en su voz al murmurar:

—No puedo estar más de acuerdo.

En el nivel de la lógica, ella quería que estuviera de acuerdo.

SHERRILYN KENYON-DIANNA LOVE

En el nivel de lo femenino, no era eso lo que había esperado.

Apretó las manos y lo empujó para apartarlo.

—No ha sido idea mía lo de besarte.

—Evalle.

Ella lo ignoró y continuó avanzando por el medio de las vías.

—¿Evalle?

—¿Qué?

—Ven aquí.

Ella se dio la vuelta.

—¿Y ahora qué quieres?

Él sonreía, lo cual la confundió y le resultó irritante en igual medida. Caminó hacia ella.

—Estaba enfadado conmigo mismo, no contigo.

—No lo entiendo. —Era un eufemismo—. Y honestamente, no me importa. —Era una mentira.

Quién sabe qué la habrá llamado en silencio al arquear una ceja.

—Cuando dije que estaba de acuerdo contigo me refería a que no soy capaz de seguir besándote... sin desear más.

¿Qué tipo de más?

—Entonces ese beso estuvo... —se encogió de hombros mientras buscaba una palabra—... estuvo correcto.

—No deberías decir eso.

Ella le acabaría dando una patada. Se cruzó de brazos.

Los ojos de él brillaban con picardía.

—Correcto no es una palabra ni mínimamente adecuada. Besarte es como una montaña rusa en el espacio exterior. Cuando más lejos vamos, más perdido estoy y más ansío descubrir nuevos territorios.

Él tenía una sorprendente habilidad para decir cosas que encendían luces de bengala en su corazón y esparcían colores brillantes entre los recuerdos dolorosos de su alma.

Que considerara el beso «correcto» le habría sido mucho más fácil de aceptar. Él excedía los límites desde el primer minuto en que lo había conocido, pero siempre parecía entender que ella tenía barreras que él debería tratar de no traspasar.

Nunca había disfrutado del contacto físico con un hombre antes de Storm.

Incluso lo echaba de menos cuando no estaba cerca, echaba de menos la forma en que sus manos sabían vencer sus defensas sin despertar la alarma. Isak la había besado, dos veces ya, pero no de la misma forma que Storm. Por otra parte, Isak no había tenido tanto acceso a ella como Storm.

Cuanto más tiempo pasaba ella cerca de Storm más fácil le sería lograr infiltrarse en sus emociones… y sin ni siquiera usar su magia, como habían acordado desde el principio.

Él lograba que ella también quisiera ese «más», haciéndole considerar la posibilidad de tentar el destino y asumir un riesgo.

Sin saber cómo responder, ella comenzó a mirar a su alrededor y cambió el tema para abordar una preocupación real.

—Probablemente deberíamos seguir moviéndonos.

Él le pasó los dedos por la mejilla.

—Estamos a unos trescientos metros del lugar donde perdimos el rastro de Tristan la última vez. Lo seguiré buscando mientras lo necesites, pero quiero que te des cuenta de que él no tiene intenciones de ayudarte entregándote a los otros mutantes.

Sería eso lo que Storm le había estado diciendo cuando apareció el tren.

—¿Adrianna te dijo eso?

El hechizo que se había tejido entre ellos cuando pasó el tren se desintegró con su pregunta.

Storm inspiró profundamente y soltó el aire con lentitud.

—Sí, y creo que su información es tan sólida como la del merodeador en quien tanto confías. ¿Qué vas a hacer si encuentras a Tristan?

Ella se había hecho esa misma pregunta desde que aterrizó en la selva dentro del recinto de Tristan.

—Lo averiguaré cuando lo encuentre.

—No estoy seguro de que me guste cómo suena eso. En realidad se trata de que ese grupo de mutantes vuelva a ser encerrado, ¿verdad?

—No exactamente.

—Evalle.

Ella no creía que ninguno de ellos hubiera recibido un trato justo, incluyendo a Tristan, y todavía no había planeado qué hacer respecto a los mutantes.

—No puedo condenar a nadie a una vida ante la cual yo preferiría morir en lugar de aceptar. Si ellos vienen conmigo de manera voluntaria tendré el apoyo de Brina para protegerlos mientras logramos que el Tribunal atienda a cada uno de sus casos. Esa sería una oportunidad de libertad real para ellos, lo cual es todavía más significativo ahora que se ha abierto la veda para dar caza a los mutantes.

—En principio estoy de acuerdo contigo, pero no soy objetivo cuando se trata de tu seguridad y tu libertad. No tendría problema en entregarlos a ellos para salvarte a ti.

¿Cuándo se había convertido Storm en su héroe?

—Tengo un plan. Si Tristan acepta colaborar conmigo, todos los mutantes en fuga tendrán la oportunidad de un trato justo.

A Storm no le gustó oír eso. Su expresión podría chamuscar las paredes.

—Tristan ya te jodió una vez con los kujoos, y luego una vez más dejándote sola en la selva. ¿Por qué deberías ayudarlo?

—Tristan se asoció con los kujoos porque nadie más le había ofrecido ninguna esperanza de libertad. En su lugar yo habría hecho lo mismo. Y me dejó en la selva, pero no hasta que tú apareciste allí. Podría haber permitido que los demonios me matasen o dejarme a merced de cualquier animal con la rodilla destrozada. Pero no lo hizo.

Ella había estado pensando bastante en eso.

—Necesito creer que cualquier persona que tenga un alma merece una oportunidad.

Ella notó que Storm se apartaba emocionalmente. ¿Por qué?

Le preguntó:

—¿Estás segura de que él tiene un alma?

—Sí. No es ninguna clase de demonio.

Storm se rio silenciosamente para sí, y susurró con sarcasmo:

—No, es mucho mejor que un demonio.

Ella lo habría interpretado como cualquier otra clase de pose si Tristan hubiera estado presente. Storm y Tristan juntos parecían dos rottweiler compitiendo por el mismo hueso.

Todo sería más fácil si se llevaran bien. Ella trató de suavizar las cosas.

—Lo único que estoy diciendo es que, si lo encuentro, me gustaría darle a Tristan una oportunidad.

Una voz masculina estridente detrás de ella dijo:

—En ese caso este es tu día de suerte.

Evalle se apartó de Storm y se dio la vuelta para ver a Tristan avanzando hacia ella.

—¿De dónde sales?

—Del Laberinto de la Muerte.

—¿Dónde está eso?

—Ya lo verás. Allí es donde voy a llevarte.

Veintidós

*E*valle sintió furia y agresividad a su alrededor, por todas partes.

El coqueteo de Storm se desvaneció por completo. Con un solo paso, logró ponerse justo enfrente de Evalle y le dijo a Tristan:

—Ella no irá al Laberinto de la Muerte ni a ninguna otra parte contigo.

—Ella irá donde yo diga —le rebatió Tristan, avanzando claramente demasiado hacia Storm.

Evalle consideró la posibilidad de lanzarlos a los dos contra paredes opuestas. Se colocó entre ambos.

—¡Ella está aquí ahora y no hará caso a nada de lo que se diga en este momento! —Colocó una mano en el pecho de cada uno—. Dad un paso atrás antes de que me sobrevenga una intoxicación de testosterona.

Le preguntó a Tristan:

—¿Qué te hace pensar que iré a alguna parte contigo después de que desaparecieras esta mañana?

Tristan levantó las manos con las palmas hacia arriba.

—Me quedé contigo hasta que apareció este gato callejero. Tenía que regresar a comprobar cómo estaban los otros mutantes.

—Podías habernos teletransportado a todos hasta Atlanta —argumentó ella.

—No, no podía. Solo puedo teletransportar a una persona por vez.

Evalle tenía una queja aún mayor que hacer, ahora que lo pensaba.

—¿Por qué no hiciste que nos teletransportáramos antes para evitar tener que enfrentarnos a esos demonios?

Storm intervino.

—Obviamente sus superpoderes no son tan superiores.

Tristan lanzó a Storm una mirada de advertencia y apretó los músculos de su mandíbula.

Ella hizo una advertencia.

—Si no vas a darme respuestas directas, no pienso ir a ninguna parte contigo.

Tristan finalmente le dijo a Evalle:

—Podía haberte traído aquí cuando me escapé, pero no me podía volver a teletransportar inmediatamente. Eso significaba asumir el riesgo de que tú llamaras a alguien antes de que yo tuviera la oportunidad de localizar a los mutantes. Tus colegas veladores y esos de VIPER podrían haberse abalanzado sobre ellos.

Así que Tristan no podía teletransportar a un grupo. Lo tendría en cuenta para más adelante.

—De acuerdo. No importa. Estamos aquí. Tú estás aquí. ¿Dónde están los otros mutantes?

Tristan sacudió la cabeza.

—No están en la zona del laberinto donde los había dejado.

Ella comprobó la expresión de Storm, ya que él era el detector de mentiras andante.

Storm subió discretamente una ceja, lo cual significaba que lo que había dicho era cierto pero que tenía sus reservas respecto a la posibilidad de que fuera la verdad entera.

¿Qué podía haberles sucedido a unos mutantes inestables en un lugar como el Laberinto de la Muerte? A ella no le gustaba la idea de verse atrapada con espíritus de hace ciento cincuenta años, que por lo que Grady sabía no eran necesariamente amistosos.

—¿Los dejaste en ese laberinto durante toda la semana con esos espíritus? Tal vez se asustaron y encontraron alguna forma de escapar, y luego se vieron atrapados en la niebla de ahí fuera.

Tristan se puso las manos en las caderas.

—Teletransportarse es la única forma de entrar o salir de

allí que yo he encontrado. Ninguno de mis tres mutantes puede teletransportarse. Así que no creo que hayan salido del laberinto.

Ella dijo:

—Entonces ya sabes lo de la niebla.

—Vi la niebla amarilla y todos esos locos cuando estuve en la superficie. —Sonrió con malicia—. Esto debe de tener a VIPER muy ocupado.

Evalle reprendió a Tristan frunciendo el ceño.

—¿Te acercaste a la niebla?

—Diablos, no. No quiero que esa cosa me obligue a transformarme.

Ella mantuvo en secreto lo de su encuentro con la niebla.

Storm preguntó a Tristan:

—¿Por qué metiste a los mutantes en ese laberinto?

Tristan se limitó a mirarlos fijamente en lugar de responder.

—No tengo tiempo, Tristan —dijo Evalle—. Si quieres mi ayuda, tendrás que darnos a los dos respuestas claras.

Storm no ayudaba nada dejando que se dibujara una sonrisa en sus labios.

Tristan le dirigió una mirada que prometía que tendrían la oportunidad de zanjar su discusión otro día cuando Evalle no estuviera allí para detenerlos e impedir un baño de sangre.

La sonrisa de Storm se ensanchó con una expresión que era muy fácil de descifrar en cualquier momento y cualquier lugar.

Tristan respondió la pregunta de Storm, pero dirigiéndose a Evalle.

—El laberinto fue el único lugar que encontré donde los mutantes no pudieran herir a nadie si se transformaban en bestias y donde nadie pudiera encontrarlos. Al menos espero que nadie los haya encontrado.

Ella dirigió a Storm una mirada interrogante.

Él asintió levemente con la cabeza indicando que Tristan decía la verdad. Pero a juzgar por su expresión, imaginaba algo más que Evalle todavía no intuía. Ella guardó silencio para que él siguiera aguijoneando a Tristan.

Storm se rascó la barbilla, reflexionando.

—¿Qué planeas hacer cuando encuentres de nuevo a esos tres?

Tristan hizo una mueca.

—Voy a darles una oportunidad mejor de la que yo tuve.

Estaba claro que Tristan quería salvar a esos mutantes, lo cual podía significar que estaba dispuesto a trabajar con ella. Tal vez.

Evalle le preguntó a Tristan:

—¿Por qué estás aquí? No me necesitas para encontrar a esos tres.

—Eso es verdad —aceptó Tristan—. Pero puede que necesite tu ayuda para contenerlos y sacarlos de aquí. No sé en qué condiciones estarán, ni mental ni físicamente, ya que no se encuentran donde los dejé.

—Oh, demonios, Evalle, no. —Storm se puso frente a ella—. Él no te dijo la verdad cuando lo conociste. Soltó un demonio sobre ti en el parque Piedmont...

Tristan intervino.

—Eso fue antes de conocernos.

—Casi deja que un kujoo te mate después de conocerte —continuó Storm—. Luego te miente al escapar y no te teletrasporta cuando los demonios te atacan. Y ahora quiere que te metas en un espacio oculto donde tendrás que luchar con tres... o con cuatro... mutantes.

Tristan estaba impasible.

—Si quisiera matarla podría haberlo hecho ya en Sudamérica.

Evalle tuvo en consideración todo lo que Storm decía, sin embargo...

—Él tiene razón en algo, Storm. Yo aterricé dentro de su jaula sin ninguna posibilidad de usar mis poderes en su contra y él no me hizo ningún daño. Si quiero encontrar a esos mutantes, tendré que ir con él.

—Evalle, no lo hagas —dijo Storm en un tono tan cercano a la súplica que la sorprendió.

—No tiene elección —señaló Tristan.

Ella preferiría no ver el Laberinto de Muerte, pero Tristan acababa de expresar en voz alta sus propios pensamientos. Ella podía elegir entre ir ahora con él o esperar a que el reloj de arena del Tribunal marcara el final de su tiempo. Pero la expresión de traición que reflejaba el rostro de Tristan hizo surgir en ella una necesidad más urgente que la de apaciguar al Tribunal y precipitarse dentro del laberinto.

No quería separarse así, de modo que le dijo a Tristan:

—Necesito hablar con Storm.

—Hazlo rápido.

Storm avanzó hacia Tristan. Ella le puso una mano en el pecho para detenerlo y sintió los latidos atronadores de su corazón. Cuando Tristan retrocedió, ella le dijo a Storm:

—Por favor, no llames a Tzader ni a Quinn.

—Si aceptara eso me doblaría de dolor físico por la mentira.

Eso la sorprendió.

—¿Eso tiene que ver con tu habilidad para saber si alguien está mintiendo?

—Sí. —Se frotó la palma contra la cara—. No vayas a ningún sitio donde no pueda alcanzarte.

Eso demostraba que él no podía seguirla al interior del laberinto. Ya no tendría una red de seguridad si Storm no podía acceder allí.

—Entonces hazme un favor. Dame dos horas antes de contactar con nadie.

—Una hora.

—Noventa minutos.

—Una hora.

Tenía que darle alguna razón que estuviera por encima de su preocupación por ella.

—Noventa minutos. Si llamas a Tzader y a Quinn antes de que encuentre a esos tres mutantes, el Tribunal podrá darle la vuelta de modo que parezca que he sido yo quien los ha llamado.

Él asintió, aceptando el compromiso aunque no le gustara.

Ella se acercó a él y le susurró:

—Por favor, trata de entenderlo. Si necesitaras que me enfrentara a algo como el Laberinto de la Muerte para ayudarte a encontrar a quien tú ya sabes… yo lo haría. —Ni siquiera sabía el nombre de la mujer a quien Storm perseguía.

Él volvió a asentir, sin estar más convencido pero con una expresión comprensiva en su rostro, con una mirada cariñosa que dio calor al corazón de ella.

—Tenemos que irnos —la llamó Tristan.

Cuando ella se dio la vuelta para marcharse, Storm la cogió entre sus brazos y la besó antes de que pudiera decir una sola palabra.

Ella se ruborizó al pensar que Tristan los estaba observando, pero solo durante los dos segundos que tardó en darse cuenta de que esta era una nueva clase de beso. Su sentido empático se despertó indicándole que ese beso tenía un nombre y un significado: posesión. En cualquier otro momento, le hubiera dado un empujón y una patada en el culo a cualquiera que pretendiera algo así como poseerla, pero ahora sus manos se negaron a soltar la camisa de Storm a la que se aferraban.

La alcanzó una sensación de embriaguez ante la idea de que un hombre como Storm la deseara tanto.

Cuando Tristan hizo un ruido de disgusto, ella apoyó las manos contra el pecho de Storm y le dio un leve empujón hasta que él levantó la cabeza.

—Tengo que irme.

Él dejó caer su frente contra la de ella.

—Ten cuidado.

—Lo tendré.

Ella se apartó tres pasos y Storm le dijo a Tristan:

—Tráela de vuelta sin un solo rasguño o de lo contrario VIPER terminará contigo para satisfacer a una pandilla de ratas hambrientas.

Tristan sonrió y pasó un brazo por la cintura de Evalle.

—Hasta luego, gato callejero.

Ella cerró los ojos, esperando no equivocarse al pensar que Tristan tenía un alma, porque él sería su única posibilidad para salir del Laberinto de la Muerte. Sen no acudiría a menos que el Tribunal le ordenara que la buscase, e incluso en ese caso probablemente fingiría que no la encontraba.

Había una sola manera de entrar. Y había una sola manera de salir.

Veintitrés

Se deslizaban voces por su mente, jugando a la pelota con sus pensamientos.

Quinn mantuvo los ojos cerrados a pesar de que la habitación estuviera tan oscura como una noche sin luna y tuviera una compresa helada sobre la frente y los ojos. Trató de aumentar sus escudos mentales para detener el ataque de las voces, pero el esfuerzo casi lo llevó a romper la imagen de un dios de porcelana.

No tenía nada más que lanzar por el aire.

Las imágenes entraban y salían de las mentes a las que se habían vinculado para poner a prueba. Imágenes tan confusas como las voces.

—¿Quinn?

¿Había oído esa voz en su cabeza o en la habitación? No podía haber sido en la habitación. Nadie podía entrar excepto Tzader.

El servicio de habitaciones no se lo permitía puesto que una bala entre las cejas no estaba en el menú.

Una energía giró en torno a la habitación, bajando la temperatura del aire frío hasta dejarla helada. No, ahora no.

—¿Quinn?

Apretó los dientes y trató de reforzar sus escudos mentales, pero estos eran débiles, demasiado temblorosos para luchar contra ningún poder real.

—No deberías estar aquí, Kizira.

—Entonces no deberías haberme llamado.

¿Cómo? Trató de incorporarse, pero un martillo invisible le golpeó la cabeza con malvado entusiasmo.

—Yo no te he llamado, Kizira.

—No hubiera pasado por todo lo que he tenido que pasar para llegar hasta aquí si no lo hubieras hecho. Me arriesgué a dejar a mis guardaespaldas a cargo de un proyecto del que soy responsable.

¿La había llamado? Se habría dado cuenta, ¿no es así?

—Tienes dolor. Puedo ayudarte.

—No… no lo hagas. Vete. Por favor. —Los dientes le castañetearon cuando la temperatura bajó considerablemente.

—Puedo bajar la temperatura incluso más para congelar el dolor en tu cerebro.

—No. —Sus pensamientos se enredaron. ¿Cómo había llegado ella allí? La prueba mental. ¿Qué le había ocurrido a él durante esa prueba?

—Me echas de menos. —No era una pregunta, lo afirmaba, como si diciendo esas palabras les diera peso y valor—. ¿Recuerdas la última vez que estuvimos a solas?

Demasiado bien.

Tenía suerte de estar todavía completamente vestido. La última vez que Kizira y él habían estado a solas terminaron desnudos.

Lo último que le faltaba era que esa imagen se abriera camino en su cerebro como un parásito justo ahora. Ella tenía que marcharse. Él se mostraba civilizado solo cuando podía contar con todas sus facultades, y ahora mismo algunas partes de su mente habían hecho un parón.

Ella habló con suavidad.

—Hoy estuviste en mi cabeza, Quinn, y no deberías haberlo hecho. ¿Por qué?

Él frunció el ceño, y hasta eso le dolía. ¿Habría entrado en la mente de ella durante la prueba también? No. Ella se metió en la suya, temerosa de lo que él pudiera hacerle. Ella había estado en una visión del futuro, no en el presente. ¿Qué tipo de conexión se había abierto al convocar el espíritu maligno del padre de Conlan?

Fuera como fuese, Quinn tenía que mantenerla a ella fuera de su mente.

Él murmuró:

—¿Cómo me he metido en tu cabeza? —Pero las palabras debieron de sonar de un modo indescifrable.

Ella emitió un sonido que a él le recordó los momentos en que estaban a solas y se exasperaba.

—¿Puedes al menos sentarte erguido y hablar conmigo?

—Honestamente... no creo que pueda. He tenido un día... difícil. —Cuando oyó un ruido a su alrededor abrió de nuevo los ojos, pero vio la habitación borrosa.

Kizira cruzó la habitación, su cuerpo parecía doblarse y remodelarse como si estuviera reflejado en uno de esos espejos deformantes de los circos. Se movió en silencio, pero su intenso brillo habitual había sido reducido hasta casi desaparecer.

Él preguntó:

—¿Por qué no brillas?

—Es evidente que tienes un dolor de cabeza monumental, y, por lo que recuerdo, la luz daña tus ojos. —Un vestido color azul se derramaba por su cuerpo, marcando sus curvas y cayendo hasta sus tobillos. Su pelo normalmente de un rojo fuego ahora era de un moreno claro y estaba recogido en una larga trenza que le caía por encima del hombro izquierdo hasta debajo de los pechos.

Unos pechos hermosos cuando estaba desnuda.

Él cerró los ojos y se permitió un momento de autodesprecio ante el curso que cobraban sus pensamientos.

Estaría fuera de lugar entre el resto de las mujeres vestidas con ropa contemporánea a las puertas del hotel porque Kizira no era como las otras mujeres.

Y ella era su enemiga.

Necesitaba que ese pensamiento cobrara fuerza para luchar contra las imágenes eróticas que se empeñaban en llenar su cabeza.

El colchón se hundió a su lado cuando ella se subió a la cama.

—Kizira —le advirtió él. No quería usar ningún poder cinético sobre ella y francamente no sabía si tendría capacidad para levantar una defensa decente. Tenía que tener la energía focalizada en mantener las paredes de su mente.

La compresa de hielo desapareció de su cabeza. El martilleo golpeaba su cráneo. Dejó escapar un ruido que a él mismo le sonó lastimoso.

Ella le cubrió la frente con su palma fría.

Él se tensó, luego dejó escapar un suspiro de alivio en el instante en que el dolor pasó de ser atroz a convertirse en un terrible pero simple dolor de cabeza.

—Vete, Kizira.

Ella le hizo callar.

—Deja que te ayude mientras esté aquí.

Mala idea. Pero maldita sea, solo un tonto rechazaría su ayuda, especialmente teniendo en cuenta que necesitaba ponerse en pie de nuevo por Tzader y Evalle.

Le permitió seguir con su magia, luego se lo agradeció y le pidió que se marchara.

—¿Me echas de menos? —le preguntó ella de nuevo. Sus palabras eran tan suaves como una caricia, atrayéndolo tan peligrosamente como las sirenas que tientan a los marineros y les provocan la muerte. Pero había sido él quien permitió el desastre la última vez.

Demasiado joven como para dejar pasar la necesidad de tenerla cuando ella se le ofrecía con aquella facilidad.

Pero esta vez no.

—¿Quinn? —Ella dijo su nombre como si él fuera el único hombre en el mundo que se llamara así—. Te estoy haciendo una pregunta simple. Tú y yo.

¿Por qué sus palabras sonaban como música? No estaba cantando.

¿Debería decirle que pensaba en ella solo dos veces al día? Cuando estaba dormido y cuando estaba despierto.

Que nunca había tocado nada tan suave como su piel o que todavía recordaba la forma en que los rayos de sol atravesaban la ventana abierta de la cabaña de la montaña y brillaban en torno a ella cuando se inclinó sobre él para besarlo.

Debería mentirle, pero no podía soportar la idea de herirla, ahora que ella estaba calmando su dolor.

—Sí, te echo de menos, pero eso no cambia un hecho muy simple. Soy un velador y tú eres una Medb. —Enemigos declarados—. Deberías odiarme. Nunca debería haberme aprovechado de ti.

Ella siguió acariciándole la cabeza con la mano y se echó a reír. El sonido iba y venía, apareciendo y extinguiéndose.

—Yo era toda una mujer cuando nos conocimos.

—Tenías dieciocho años. Yo era mayor que tú...

—Solo dos años.

—... y debería haber tenido mis manos quietas.

Ella le besó la cabeza y enfrió suavemente su frente, haciendo disminuir su dolor a una intensidad moderada. Él relajó sus hombros por primera vez en horas.

Kizira le reprendió con voz alegre.

—Te debe de estar fallando la memoria, y es una pena que te ocurra eso ya a los treinta y tres.

Él sonrió ante su provocación. Una preocupación aguijoneó su mente... algo en lo que había reparado un momento antes.

Susurrándole al oído ella le dijo:

—Recuerdo que cuando nos conocimos te rendiste a mis encantos, no hubo otra posibilidad.

—Entonces, ¿tú usaste la magia conmigo? —Él no podía recordarlo, aunque debería. Sus recuerdos se mezclaban unos con otros confusamente.

—Solo la magia de mis encantos personales —le aseguró ella—. ¿Ahora quieres hacerme creer que solo funcionó porque estabas malherido?

Lo asaltaron retazos de recuerdos.

En aquel entonces él estaba solo patrullando en los alrededores montañosos de Chechnya y encontró una aldea destrozada por los hechiceros Medb. Cuando oyó el grito de una mujer siendo atacada, intervino y solo consiguió ser capturado por tres hechiceros que emplearon la magia sobre él antes de que fuera capaz de emplear sus poderes mentales. Todavía no había desarrollado al completo sus habilidades en ese entonces. Lo golpearon en las rodillas.

Luego dos guerreros lo sostuvieron para que el tercero lo torturara para mantener su mente abierta.

Quinn no supo en aquel momento que la mujer que él había salvado, Kizira, era una Medb a quien acababan de encomendarle su primera prueba para convertirse en sacerdotisa. Tenía que capturar a un velador y llevarlo ante su reina. Una tarea peligrosa para una mujer de apenas dieciocho años, pero Kizira siempre había estado por encima de la media.

Más tarde ella le dijo que ningún guerrero que luchara de forma tan honorable merecía morir bajo tortura. Así que interfirió con los tres hechiceros, obligándoles a que dejaran de herirlo.

Ese había sido un gran error por parte de ella. Los hechiceros estaban entrenados para dar muerte a cualquier traidor entre los Medb, no importaba quién fuera.

El hecho de que ella interfiriera en su forma de manejar un velador había sellado su destino, sin ningún tipo de juicio ni jurado.

Los hechiceros dejaron caer a Quinn, reducido a un bulto de carne destrozada y huesos rotos para ocuparse de Kizira.

En cuanto ellos desviaron su magia Noirre hacia Kizira, Quinn logró concentrarse. Abrió su mente, hizo acopio de una furia de energía y la usó rápidamente para sobrepasar la mente de dos de los hechiceros, que cayeron inmediatamente.

El otro estaba tan concentrado en Kizira que ni siquiera advirtió el peligro que tenía a sus espaldas. Cuando Quinn terminó, los tres quedaron desmoronados en el suelo. Él echó un vistazo a la conmocionada Kizira y al momento se desmayó sobre la pila de cuerpos.

Lo siguiente que comprobó al abrir los ojos fue que Kizira lo había ocultado en las montañas, donde se dispuso a cuidar de su cuerpo maltratado.

Tal y como ahora estaba haciendo.

Él retuvo sus pensamientos durante un momento antes de que se colaran por los agujeros de su mente. ¿Qué le estaba diciendo a ella minutos antes? Las palabras que ella le susurraba se deslizaban en su cabeza y se quedaban flotando en su interior. Su mente se empañaba con el placer que ella le procuraba al frotar los dedos contra sus sienes en un movimiento circular. El placer se filtraba en su cuerpo como transportado a través de corrientes de aceites rejuvenecedores.

Ella le susurró al oído:

—¿Recuerdas el brazalete que trencé con tu pelo?

—Hum... sí. —Sonrió ante el recuerdo. Ella llevó puesto el brazalete hasta el último día, cuando él le sugirió que no volviera a casa con ese tipo de señal de un velador. Le había dicho que aquel brazalete solo le haría lamentar lo que habían hecho.

Ella le respondió que conservaría el brazalete para demostrar que no se arrepentía del tiempo que habían pasado juntos.

Una tontería, pero a él lo había conmovido que conservase el recuerdo con ella.

No importaba. Había sido un error. Él murmuró:

—Kizira... no puede ser.

Él sintió una ráfaga de aire cálido en su garganta cuando ella le dijo:

—Te dije que acudiría si me llamabas.

Sus palabras hicieron eco en lentas olas, rebotando a través de su mente.

—¿Por qué... te llamé?

«Porque me echabas de menos. ¿Lo recuerdas? —La voz de ella entró en su mente suavemente, y era mucho mejor eso que oír los sonidos—. Recuerdas que me echabas de menos, Quinn, ¿verdad?»

«Oh, sí.»

—Te echaba... de menos.

Ella movió las manos hacia su cuello y sus hombros, frotando intensamente sus músculos cansados mientras con la voz le masajeaba la mente. «Te gusta que te acaricien y te besen.» Rozó sus labios con los suyos, y luego desapareció.

Las pausas entre los accesos de dolor se alargaron más.

Tenía algo que hacer... algo sobre...

Los labios de ella le dieron besos en la frente. Luego su voz acudió de nuevo a su mente en un suave murmullo. «Yo cuido de ti, Quinn.»

«Creo... que no deberías —respondió él. Otros pensamientos revolotearon en su mente, casi enfocados, luego retrocedieron fuera de su alcance—. Yo no... no soy bueno para ti.»

«Sí lo eres. —Deslizó los dedos por su pecho, deteniéndose para centrarse en un músculo tenso, haciendo que se soltara centímetro a centímetro—. Te deseo, Quinn. De nuevo. Como la última vez.»

«No puedo hacerlo. Es un error». Pero ahora tenía un nuevo dolor que latía en su entrepierna.

Ella le desabrochó el cinturón y los pantalones. Luego metió la mano por dentro para acariciarlo.

Él silbó:

—Kizira.

Se suponía que tenía que sonar como una advertencia, no como una petición.

«Yo también te he echado de menos. Sobre todo echaba de menos tocarte», le dijo mentalmente ella.

El mundo perdía su forma, se volcó hacia un lado y allí se quedó.

Quinn trató de abrir los ojos. No podía.

Su voz y su tacto lo consumían, amarrándolo, llenándolo desde el interior. Sus dedos… oh, sus dedos… lo acariciaban.

Su cuerpo tomó el control de él, con toda la atención concentrada en el mismo lugar. Se tensó, listo para explotar en un orgasmo.

Sin control.

No podía respirar… ansiando que ella volviera a moverse… era como si el placer tuviera dientes que arañaban sus nervios. No podía mover las manos para tocarla. No podía más que estar tendido allí, esperando…

Por favor.

«Te deseo, Quinn —repetía ella una y otra vez—. Dime que me echas de menos.»

Sus músculos se tensaron, todas las partes de su cuerpo dependían de esa zona que estaba esperando liberarse.

—Te echo de menos.

Ella deslizó los dedos a lo largo de su miembro, arriba y abajo, y se detuvo. Y luego hizo lo mismo de nuevo. Él temblaba de necesidad.

«¿Quieres que ayude a Evalle?»

—¿Qué?

«Puedo vigilarla.» Los dedos de Kizira lo acariciaron de nuevo, con la mano primero caliente, y luego fría.

Su cuerpo se estremeció. Jadeaba. El final estaba cerca, al lado.

«¿Dónde está Evalle?»

Él luchó por recordar.

—Se ha ido.

«¿Pero cómo puedo encontrarla?»

—No lo sé.

Sintió dolor detrás de los ojos.

Kizira le susurró al oído. «Piensa, Quinn. ¿Dónde está Evalle?»

Él tragó saliva, jadeando. Esquirlas dentadas de vidrio apuñalaban sus ojos.

El dolor se calmó de nuevo cuando Kizira volvió a besarlo. «Tengo lo que deseas. Lo que necesitas.»

Él trató de alcanzarla, sorprendido de que sus brazos se movieran. Sus manos tocaron carne desnuda por todas partes. Ella se estremeció y murmuró palabras seductoras, suplicándole que le diera lo que deseaba.

Todo lo que él poseía era de ella.

Pero nunca le había dicho eso a una mujer…

Los dedos de ella lo aquietaron de nuevo. El delicado contacto de sus dedos lo enloquecía. Demasiado suaves para empujarlo al olvido.

Apretó los dientes. Ella continuó provocándolo, como si pudiera crecer todavía más en la tensa piel que lo cubría.

Cuando ella por fin lo aferró con firmeza, él dejó escapar un sonido de lo profundo de su garganta, una necesidad de liberación primaria.

«Dime dónde está Evalle y te daré todo lo que quieres.»

De algún lugar del fondo de su mente, emergió un pensamiento, como si él ordenara a las mismas palabras que marcharan a la batalla.

—Está con Tristan.

«Eso era todo lo que necesitaba oír. Ahora quiero sentirte dentro de mí». Ella retiró su mano.

Él quería rugir que volviera y terminara lo que había empezado, pero era como si alguien hubiera pulsado un interruptor en su cuerpo. Sus músculos y extremidades no le respondían.

Su piel ardía por frotarse contra la de ella. La hizo rodar encima de él, sintiendo solo el tacto de las sábanas y de su piel.

Los dos estaban desnudos.

Como la última vez.

Era perfecto.

Lo único que lo hizo retenerse y no estallar en un orgasmo cuando por fin estuvo dentro de ella fue el deseo masculino básico de tener el control. La necesidad carnal corría a través de sus células, con el deseo ardiente de poseerla. Luchó por un segundo con la sensación de que aquello no estaba bien, pero sus músculos apretaban y sus pensamientos se escindían. Retrocedió y lentamente la penetró otra vez, temblando de deseo por ella.

«Ahora, Quinn. Como la última vez», lo alentó ella, al tiempo que clavaba las uñas en sus hombros.

«Demonios, sí.» Él le sujetó las caderas y empujó para penetrarla con fuerza.

Veinticuatro

Aquel tenía que ser el viaje de teletransportación más rápido del mundo, lo cual estuvo bien para Evalle, que tan solo sintió un breve mareo.

Lo malo era que hubiera sido con Tristan y no con Storm, su pareja de teletransportación favorita.

Abrió los ojos y soltó el aliento, que formó una pequeña nube blanca en el aire helado.

—Hace más frío del que pensaba.

—Espeluznante, ¿verdad? —dijo a su oído Tristan.

—La casa fantasma de un niño en Halloween es espeluznante. Esto es una zona crepuscular. —Ella debería haber sabido qué esperar de un nombre como el Laberinto de la Muerte, pero no esperaba eso. Ante ella se extendía un túnel hecho a mano con tierra y piedras y que brillaba en algunas zonas donde se había colocado una ecléctica mezcla de antiguas lámparas de gas.

Ella dudaba de que recibieran combustible.

¿Quién pagaría allí la factura del gas?

Pinturas enmarcadas colgaban de las paredes a intervalos, y una variedad de alfombras cubrían el suelo de tierra en algunas zonas.

Tristan inclinó la cabeza hacia el túnel.

—Por lo que recuerdo de mi primer viaje a través de este sitio, alguien ha trasladado los objetos personales aquí. Supongo que eso hace que los espíritus se sientan en casa.

—Me pregunto cómo conservaron estos espacios cuando fue construido el sistema metropolitano.

—Tuvieron más de cien años para desarrollar sus habilidades como espíritus, y el metro solo se cruza en un par de sitios.

—Los dedos de Tristan se curvaron en torno a su cintura.

—Quítame las manos de encima si tienen algún valor para ti.

—Creía que tenías frío. —Bajó la vista a su pecho.

Ella se negó a mirar abajo.

—Sigue mirando lo que estás mirando y muy pronto tu nariz va a conocer de cerca mi bota. Es mi última advertencia antes de que termines con un chichón.

Él retiró la mano.

—Creía que íbamos a trabajar juntos.

—Hasta un punto.

—En ese caso, sigamos moviéndonos.

Ella se volvió para mirarlo de frente.

—No hasta que me des algunas respuestas.

—¿El Tribunal no te puso un límite de tiempo?

Ella literalmente trabajaba contra la arena del tiempo sin saber cuándo caería el último grano.

—Hablando del Tribunal, ellos saben que has escapado y me echan la culpa a mí.

No hubo sorpresa en su rostro.

—Lo he oído, pero no sé cómo lo averiguaron.

—Te captaron con una cámara de seguridad en Atlanta y ahora VIPER ha lanzado una orden de captura o muerte sobre mí, sobre ti y los otros tres, junto con cualquiera de los otros mutantes que se están transformando por la niebla.

—También he oído eso. Deberías unirte a mí.

—¡No! —¿Qué tenía que hacer para quitarle esa idea de la cabeza?—. Si tú trabajas conmigo tus oportunidades ante el Tribunal serán mejores.

—Tengo que pensarlo.

—Mientras lo piensas, podrías decirme lo que no quisiste decir delante de Storm cuando estábamos al otro lado de la pared.

Tristan preguntó inocentemente:

—¿A qué te refieres?

—A la localización de los tres mutantes.

—Ya te dije que no estaban donde los dejé.

—Lo cual es un astuto modo de no decirme una localización específica... sin llegar a admitir que no sabes dónde están ahora. ¿Verdad? —Si Tristan había estado en el laberinto durante todo el tiempo que ella y Storm lo habían estado buscando, Tristan debería de haber recorrido ya cada centímetro del lugar.

—Están en este laberinto.

—No es suficiente. No voy a moverme hasta que no me lo digas todo. Y creo que sabes exactamente dónde están, así que la pregunta es: ¿por qué no me llevas hasta allí, ya que necesitas mi ayuda para encontrarlos? Si quieres mi ayuda tienes que decirme la verdad.

Tristan tomó una profunda bocanada de aire helado, que luego expulsó en forma de riachuelo de aire blanco.

—Los dejé en una habitación con dos espíritus benignos y suficiente comida para mantenerse durante un par de semanas. Por eso no podía permitir que me dejaras en la selva. Creía que morirían si no conseguía regresar. Pero cuando volví aquí se habían marchado.

Si su historia resultaba ser cierta, ella podría simpatizar más con él y reconciliarse con la idea de que la hubiera usado para escapar.

—¿Dónde estaban?

—En una cueva grande en las profundidades de este lugar. —La expresión engreída que normalmente caracterizaba su rostro había dado paso a un aspecto atribulado que llevaba con excesiva normalidad.

Como si estuviera más familiarizado con el dolor que con la felicidad.

Ella insistió de nuevo.

—¿Y cuál es la razón por la que no puedes sacarlos de la cueva tú mismo...?

—Porque los Medb llegaron allí antes que yo. Kizira encontró a los otros tres mutantes y los retiene.

Por supuesto que los Medb habían encontrado a los tres mutantes.

Evalle se frotó la nuca.

—¿Cómo descubriste eso?

—Por los espíritus de un joven soldado de la guerra civil y un anciano que jugaban a las damas. Viven en la cueva donde dejé a los tres mutantes. Después de llegar a callejones sin salida en este lugar durante todo el día volví a su cueva. Fue entonces cuando los dos espíritus se me revelaron y me dijeron dónde estaban los mutantes.

—¿Entonces los espíritus trabajan para Kizira?

Él negó con la cabeza.

—En absoluto.

—¿Entonces cómo llegó a involucrarse Kizira en todo esto?

—Cuando les pregunté cómo podía encontrarla, me dijeron que ellos le pidieron que se marchara.

Evalle habría disfrutado viendo eso.

—¿Pero ella no los envió de un estallido a la Tierra de Nunca Jamás?

—Este lugar está cargado de un poder sobrenatural que puede provocar una reacción catastrófica en cadena. Ni siquiera Kizira querría estar aquí abajo si eso ocurre. Les hizo una oferta. Si ellos actuaban como mensajeros cuando alguien apareciera en busca de los mutantes, ella y sus hombres se marcharían de allí tan pronto obtuvieran lo que buscaban. Los espíritus hacen de intermediarios por ahora, pero no les gusta nada que ella esté aquí abajo.

Evalle murmuró:

—A mí tampoco me entusiasma… ¿Y qué es lo que quiere?

—Quiere a un mutante en particular.

Ella esperó que él aclarara más, pero a Tristan le gustaba dosificar la información.

—¿A qué mutante quiere Kizira?

—A mí.

—¿Ella sabía que volverías por los demás? ¿Eso significa que sabía que habías vuelto a escapar? —Lo cual podía significar que Tristan había estado jugando con ella y conduciéndola a una trampa. Pero era demasiado tarde para encontrar una manera de salir.

—No, ella no estaba segura de que volvería, no hasta hoy. Me imagino que tendría a alguien infiltrado aquí para ver si yo cedía y decía a VIPER dónde estaban los tres mutantes para impedir que murieran de hambre. O tal vez creyó que yo haría un trato con Macha o VIPER para entregar a los tres mutantes desaparecidos a cambio de mi libertad, cosa que yo desde luego nunca haría.

Evalle se estremeció ante el golpe bajo que él acababa de dar a su conciencia.

—Has dicho que Kizira no estaba segura de que volverías hasta hoy. ¿Cómo lo descubrió?

—Probablemente gracias a tus amigos de VIPER.

—¿Por qué imaginas eso?

—Con VIPER a la caza de mutantes y la noticia de mi fuga, los merodeadores lo habrán oído.

Grady no sabía nada acerca de la fuga de Tristan, claro que Grady había estado entretenido con su nueva habilidad para adquirir forma humana por su cuenta en algunos momentos.

Sintió un escalofrío a lo largo del cuello.

Si VIPER sabía que Tristan había escapado, ¿eso significaba que el Tribunal enviaría a Sen tras ella antes de que expirara su tiempo? No, los dioses y diosas eran escurridizos como anguilas a la hora de manipular el entorno, pero su palabra tenía el valor de la ley. Y ellos dijeron que enviarían a Sen únicamente cuando su tiempo hubiera terminado.

Si ellos querían, podrían encontrarla. Ella lo miró sacudiendo la cabeza.

—¡Estupendo, Tristan! Me usas para escapar y ahora resulta que soy un accesorio para tu fuga.

—Oh, dame un respiro. ¿Acaso tú no te habrías escapado también si hubieras estado en mi situación? Las vidas de tres mutantes corrían riesgo.

Ella ignoró su pregunta, porque la verdad era que probablemente sí hubiera hecho lo mismo.

—Si te ayudo a sacar a esos tres de aquí, a cambio quiero que me dejes llevarlos ante el Tribunal para que puedan tener una oportunidad de ganar la libertad. De lo contrario ningún mutante estará a salvo.

—Mi opinión no contará mucho si logras sacarlos de aquí.

Él no tenía esperanzas de salir de allí con ella y los otros tres. Ella no quería admirarlo por estar dispuesto a sacrificarse.

SHERRILYN KENYON-DIANNA LOVE

—¿Cómo sabes que Kizira te quiere a ti?

—Porque el espíritu del soldado me dio el mensaje específico que ella había dejado por si volvía. Kizira dijo que intercambiaría a esos tres por mí. Iba a esperar a que estuviéramos más cerca para decirte todo esto...

—O hasta que estuviera tan perdida aquí abajo que aceptara cualquier cosa.

—Da lo mismo. Si sacas a esos tres de aquí con vida, simplemente asegúrate de que tengan una oportunidad de defender su causa.

Ella había considerado hasta ahora todas las razones que podía tener Tristan para actuar como actuaba a excepción de cualquier motivo altruista.

—Este es mi plan. ¿Cuánto hace que conoces a esos mutantes?

—Una semana. La bruja que abrió el portal para los kujoos trabajaba por su cuenta, no era de los Medb. Yo había oído rumores sobre otros mutantes capturados y le ofrecí algo de mi sangre a cambio de encontrarlos. Cuando los encontré, los liberé y encontré este lugar para esconderlos. Pensaba volver a buscarlos cuando tuviera en mis manos la piedra Ngak... pero tú jodiste ese plan también.

—No voy a volver a hablar de la piedra Ngak. ¿Por qué te permitió Kizira al principio ir tras esos mutantes?

—Ella no lo sabía. En cuanto tuve la habilidad de teletransportarme pude aparecer y desaparecer cuando lo necesitaba.

Ella seguía sin fiarse de él.

—¿Por qué estás dispuesto a sacrificarte por esos tres mutantes?

Los ojos verdes invernales de Tristan se volvieron duros como una roca de hielo.

—Porque ellos confiaron en que los vigilaría y no los usaría. Yo era el único que podía impedir que murieran o acabaran enjaulados. Y si ellos consiguen su libertad me han prometido vigilar a alguien importante para mí.

Otro nuevo secreto de Tristan. Pero él seguía mirando al interior del túnel, claramente interesado en continuar el camino.

—Bien. Vamos tras ellos, aunque no estoy del todo convencida de tu plan. Puede que lo revisemos en algún momento. —Ella se dio la vuelta para avanzar en la única dirección posible y tuvo un extraño momento de sentirse mal al ver que mancharía de tierra las alfombras. Algunas eran como los antiguos tapices trenzados y otras tenían elaborados y costosos diseños.

—¿Revisar mi plan en qué sentido? —Tristan se colocó junto a ella. El túnel tenía al menos un metro de ancho.

—Puede que necesitemos ser los dos quienes los saquemos de aquí. Pensaré en un plan B para cuando lleguemos allí. ¿Hay alguna posibilidad de que Kizira haya convertido a esos espíritus en fantasmas peligrosos, como aquel que me atacó en el parque Piedmont?

Él se estremeció ante ese recuerdo y murmuró:

—Eso fue inevitable en aquel momento.

—¿En serio? ¿Igual que el hecho de que yo tuviera que enviarte de vuelta a Sudamérica? —Antes de que Tristan pudiera desviar la atención del tema, ella insistió—. Simplemente contesta mi pregunta. ¿A qué vamos a enfrentarnos?

—Yo no he visto ningún fantasma rabioso. No creo que los Medb quieran fastidiar a esos fantasmas, con toda la energía que hay concentrada en este lugar. Me he encontrado con algunos espíritus benignos, pero sé que también hay algunos hostiles aquí abajo.

Ella observó los cortes que él tenía en los tejanos y la camisa, que podían haber sido hechos con garras.

—¿Cuál será tu próximo paso?

—Pedirle al espíritu del soldado que dé a Kizira el mensaje de que estoy listo para ser intercambiado con los rehenes.

Evalle lanzó una mirada cautelosa a la extraña mezcla decorativa que había a lo largo del túnel. Había todo tipo de trastos colocados junto con piezas por las que una empresa de subastas de lujo se habría chupado los dedos. Ella se frotó los brazos porque el frío se le había colado hasta los huesos, y no solo por el cambio de temperatura. Volviendo a pensar en el plan de Tristan, se dio cuenta de algo que él no le había explicado.

—¿Y cómo se supone que voy a sacar de aquí a esos tres mutantes si yo no puedo teletransportarme?

—Te lo diré cuando llegue el momento.

—Eso si vives lo bastante como para decírmelo.

—Entonces más vale que te asegures de que siga con vida.

—Sonrió, disfrutando con eso de tener la última palabra. Por unos cinco segundos.

Un aullido que no era de este mundo perforó el aire. El sonido gutural crecía en volumen rápidamente como si se hallara cada vez más cerca de ellos.

Él gritó.

—Ah, demonios.

—¿Qué es eso?

—Es el espíritu de un tipo con un tridente que cree que todo el mundo quiere robar sus cerdos.

—¿Puede hacernos daño?

—Él no, pero el maldito tridente sí. No uses tu poder cinético aquí.

—¿Por qué?

—Porque si lo haces estas marcas de garras te demostrarán que no funciona. —Tristan giró alrededor maldiciendo a los fantasmas, los túneles y el día que había nacido.

Ella se dio la vuelta y entendió por qué.

El túnel detrás de ellos se había desvanecido, oculto por una pared de ladrillo que se había formado justo allí.

El bramido creció en volumen e hizo eco por todas partes.

Ella giró a su alrededor y comprobó que el pasillo por donde habían venido se había dividido ahora en dos direcciones. Qué…

Era evidente que aquel laberinto cambiaba de forma y direcciones a voluntad de los fantasmas que había allí abajo.

Cada uno de los dos tramos que se abrían ante ella le parecían igualmente negros, interminables y llenos del sonido fantasmal espeluznante del espíritu que corría hacia ellos.

Con un tridente.

Veinticinco

*P*ara que su voz se oyera por encima del bramido del espíritu, Evalle chilló:

—¿Puedo levantar una pared de energía protectora?

Tenían que hacer algo para detener al fantasma enloquecido que aparecería en cualquier momento blandiendo un tridente.

—La energía cinética no lo detendrá —gritó Tristan. El chillido agudo haría sangrar los oídos de un ser humano—. La energía solo rebota y te hace un daño infernal cuando se vuelve contra ti.

La vacilación te lleva a morir. Ella miró fijamente el largo pasillo que a los treinta metros se dividía en dos direcciones, como formando una *y* griega.

—¿Cómo podemos saber desde qué túnel viene hacia nosotros?

—No podemos.

—¿Entonces qué hacemos? —¿Dónde estaban los destructores de fantasmas cuando los necesitabas?

—Corre. —La agarró de la mano y corrió en dirección a uno de los túneles, arrastrándola con él.

Ella sacudió la mano para apartarla pero corrió junto a él.

Los chillidos perforaban el aire con el poder de una sirena de alarma que lucha por abrirse paso en un sitio pequeño.

A un metro de la división del túnel, Tristan giró bruscamente hacia el tramo de la izquierda.

Separarse no sería de ayuda si alguno de los dos acababa apuñalado. Así que ella lo siguió. Tras recorrer varios metros del túnel vacío comenzaron a aparecer lámparas de gas en las paredes. Las llamas danzaban ante su vista, iluminando un pasaje guarnecido con vides florecientes.

El suelo estaba cubierto de espesas zonas de tréboles.

Había un silencio pacífico.

Evalle echó un vistazo por encima del hombro, luego se dirigió a Tristan.

—¿Nos seguirá?

—No creo. Las dos veces que lo vi iba siempre corriendo en una dirección y solo se detuvo una vez.

—¿Qué lo hizo detenerse?

—El hecho de que su tridente se clavara en mi pecho.

¿Estaría de broma Tristan? No. Había tres agujeros en su camisa.

—¿Y qué hizo cuando su tridente se quedó atascado?

—Tiró de él para recuperarlo y después siguió corriendo.

—Y tú te curaste. —Ella se puso una mano en el estómago. Puede que aquello no hubiera ido tan mal excepto por el hecho de ser ensartado—. ¿Te has preguntado de qué murió?

—Su cabeza cuelga hacia un lado como si se hubiera caído y se hubiera roto el cuello mientras perseguía a quien fuera que le robase los cerdos.

—¿Esa es la peor criatura que anda por aquí abajo?

—No.

Por supuesto que no.

—¿Entonces cuál es?

—Saber lo que hay aquí solo serviría para asustarte, todo te parecería una amenaza.

—Solo por una vez me gustaría tener una respuesta directa.

—Y a mí me gustaría tener una vida normal —dijo él—. Tal vez tengas una respuesta directa cuando yo consiga lo que quiero.

En otras palabras, nunca, pero eso no evitaría que ella tratara de sonsacarle tanta información como pudiera.

—Explícame por qué te quiere Kizira.

—No es que me quiera a mí, me quiere por lo que yo soy.

—¿Qué es lo que me he perdido?

—Ya te lo dije. Soy un velador mutante.

—¿En serio? Pero si no has parado de decir que no eres un velador —señaló ella.

Él hizo un chirrido con la garganta.

—Bien. Soy un mutante con sangre de velador. ¿Eso lo hace más fácil? ¿Alguna vez trataste de seguir el rastro de tu padre o indagar en tus archivos de nacimiento?

—No, sé que eso es un callejón sin salida.

Tristan negó con la cabeza.

—Ni siquiera has intentado seguir el rastro de tus raíces para encontrar tu linaje cuando eras libre para hacerlo. Y dices que realmente quieres ayudar a todos los mutantes. Seguro.

Se detuvo en un cruce de los túneles y al cabo de un momento giró hacia otro pasillo interminable con el mismo aspecto.

Ella se puso tensa por la reprobación.

—A diferencia de ti y de la mayor parte del mundo, yo no puedo salir a la luz del sol. Mis votos me comprometen a hacer mi deber, lo cual incluye estar en un equipo de VIPER. He investigado todo lo que he podido a través de Internet, pero no he descubierto nada. No tengo tantas maneras de buscar ni tanto tiempo.

—Lo entiendo...

—¿En serio? No lo creo. —Se detuvo y esperó a que él se diera la vuelta—. Si fuéramos una raza reconocida, el Tribunal tendría que darnos los mismos derechos que a todos los demás. Quiero que te des cuenta de eso.

—Eso no va a pasar, Evalle. Para eso tendríamos que ser aceptados en un panteón. ¿Quién nos llevaría? ¿Macha?

—No lo sé. —Si ella tuviera todas las respuestas no estaría metida en medio de aquel laberinto—. Pero me gustaría tener la oportunidad de vivir una vida en la que no tuviera que estar todo el tiempo tratando de evitar que me encierren. No puedes estar todo el tiempo huyendo, Tristan. Mira lo que ha ocurrido aquí. No has encontrado un lugar mejor donde llevar a tres mutantes que una tumba subterránea. ¿Cómo iban a estar a salvo en otro lugar si ni siquiera han estado a salvo aquí abajo?

—Sigues esperando que ponga mi confianza en gente como Brina, que fue la primera en joderme, y en el Tribunal, a quien le importo una mierda.

—Yo confié en ti dejando que me trajeras a un lugar del que no tengo manera de salir a menos que tú me hagas teletransportar de vuelta. Lo he hecho porque quería encontrar una manera de ayudarnos a todos nosotros. Muestra un poco de confianza compartiendo conmigo lo que sabes.

Él le dirigió una mirada fulminante.

—Te he demostrado mi confianza trayéndote aquí. Estoy dando un salto de fe para creer que harás lo que dices que harás y que no entregarás a esos tres a cambio de tu libertad. Y no estaría haciendo lo que hago si tuviera otra elección. Todo esto es más de lo que mereces después de haberme enviado de vuelta a la selva cuando Brina, si lo recuerdas bien, no negó que mi encarcelamiento hubiera sido injusto. Estoy dispuesto a hacer lo que haga falta para que esos tres consigan un lugar mejor. Mi pregunta es: ¿qué harás tú cuando te enfrentes a la decisión de apostar por su libertad o por la tuya?

Ella ya le había explicado su plan.

Estaba dispuesta a luchar para dar a esos tres la oportunidad de una vida en libertad.

Eso tenía que ser suficiente.

Evalle no había sobrevivido hasta ahora absteniéndose de protestar.

—Yo no tengo todas las respuestas. No sé si un panteón llegará a considerar alguna vez a una banda de mestizos. Pero si a ti te importan tanto esos mutantes como para ser capaz de entregar tu vida a los Medb a cambio de protegerlos, ¿entonces por qué no estás dispuesto a luchar por la oportunidad de que seamos aceptados como una auténtica raza?

Tristan bajó la cabeza, mirando fijamente los tréboles alrededor de las suelas de sus botas.

—Tengo mucho más en juego aparte de esos tres. —Levantó la cabeza y el alma desnuda asomaba a sus ojos—. Cuando pueda descansar con la seguridad de que todo lo que me importa está a salvo, lucharé. Pero no voy a confiar en que nadie proteja mejor que yo lo que es mío hasta entonces.

Se dio la vuelta y continuó caminando. Fin de la conversación.

Ella lo siguió. ¿A quién tendría que proteger? Ahora no era el momento de provocarle de nuevo, pero indagaría en eso más tarde en cuanto tuviera la oportunidad.

Él aminoró el ritmo cuando se acercaron a otro cruce en los túneles y continuó avanzando hacia delante hasta que el camino se curvó hacia la izquierda, luego hacia la derecha y luego hacia la izquierda de nuevo durante tanto rato que Evalle estaba convencida de que caminaban en círculo.

Las luces parpadeaban a lo largo del corredor. Ella estaba a punto de preguntarle a Tristan si sabía qué significaba eso cuando él alzó una mano y le hizo un gesto para que guardara silencio.

Evalle se detuvo a unos metros de él y miró por encima de su hombro a la espera de encontrar paredes de ladrillos, o tipos locos con tridentes o algún nuevo terror. Cuando volvió de nuevo la vista hacia delante, vio que había una figura borrosa frente a Tristan, que tomaba forma poco a poco y finalmente resultó ser un soldado, con una bayoneta, un uniforme de la confederación manchado de tierra y un trapo ensangrentado atado en torno a la cabeza.

A ella le pareció que tendría apenas unos veinte años hasta que reparó en sus ojos tristes, que parecían mucho más viejos.

Evalle se quedó muy quieta para no perturbar al espíritu. Los merodeadores como Grady eran difíciles de incomodar, pero eso era porque Grady estaba acostumbrado a tratar con seres humanos y no humanos.

Ella dudaba que antes de encontrarse con Tristan ese soldado hubiera visto a un ser humano en los últimos cien años. Probablemente nunca se había cruzado con nada parecido a un mutante o a una sacerdotisa Medb.

Tristan preguntó al soldado:

—¿Transmitiste mi mensaje a la bruja?

El joven asintió. Habló con voz soñolienta.

—Ella dijo que si no aparecías en media hora mataría a los rehenes.

—¿Media hora desde cuándo? —preguntó Tristan.

El fantasma miró fijamente al infinito. Luego dijo:

—Desde ahora.

La voz de Tristan se tensó.

—¿Dónde está la bruja?

—Ella ha enviado otro mensaje.

—¿Qué?

—Ahora tiene cuatro rehenes. Dice que va a matar al último.

Evalle había abierto sus sentidos empáticos para ver si podía detectar alguna emoción del soldado fantasma. Solo advirtió cansancio y una sensación de actuar bajo coacción.

Cuando Tristan preguntó quién era el cuarto rehén, el soldado dijo:

—Petrina.

Tristan rugió:

—¡No! —Alzó los puños y los músculos crecieron en sus antebrazos. Los huesos crujieron... se estaba transformando en bestia.

El fantasma desapareció.

Veintiséis

*Q*uinn trató de atrapar algo en el aire por encima de su cabeza. Tenía que matar a lo que fuera que le estuviera clavando un pincho con un mazo en la cabeza. Sus dedos se cerraron en el aire vacío, y sus manos se golpearon una contra la otra. Si al menos pudiera ver, pero tenía los ojos cerrados. Dejó caer los brazos, y los dedos se agarraron a las sábanas. El martilleo comenzó de nuevo, pero esta vez el ruido procedía del exterior de su cabeza doliente. Se concentró en el sonido.

Alguien golpeaba la puerta.

¿Qué puerta? ¿Por qué no sabía dónde estaba? Él podía acceder a cualquier cosa en una mente, especialmente si se trataba de la suya.

Buscando en lo profundo de su interior, localizó el centro de su control y comprobó que había sido devastado. Era un páramo de pensamientos desperdigados y escudos mentales que en otro momento habían delimitado su zona segura.

¿Qué le había ocurrido?

—¡Quinn!

Tenía que abrir los ojos, pero parecían pegados con pegamento. Le temblaron los párpados fatigados, pero se esforzó para que se abrieran.

Oscuridad.

Maldita sea.

—¡Abre la puerta, Quinn! —gritó alguien detrás de una puerta en otra habitación… de su suite de hotel. En ese momento, los recuerdos inundaron sus bolsillos vacíos.

Era Tzader quien le estaba gritando.

Quinn se dio la vuelta y consiguió poner los pies en el suelo, sentado en el borde de su enorme cama. Error de gigantescas proporciones. Se agarró el estómago y se tapó la boca para contener la náusea.

Tzader no podía entrar allí porque...

Quinn había colgado una de sus cuchillas celtas en el vestíbulo, en la puerta de entrada a su suite.

El arma tenía un hechizo para impedir la entrada, incluso a alguien con los poderes de Tzader.

Quinn levantó una mano y la sacudió para apartar a un lado el arma empleando su energía cinética.

El ruido de golpes cesó, y fue reemplazado por el sonido de la puerta al abrirse.

¿Por qué le dolía todavía la cabeza? Podía jurar que había dormido profundamente durante un rato. Eso debería haberlo sanado.

Poniéndose en pie de manera tambaleante, buscó instintivamente el cinturón de su... ¿bata? ¿Qué estaba haciendo con su bata? Estaba completamente vestido con su ropa de calle cuando se tumbó sobre la cama sin intención de quedarse mucho tiempo.

Las luces de la habitación se encendieron y lo cegaron. Puso las manos delante de la cara, pero antes logró ver a Tzader frente a él.

—¿Qué ocurre, Quinn?

—Apaga esas luces.

La habitación quedó de nuevo a oscuras con solo una neblina de luz colándose por la ventana.

—¿Quinn? ¿Estás bien?

Una pregunta que todavía no podía responder.

—Lo estaré. ¿Por qué has venido aquí? —No pretendía que eso sonara malhumorado, pero su cabeza y su estómago amenazaban con trastornar la poca estabilidad que tenía.

Tzader dijo:

—He estado intentando comunicarme contigo telepáticamente desde hace media hora. ¿Me has bloqueado?

—No. —Al menos Quinn creía que no—. ¿Qué hora es?

—Van a ser las diez y media.

—¿De la noche? —Al no obtener respuesta, Quinn siguió—. Por tu silencio supongo que estoy un poco desorientado con el tiempo.

—¿Todavía tienes problemas por la prueba?

—Algo me ha afectado, pero no sé qué es exactamente. En el pasado siempre que tuve una mala reacción ante una prueba mental, un poco de descanso fue lo único que necesité para que cediera el dolor de cabeza y volviera a la normalidad.

Tzader se cruzó de brazos.

—¿Cuánto tiempo has estado inconsciente?

—Recuerdo haberme tendido aquí, completamente vestido, y creo que me quedé dormido después de que se me pasara el dolor de cabeza. Pero tus golpes en la puerta me despertaron y no recuerdo haberme puesto la bata. —Una pregunta acerca de Evalle tironeaba en la memoria de Quinn—. Alguien me preguntó algo sobre Evalle...

—Sabía que probar a O'Meary era un error. —Una triste preocupación asomó a la voz de Tzader—. ¿Hay alguna probabilidad de que Conlan haya accedido a tu mente?

—No lo creo, pero he perdido al menos una hora, y dudo de que haya estado dormido todo ese tiempo. Mi migraña ha sido la peor que he sufrido nunca. Tal vez perdí la consciencia de lo que hacía. Eso les ocurre incluso a los humanos. —Quinn consideró la idea de encender las luces a baja intensidad, pero no pudo reunir la energía para intentarlo.

—Pero a ti no te pasa. —Tzader estaba de brazos cruzados. El estrés que sentía marcaba líneas profundas en el puente de su nariz—. ¿Hay alguna posibilidad de que puedas acceder a tu subconsciente y descubrir qué ha pasado?

—Tal vez, pero no hasta que consiga distanciarme un poco de esta prueba y me libre de este dolor de cabeza infernal. No tiene que ver con la cuestión de soportar el dolor, lo cual haría encantado con tal de obtener ciertas respuestas. Pero me esforcé por eso una vez en el pasado y en consecuencia perdí mi habilidad de cerrar mentes durante semanas. Eso me enseñó a esperar al menos hasta que el dolor cediera, que debería ser pronto.

Tzader levantó la mano y su mirada se focalizó más allá de Quinn, como si estuviera escuchando a alguien que trataba de llegar hasta él telepáticamente.

Quinn aprovechó esa oportunidad para caminar hasta la zona del bar del salón. Agitó una mano ante una lámpara en un rincón para encenderla cinéticamente. ¿Por qué demonios no se encendía? Señaló con un dedo severo la luz y ahora sí se encendió. Cuando llegó hasta el bar sacó una Budweiser fría, la abrió y se bebió la mitad de una vez.

Tzader fue hacia él.

—Nunca te he visto beber cerveza, y mucho menos esa cerveza asquerosa.

—Hay muchas cosas que no sabemos el uno del otro —señaló Quinn. Él, Tzader y Evalle se habían hecho íntimos tras escapar a una trampa de los Medb un par de años atrás, pero todavía se sorprendían a veces—. Cuando no hay nada más que funcione tomo una cerveza, y me sienta de maravilla.

—¿Te cura el dolor de cabeza?

—No, simplemente me sabe muy bien.

Tzader se rio.

—Espera a que Evalle descubra tus gustos baratos.

¿De dónde venía ese maldito pensamiento sobre Evalle? ¿Quién había preguntado por ella? Quinn esforzó su mente averiada para concentrarse en ella.

Había algo relacionado con Evalle... una pregunta que alguien le había hecho... ¿pero qué era?

Tenía la desagradable sensación de que se le estaba escapando algo muy importante, como la identidad de quién había hecho la pregunta.

Quinn intervino.

—Hablando de Evalle... ¿sabemos algo?

Tzader dejó escapar un suspiro cansado lleno de exasperación y frustración.

—Trey continúa intentándolo. Tiene a Lucien, Casper y Devon buscando a Storm y Evalle. Nada todavía.

—¿Y qué hay sobre la niebla?

—Lo único que hemos determinado es que la niebla parecía estar originalmente en los estados de la costa, lo cual es la razón de que nos llevara tanto tiempo señalar la niebla como catalizador de las transformaciones de los mutantes.

Quinn se quejó.

—No tenemos gente suficiente para luchar contra algo que se extiende tan rápido.

—Dímelo a mí. Podríamos usar a Storm para seguir el rastro a las bestias y a Evalle para combatir contra los mutantes transformados —dijo Tzader—. Pero Sen no escuchará ningún argumento. Dijo que estaba fuera de su mano, y que si la niebla la hacía transformarse como a los otros, tendría que morir igual que los otros. Con suerte, no se meterá en la niebla.

Quinn se dispuso a responder cuando una visión apareció en su mente. Era una imagen fracturada, como si la transmisión se hubiera interrumpido.

—¿Qué ocurre, Quinn?

—Nada. —Agitó una mano, ocultando la rueda de nerviosismo que comenzaba a girar en su estómago—. ¿Trey ha averiguado algo? —preguntó.

—No exactamente. Trey ha estado en contacto con nuestros veladores que trabajan en el sistema de vigilancia a través de monitores de las carreteras y del sistema de metro subterráneo. Ha estado enviando equipos a lugares candentes. Uno de los veladores de seguridad vio a dos personas que encajaban con la descripción de Storm y de Evalle en una de las estaciones de metro. Trey está de camino para ir a confirmar si son ellos y ha enviado un pequeño equipo para registrar las otras estaciones de la zona.

—¿Has hablado de esto con Sen?

—¿Tú qué crees?

Quinn sonrió flexionando los doloridos músculos de su mandíbula, que habían quedado resentidos después de pasar tantas horas apretando los dientes por el dolor. El dolor de cabeza se le había aliviado bastante, pero no lograba discernir qué era lo que tanto le inquietaba acerca de Evalle.

—Solo se me ocurre suponer que Evalle no estaría en Atlanta si tratara de evadir al Tribunal, así que debe de estar cumpliendo con sus órdenes. ¿Alguna idea de qué puede tratarse?

—Todavía no.

—¿Y Brina? ¿Cuál es su postura en todo esto?

—Estoy esperando a tener información sólida para presentarme ante Brina. Lo único que puedo decirle ahora es que Conlan está encerrado, pero no tenemos pruebas de que sea un traidor. No podemos acusarlo de algo que todavía no ha hecho.

—Estoy de acuerdo. ¿Algún resultado tratando de llegar a Evalle telepáticamente?

—Ninguno. Ni un solo sonido de ella. Trey tampoco puede alcanzarla.

—Dado que el Tribunal no permite que Evalle contacte con nosotros, ella probablemente ha bloqueado la comunicación telepática que tratamos de iniciar —dijo Quinn.

Tzader asintió, mientras cogía una cerveza de la nevera de Quinn.

—Eso es lo que yo imaginaba.

—Ni siquiera nuestra gente podrá encontrarla si ella no quiere ser encontrada, especialmente si está con Storm.

—Cierto. Storm es otro asunto del que me ocuparé cuando la encontremos.

—Probablemente él la esté ayudando.

Tzader no parecía convencido.

—Tal vez, pero Sen fue quien lo trajo, lo cual hace que Storm no sea de total confianza para mí. Tiene un contrato de alquiler corto de su apartamento. No parece que planee quedarse mucho tiempo. Entonces... ¿cuáles son sus planes?

Quinn estaba de acuerdo con Tzader en ese punto.

—¿Alguna noticia de Tristan?

Una voz femenina susurró en la mente de Quinn. «¿Dónde está Evalle?» Otro recuerdo de él respondiendo preguntas en la oscuridad luchó por emerger a la superficie. Sentía una opresión en los pulmones, de modo que respirar le resultaba doloroso. ¿Había estado hablando con alguien acerca de Evalle?

—Tenemos que encontrar a Evalle.

—Por eso llamé a Isak —dijo Tzader, sin advertir la urgencia en la constatación de Quinn.

—¿De verdad crees que Isak te diría dónde está?

—No, pero puede conducirnos hasta ella. De camino hacia aquí he tenido noticia de que han sido vistos algunos de sus hombres.

Quinn no compartía la seguridad que Tzader tenía en Isak. Ese tipo pertenecía antiguamente a las fuerzas especiales. Había creado una brigada única de antiguos militares especializados que él llamaba los Nyght Raiders, los Asaltantes Nocturnos. Unos años atrás, él y sus hombres habían optado por dejar las fuerzas armadas, habían desaparecido durante un tiempo y luego habían resurgido en los Estados Unidos para luchar contra criaturas no humanas.

Isak podía ser más una amenaza que una ayuda para Evalle si llegaba a descubrir que ella no era humana.

—¿No te parece que es extraño que Isak no se haya dado cuenta de que Evalle no es humana? —señaló Quinn.

—Sí, y es algo que me preocupa, porque tarde o temprano acabará por darse cuenta. —Tzader dejó su botella de cerveza vacía y se rascó la cabeza—. Estoy empezando a pensar que tendríamos que llevar a Evalle a algún lugar lejos de aquí cuando se aclare todo este lío con el Tribunal. Isak está obsesionado con matar mutantes desde que perdió a su mejor amigo en manos de uno. Aniquila a todos los que aparecen ante su vista. Si no sabe que ella es un mutante es porque ha conseguido ocultar sus brillantes ojos verdes tras sus gafas de sol.

Un rostro emergió en la mente de Quinn.

¿Kizira? No la había visto en años salvo por momentos muy breves y siempre llenos de conflicto. La había entrevisto apenas un momento la semana anterior cuando los veladores se habían enfrentado con los kujoos... y la había visto aquel mismo día en la mente de O' Meary.

Pero esa había sido una visión del futuro, no una interacción real. Puede que no llegara a ocurrir.

Quinn tragó saliva, esperando que su mente retorcida le estuviera jugando una mala pasada con pensamientos azarosos.

—¿Qué quieres que haga?

Tzader lo sopesó con la mirada.

—Necesito que te cures del todo antes de enfrentarte a una amenaza. Es demasiado peligroso que salgas a las calles hasta que no hayas recuperado el uso pleno de tu energía cinética.

—Levantó la mano cuando Quinn se dispuso a protestar—. Vi el parpadeo de la luz cuando intentaste encenderla. No estás ni siquiera cerca del ciento por ciento de tus capacidades, lo cual te hace vulnerable a un ataque.

La voz de Quinn bajó a un tono malvado.

—Si alguien pretende atacarme en mi estado de humor actual haré que lo pague muy caro.

—Pero si tuvieras que vincularte a otro velador... ¿lo pondrías en riesgo?

La verdad interrumpió la bravuconería de Quinn, obligándolo a pensar más allá de su propia necesidad de golpear a alguien. ¿De dónde vendría esa agresión tan descarada? No podía venir de Conlan, porque a pesar de lo que había visto, Quinn todavía confiaba en el chico. Todo lo que había encontrado en la mente de Conlan provenía de un joven honorable y un velador leal.

Nadie debería ser condenado por un crimen que todavía no había cometido, y mucho menos basándose solamente en una visión. Quinn dijo:

—Acepto. Te llamaré en cuanto me sienta en plena forma. En cuanto localices a Evalle házmelo saber.

—Lo haré. —Quinn le dirigió otra mirada interrogante, pero él asintió y se marchó.

Quinn de repente se sintió sucio, como si necesitara una ducha.

De camino al baño, una voz femenina susurró en lo profundo de su subconsciente. «Evalle es especial... poderosa... está destinada a cosas más grandes.»

Sintió una inyección de hielo en el corazón.

Su mente le estaba jugando una mala pasada, porque aquella era la voz de Kizira.

Despreciando la voz, entró en el cuarto de baño y encendió la ducha lo bastante caliente como para que la piel le quedara roja. Al quitarse la bata advirtió que tenía un arañazo en el hombro. Ahora que su mente volvía a la normalidad notó que tenía la piel de la espalda en carne viva.

¿Por qué era eso? Giró el cuello por encima del hombro para mirarse la espalda en el espejo.

Dos hileras de arañazos recorrían sus hombros, como sí…
Imposible. Ni siquiera Tzader había conseguido atravesar la barrera protectora de Quinn. Y Quinn no había estado con una mujer en las últimas dos semanas.

Pero los arañazos despertaron otra imagen en su mente con brutal claridad.

Un intenso dolor y placer se retorcían en una danza sexual de erótica tortura.

El cuerpo de una mujer se extendía debajo de él, suplicándole mientras él la penetraba sin apenas conciencia. El cuerpo de ella brillaba suavemente en la oscuridad de la habitación. Sus hombros lechosos se tensaron justo antes de que alcanzara el orgasmo. Su rostro… «¡No!»

Kizira no podía haber estado allí.

Él lo habría sabido si hubiera ocurrido.

Se apretó la cabeza con las manos frías y sudadas. Cuando abrió los ojos su mirada reparó en una delgada pulsera de color pálido que había en el tocador.

Era el brazalete trenzado con su propio cabello que había regalado a Kizira y ahora estaba allí, sobre la superficie de granito.

¿Qué había hecho?

¿Qué había dejado que Kizira hiciera con él?

¿Qué le había contado sobre Evalle?

Quinn dio un puñetazo contra la pared. La rabia y la traición rugían en su interior.

Nadie estaba a salvo si Kizira podía acceder a su mente.

Eso significaba que uno de ellos tenía que morir.

Veintisiete

*L*as luces desaparecieron en el túnel, lo cual solo contribuyó a mejorar la habilidad de Evalle para ver a Tristan transformándose en bestia.

Ese hombre necesitaba un asesoramiento serio sobre el control de la ira.

Tenía que ayudarlo a calmarse.

—¿Quién es Petrina?

—¡Mi hermana! —Tristan alzó los puños, agitándolos en el vacío del túnel, donde el espíritu del soldado acababa de desvanecerse. Gritó:

—¡Eres una bruja muerta, Kizira!

Evalle se quedó de pie muy quieta, alerta a cualquier ataque o cambio repentino. No quería terminar siendo también una bruja muerta.

Se dio la vuelta al oír un ruido.

Eran ladrillos que se apilaban unos encima de otros, formando una pared. Saltó hacia un lado, mirando más allá de Tristan, donde unas vigas que podían haber sido raíles se apilaban también formando otra barrera.

Los residentes del Laberinto de la Muerte estaban levantando barricadas contra Tristan, que en cuestión de minutos se habría convertido en una bestia completa.

¿Estar en aquel laberinto haría que perdiera el control sobre su bestia?

—Cálmate, Tristan —le advirtió Evalle.

Su cuello se tensó, con todas las venas marcadas. Movió la cabeza atrás y adelante, hasta que vio las paredes formándose y rugió un violento insulto. Luego golpeó su cuerpo contra el montón de vías unidas. La pared no se movió ni tan siquiera unos centímetros.

Comenzó a golpear entonces la barrera de madera, con su cuerpo todavía en transformación.

—¡Para! —le gritó ella—. Solo conseguirás empeorar las cosas.

Las mangas de su camisa se rompieron cuando sus brazos se alargaron y la espalda de su camisa se desgarró cuando salió una protuberancia de su cuello. Se haría el doble de grande y de letal en cuestión de segundos si no detenía su transformación.

—¡Tristan!

Él volvió hacia ella un rostro distorsionado por la rabia que habría asustado hasta a un demonio.

Los huesos de su mandíbula crujieron y los músculos se extendieron para albergar una doble fila de colmillos. Le rugió. La saliva chorreaba de sus labios.

No era la bestia controlada que Evalle había conocido en la selva.

Ella no sobreviviría si luchaba contra Tristan con su cuerpo humano, y dudaba de que cambiar a su modo de batalla como velador tuviera alguna diferencia. No con esa fuerza extra que él obtenía por haber tomado la poción de los kujoos.

Tristan echó la cabeza hacia atrás y dejó escapar un chillido aterrador. Sus dedos se extendieron en afiladas garras.

¿Cómo podía llegar a él? ¿Qué podría detenerlo estando tan fuera de control? ¿No se daba cuenta de que estaba derrochando un tiempo precioso que podría emplear en salvar a los tres mutantes?

¿Y a su hermana?

Su hermana.

Extendió un dedo hacia el rostro de Tristan con la esperanza de que no le fuera arrancado por esos colmillos.

—¡No te ayudaré a salvar a tu hermana a menos que detengas esta transformación ahora mismo!

Eso debió de surtir algún efecto, porque detuvo todo movimiento, aunque respirando con mucha dificultad.

Evalle insistió.

—Mira a tu alrededor las paredes que nos encierran. Necesito que seas capaz de pensar.

El pecho de Tristan se expandía y se contraía silenciosamente. La miraba fijamente con sus ojos verdes ardientes de furia, como si fuera ella quien hubiera entregado a su hermana a los Medb.

Tal vez bajo aquella forma no era consciente de nada.

Tal vez no tenía tanto control sobre su bestia como le había hecho creer.

—Vamos, Tristan, logra controlarte a menos que quieras dejar a tu hermana a merced de Kizira.

Tras varios segundos de tensión, dio un puñetazo contra la pila de vigas y luego dejó caer los brazos a un lado. Finalmente echó atrás la transformación y recuperó su cuerpo normal.

Ella soltó el aire que estaba conteniendo. Por primera vez desde que había entrado en aquel lugar, disfrutó de un momento de alivio. Era extraño que enfrentarse a algo que sabía que podía matarla hubiera distraído su mente de la amenaza que representaba el simple hecho de estar allí.

El hecho de que regresara a su cuerpo normal no acabó por completo con la ira de Tristan. Pisó fuerte atrás y adelante frente a ella, gruñendo cuando no estaba arrojando amenazas.

—¡Esa bruja! La mataré si hace algún daño a mi hermana. ¡Que le corten la cabeza!

Evalle le dejó un minuto para desahogarse, con la esperanza de que eso lo calmara un poco. Y luego dijo:

—No podemos hacer nada sin tu guía. Asustaste al soldado fantasma que sabía cómo sacarnos de aquí.

Tristan dejó de andar de un lado a otro y asimiló sus palabras.

—¡Joder!

—Tus gritos lo hicieron salir huyendo, y además están acabando con la poca paciencia que me queda a mí, así que para. Por no mencionar que arrojar todo el tiempo insultos no va a ayudarte, porque un soldado de la guerra civil pertenece a una época en que no se hablaba de esa forma delante de las mujeres.

Eso hizo asomar una sonrisa irónica a los labios de Tristan. Alzó las cejas con desdén.

—Dudo de que le preocupe ofender la sensibilidad de una dama que lleva tejanos apretados, botas y una camisa lo bastante corta como para dejar ver el ombligo. No es que me queje de que se te hayan caído dos botones de la camisa, pero lo que digo es que estás lejos de la imagen de una dama.

¿Acababa de humillarla?

—Bien. Vete a gritar como un desaforado y a insultar a todos los fantasmas con los que te topes si eso te hace sentir mejor que salvar a tu hermana de los Medb.

Eso borró la expresión arrogante de su rostro, y también lo hizo palidecer.

Evalle no había pretendido darle una patada verbal en los huevos, pero su tiempo se estaba agotando, y a estas alturas el de Tristan también.

Y ya estaba cansada de tanta cabezonería.

—Tienes razón —reconoció él, pasándose una mano por el cabello rubio para poner algunos mechones en su lugar—. Tenemos que encontrar la cueva del soldado, y rápido. Espero que al menos tenga cierta noción del tiempo para que sepamos cuándo piensa Kizira matar a los mutantes.

—Estoy de acuerdo, pero tenemos un pequeño problema. ¿Qué me dices de esas paredes?

—Demonios. ¿Estás dispuesta a sufrir tratando de derribar esas vías férreas con tu energía cinética?

En realidad no, y además no confiaba en que eso mejorase la situación.

—Podría manejarme con el dolor y más tarde me curaría, pero llegados a este punto puede que emplear cualquier poder enfade a los fantasmas todavía más. ¿Tú puedes hacer que nos teletransportemos a otras zonas más abajo?

—Solo me he teletransportado dentro y fuera del laberinto en el par de lugares donde el metro se cruza con estos túneles, así que incluso ignoro si podríamos teletransportarnos fuera del laberinto desde aquí. Si intento que nos teletransportemos desde aquí y el laberinto ha movido algo sólido a un área que yo recuerdo como espacio abierto, moriremos. Sería como golpearnos contra una pared a máxima velocidad.

Ella no veía otra salida.

—Estamos jodidos.

—Yo iré primero. Si funciona, volveré enseguida a buscarte, pero me llevará unos minutos poder volver a teletransportarme.

—Espera un momento. ¿Me vas a dejar aquí? ¿Y qué pasará si topas con algo sólido y acabas aplastado? Me quedaré atrapada aquí para siempre.

Él se llevó las manos a la cintura y se inclinó hacia ella.

—¿Cuál es tu idea entonces?

—No lo sé. Déjame pensar. —Se quitó las gafas y se frotó los ojos cansados, luego volvió a ponérselas. ¿Qué acababa de decir?—. ¿Necesitas unos minutos para teletransportarte por segunda vez aunque sea en una distancia tan corta? ¿Es por eso que no te transformaste para luchar contra los demonios que nos atacaron en la selva, ¿verdad? Estabas reservando tu energía para teletransportarte de un continente a otro cuando llegáramos al siguiente pueblo.

Él se cruzó de brazos y adoptó su silencio habitual.

Era una señal de confirmación hasta donde ella sabía, pero…

—¿Ese fue otro de los efectos secundarios del cóctel de los kujoos?

Siguió sin responder. Bien. Ella dio una mirada a su alrededor y dijo:

—Los fantasmas nos han hecho esto. ¿Por qué no les pides educadamente que nos dejen continuar? Una disculpa por perturbar su hogar.

Un pequeño músculo se movió en su mandíbula mientras él pensaba. Finalmente murmuró algo, luego miró fijamente las vías y dijo:

—Lamento mucho haberos perturbado. Si nos dejáis pasar, respetaremos vuestro hogar.

No ocurrió nada.

La miró con rabia.

—¿Contenta?

—¿Parezco contenta? —Ella trataba con merodeadores todo el tiempo, con Grady en particular. A veces ellos solo quieren mostrarte lo que son capaces de hacer e indicarte quien controla las cosas en su mundo—. Tenéis un hogar muy interesante. No hay nada construido allí arriba que se parezca a esto.

Tristan suspiró como sugiriendo que era una imbécil.

Una lámpara de gas cobró forma en una de las paredes, y una alfombra apareció bajo sus pies.

La expresión del rostro de Tristan era ahora de lo más graciosa.

Ella se aclaró la voz y dijo:

—He estado admirando todo el laberinto. ¿Tenéis algo más para mostrarnos?

No ocurrió nada.

Ella se cruzó de brazos y esperó pacientemente hasta que las vías de tren comenzaron a desintegrarse. Cuando ya solo quedaban dos, avanzó un paso y le dijo a Tristan:

—Ahora sí estoy contenta.

Él la alcanzó y la adelantó, moviéndose deprisa.

—Por aquí.

Evalle avanzó a su lado, pero cinco minutos después dudaba que él supiera a dónde iba. Cada vez que tocaba escoger entre dos direcciones en el laberinto, él seguía por una de ellas sin vacilar, hasta que iba a parar a un camino sin salida. Entonces daba la vuelta y seguía por otro distinto.

Cada vez que se equivocaba emanaban de él ondas de estrés cada vez más fuertes.

Los fantasmas les podían permitir seguir avanzando, pero solo uno de ellos podía indicarles cómo encontrar a la hermana de Tristan y a los mutantes.

Evalle intervino.

—Tristan, espera. Tengo una idea.

Que él se detuviera de inmediato confirmaba que no tenía ni una pista de dónde estaba yendo. Dio unos pasos hacia ella, caminando con dificultad.

—Explícate rápido.

¿Quién iba a pensar que se atrevería a darle órdenes después de que hubieran salido de la jaula de los fantasmas gracias a ella? Pero no podía permitirse perder el tiempo en aleccionarlo. Storm le había dado noventa minutos y ya estaban en los últimos treinta.

Se esforzó por mantener la paciencia.

—¿Qué es lo que hizo que el soldado te hablara la primera vez?

Tristan soltó un bufido que indicaba claramente que no tenía tiempo para responder esas preguntas, pero a la vez afiló la mirada y se puso a pensar.

—Simplemente sentí que esa zona era benigna y por eso dejé allí a los mutantes... no me había encontrado con ningún espíritu. A mi vuelta, cuando no encontré ni rastro de los tres mutantes, regresé a la cueva y di vueltas alrededor hablando conmigo mismo.

—¿En serio? —preguntó ella, ocultando una sonrisa de suficiencia.

Él se encogió de hombros avergonzado.

—A veces pienso mejor en voz alta. Fue entonces cuando me encontré con los espíritus que habitaban ese espacio. Apareció primero un anciano jugando a las damas, y un poco más tarde apareció el soldado.

—¿Qué ocurrió entonces?

—El soldado me preguntó por qué estaba afligido. Yo le expliqué que había perdido a tres personas aquí abajo. Fue entonces cuando él me habló de Kizira y de sus guardianes, que retenían a los mutantes. —Tristan dejó caer los hombros derrotado—. Sabía que estaba en el camino correcto para llegar a esa cueva hasta que fastidié al soldado y desapareció.

Ella había advertido algo más sobre el laberinto mientras lo recorrían.

—Los túneles han cambiado detrás de nosotros y a nuestro alrededor. Creo que los espíritus nos están mostrando que este es su territorio. Apartaron la pared para que pudiéramos seguir avanzando de nuevo siempre y cuando no seamos una amenaza. Creo que ahora están cambiando el laberinto constantemente para evitar que podamos avanzar o retroceder.

—Probablemente tengas razón, ¿pero de qué nos sirve saber eso?

—Hablemos de nuevo con ellos.

—No tengo tiempo para quedarme aquí hablando con fantasmas.

—Yo tampoco, pero tampoco podemos perder ni un solo minuto más corriendo a través de este laberinto interminable ni arriesgarnos a que nos apuñalen antes de encontrar a tu soldado otra vez.

—¿Qué tienes en mente?

—Mi habilidad para la empatía está captando toda la ira y frustración que viene de ti. Y también tu urgencia de mutilar y matar a alguien.

—¿Todo eso captas sin una bola de cristal? ¿Quieres decirme cuánto peso, también?

—No quiero hacerte daño, pero tendría derecho a hacerlo por haberme metido en todo esto.

—Fuiste tú la que te metiste en todo esto por hacerles la pelota a los veladores. —Puso el pulgar en la pretina de la cinturilla de sus pantalones y cargó su peso sobre una pierna.

—Eres un gilipollas. ¿Sabes qué? —Evalle esperaba una bofetada por el insulto, pero no llegó—. Lamentablemente, todo confirma que ningún velador puede llegar aquí. Estoy intentando ayudarte a salvar a tu hermana, y no lo estás facilitando.

Eso lo hizo callar. Inspiró profundamente y se pasó la mano por el pelo, rascándose la cabeza.

—Tienes razón.

—¿Por qué te peleas conmigo a cada paso?

—Porque no quiero que estés aquí.

—¡Mala suerte!

Él sacudió la cabeza con asombro.

—Si tú no hubieras hecho un trato con los veladores yo no estaría en esta situación. Pero tienes ese maldito sentido del honor que no favorece al desarrollo de tus habilidades para sobrevivir. O de lo contrario no me habrías buscado en cuanto regresaste a Atlanta.

¿Eso significaba que él se sentía culpable? ¿Lo habían jodido tantas veces en la vida que luchaba contra todo como un perro herido?

—Sigo creyendo en lo que dije acerca de darnos a todos una oportunidad. ¿Estás preparado para eso o no?

Él apretó su mandíbula y asintió.

—Tú me enseñaste a curarme a mí misma gracias a lo que aprendiste en la selva. Yo paso mi tiempo en la ciudad tratando con los merodeadores. Por más que estén muertos, sus espíritus todavía tienen emociones y sentimientos. Los fantasmas de aquí abajo me respondieron hace unos minutos, pero ahora no te están respondiendo a ti y creo que es porque estás generando energía agresiva.

—Jugaré a tu jueguecito. ¿Qué sugieres que hagamos?

—Cálmate completamente. Cierra los ojos y piensa en lo mucho que significa tu hermana para ti y en lo mucho que quieres salvar a esos rehenes.

Ser consciente de eso aligeró un poco la turbación del rostro de Tristan y ella se atrevió a seguir aconsejándolo.

—Cuando dejes de sonar como si quisieras destrozar gargantas, me explicas de nuevo calmadamente lo de tu deseo de encontrar a los rehenes. Yo me mantendré atenta para ver si ocurre algo.

Él no parecía completamente convencido del plan, pero cerró los ojos. Segundos más tarde, bajó los brazos a los lados en un estado de semirrelajación.

Evalle abrió del todo sus sentidos. La agresividad de Tristan disminuyó a regañadientes, y en su lugar comenzó a emitir vibraciones de angustia y preocupación. Habló suavemente, preguntando en voz alta dónde podía encontrar a su hermana y a los mutantes.

Deambuló durante al menos un minuto hasta que una forma brilló cerca de ellos.

Primero apareció un barril, luego un taburete donde estaba encogido un anciano que llevaba un mono de trabajo y gafas. Se encorvaba hacia delante como si estuviera examinando algo. Tan pronto como apareció un tablero con fichas de damas rojas y negras sobre el barril, el anciano movió una ficha roja a una casilla vacía.

SHERRILYN KENYON-DIANNA LOVE

Alzó los ojos expectantes hacia Evalle. Ella se esforzó por mostrar una expresión tranquila, tratando de no reaccionar al ver el tajo en su garganta.

Tristan se quedó muy quieto.

—Mueves tú —graznó el anciano con voz atontada.

¿Yo? Ella alzó la vista hacia Tristan, cuya expresión divertida parecía decir: La idea fue tuya.

¿Aquel anciano querría un verdadero desafío o solo pretendía ganar?

Antes de arriesgarse a hacer un mal movimiento, literalmente hablando, ella le preguntó:

—¿Conoces a un soldado?

—Sí.

—¿Podrías pedirle que venga?

—Depende.

—¿Depende de qué?

—De que juegues una buena partida.

Puesto que él no la estaba amenazando con un objeto punzante, avanzó un paso y levantó una ficha negra. La ficha era ligera y suave, no como las fichas de plástico de los tableros de un restaurante con juegos donde había comido una vez.

La mirada arrugada de él observaba el tablero expectante, esperando que ella pusiera la ficha en su lugar.

¿Qué movimiento traería al soldado de vuelta?

¿Qué movimiento haría que el jugador de damas desapareciera?

Veintiocho

*E*valle dio vueltas a la pieza negra en su mano, debatiendo sobre el lugar adecuado del tablero donde ponerla.

Tristan había enmudecido en el instante en que apareció el espíritu del viejo, pero ella sentía hasta qué punto deseaba que hiciese la jugada correcta.

La seguridad de su hermana dependía de ello.

Esa hermana que él evidentemente habría preferido mantener en secreto.

Lentamente colocó la pieza negra sobre un cuadrado que permitía a su contrincante fantasmal un salto fácil con su pieza roja.

Miró de soslayo para ver lo que Tristan opinaba sobre la jugada. El sudor brillaba sobre su frente a pesar del frío que los rodeaba.

No transmitía ninguna confianza.

La mano del viejo entró en acción como un rayo.

Saltó sobre dos de sus piezas negras y se rio mientras levantaba del tablero sus ganancias.

—No es fácil ganarme.

Tenía que ser una señal positiva, ¿no? Volvió a preguntárselo al fantasma:

—¿Le pedirás a tu amigo soldado que venga?

—No sabe jugar. No sirve para las damas.

La ansiedad de Tristan creció aún más.

Ella le dirigió una mirada de advertencia que consiguió calmarlo. Evalle sonrió con calidez al fantasma.

—Si llamas al soldado para que podamos conversar con él, moveré otra pieza.

Los ojos del viejo se abrieron como platos con tal entusiasmo que ella lamentó no tener tiempo para jugar una partida completa con él. Si Grady estuviera allí, él se tomaría el tiempo necesario para entretener a ese hombre, pero a Grady no le habría gustado estar allí.

Durante los siguientes segundos, algo debió de suceder entre los fantasmas, porque la borrosa imagen del soldado se hizo visible al otro lado del jugador de damas.

Inclinando levemente la cabeza en dirección del espíritu, ella empleó sus ojos para contarle a Tristan que tenía una conexión con el soldado y que más le valía arreglar ese lío.

Tristan le dijo al fantasma de la Guerra Civil:

—Pido disculpas por haber gritado antes. Necesito hablar con usted.

Evalle felicitó en silencio a Tristan por esa nueva disculpa, pero percibió que el soldado no respondía. A lo mejor tenía que asumir una forma completamente corpórea para poder comunicarse.

¿Qué esperaba?

Dijo el viejo:

—Ya está aquí. Te toca.

Así que había que aplacar primero al viejo... Movió otra de las piezas negras. Su rival de doscientos años de edad conquistó tres de sus damas en esa ocasión. Soltó una carcajada y se dio una palmada en la pierna.

Eso debe de haber sido clave, porque la forma del joven soldado se solidificó en el acto. Miró fijamente a Tristan:

—¿Por qué se siente usted tan triste?

Tristan contestó con un tono neutro.

—Otra vez estoy buscando a mis tres amigos, pero también a mi hermana. ¿Sabe usted dónde se encuentran?

—Me lo ha dicho ella.

—¿Nos llevará usted hasta ellos?

—Ningún problema... siempre que prometa que la obligará a ella a largarse.

El soldado debía de estar refiriéndose a Kizira. Evalle dirigió una rápida mirada a Tristan, que dijo al fantasma:

—Si logro ayudar a mis amigos y a mi hermana para que

escapen de la bruja, esta no tendrá ningún motivo para quedarse. Y nosotros también nos marcharemos.

—Macanudo —dijo el soldado—. Eso suena bien.

El jugador de damas le preguntó a Evalle:

—¿Jugamos otra?

Evalle lamentó tener que decepcionarlo, aunque lo más probable era que llevara haciendo esa misma pregunta repetidamente durante ciento cincuenta años sin resultados positivos.

—Lo siento, pero tengo que irme.

—No pasa nada.

Empezó a colocar las piezas en el tablero como si hubiese dicho que sí.

El soldado empezó a retroceder flotando en un túnel oscuro.

—Evalle —llamó Tristan en voz baja.

—Ya lo sé. Vámonos.

Ella se mantuvo cerca de Tristan, que seguía el perfil trémulo de la forma del soldado, ahora semitransparente y radiante. Esa linterna móvil se encaminó por un pasillo estrecho que comenzó a descender, giró a la derecha, luego a la izquierda, y siguió descendiendo.

No había muebles. Ni plantas. Ni descerebrados con tridentes.

Por ahora.

Tristan tropezó un par de veces, lo cual demostraba que no compartía la excepcional visión nocturna de Evalle.

Ella se le adelantó, murmurando:

—Sígueme. Yo veo los cambios en el terreno. Te diré si hay algo que saltar o que esquivar.

Al alcanzar una zona aparentemente llana, el soldado dejó de avanzar y se giró para mirar de frente a Tristan como si Evalle no existiera.

—La bruja está envenenando nuestro mundo... Yo no pienso ir más lejos. Ella no puede venir por aquí con usted. Ella sabe que la detendremos.

Eso iba dirigido a Evalle.

El soldado añadió:

—Siga las lámparas. La encontrará.

Evalle le preguntó:

—¿Podremos volver al punto de dónde partimos hoy?

Sus ojos soñolientos por fin se fijaron en ella:

—No veo por qué no.

¿Qué tipo de respuesta era esa?

—¿Aún tenemos tiempo antes de que mate a un rehén?

El soldado primero la atravesó con la mirada, pero luego sus ojos se enfocaron más tranquilos en ella.

—Tal vez un cuarto de hora. Están a un tiro de piedra.

El soldado empezó a difuminarse hasta convertirse en una bola de luz del tamaño de su mano y luego se esfumó por completo.

Tristan nunca estaría más dispuesto a hablar que ahora, y no podía arriesgarse a avanzar sin ella.

Evalle puso una mano sobre su pecho cuando él se dispuso a marcharse.

—Tenemos quince minutos. Yo quiero dos de ellos.

Tristan se puso a discutir:

—Quizá se equivoque sobre cuándo empezará a matarlos.

—Tendrás que hablar rápido, entonces. ¿Por qué Kizira trajo aquí a tu hermana?

Tardó demasiado en contestar.

—No lo sé, a lo mejor algún tipo de seguro para que yo no intentara tenderle una trampa. Estamos perdiendo segundos valiosos.

—Antes de que salgas corriendo otra vez, necesitamos un plan. No se puede entrar bailando un vals en un nido de hechiceros como los Medb y Kizira.

—Yo voy a intercambiarme por los rehenes. Y tú los vas a sacar de aquí sin que les pase nada. Ese es el plan.

—Si ese es todo el plan que tú tienes, entonces es hora de decirme cómo atravieso un metro de hormigón para volver a los túneles del metro, listillo.

Hizo un movimiento burlón con la cabeza.

—Pensé que ya lo tendrías resuelto. Les diré a los mutantes que te acompañen si me juras dos cosas. En primer lugar, que llevarás a mi hermana a un lugar seguro, sácala de Atlanta y no digas a nadie que tiene alguna relación conmigo. Segundo, asegúrate de que Tzader llegue a un acuerdo para que puedas acompañar a los mutantes al Tribunal antes de que él cuente a Sen dónde estás.

No iba a aceptar nada ahora que sabía que Tristan tenía una hermana allí dentro que había que rescatar.

—Sigo escuchando.

—En cuanto al hormigón, cuando estés lo suficientemente lejos de Kizira, llama telepáticamente a Tzader o a Quinn y primero asegúrate de que están dispuestos a proteger a estos mutantes, luego diles que llamen a Sen. Él podrá teletransportarse al lugar donde entramos. Dile a todo el mundo que mi hermana es una transeúnte inocente y que se vio involucrada en esto por error.

—¿Ese es tu plan para que yo escape de aquí?

Dio un paso atrás.

—Sí. ¿Por qué? ¿Qué tiene de malo?

—Yo no puedo usar la telepatía aquí dentro. He estado luchando por mantener mis escudos mentales intactos para bloquear cualquier telepatía de los veladores desde mi regreso a Atlanta. En el mismo instante en que me metiste en el laberinto, los ataques sobre mi escudo se detuvieron. Los he bajado para ver si se oye alguna voz. No he oído ni pío.

—Quizá el Tribunal no esté permitiendo que te contacten.

—Nada impediría que Tzader o Quinn intentaran encontrarme, y Trey ha estado intentando alcanzarme sin parar. Es tan poderoso que su telepatía golpea contra mis escudos. Trey es como una supernova de los telépatas. Si él no logra llegar, nadie podrá hacerlo.

Tristan había vuelto a asumir esa expresión enfermiza de alguien que ha recibido una patada en los huevos, pero esta vez la culpa era suya. Tenían que haber conversado sobre ese asunto antes.

Evalle inclinó la cabeza con los brazos cruzados.

—Aquí tienes mi plan. Lo que yo digo es que rescatemos a los rehenes y salgamos de aquí usando tu teletransportación en cuanto lleguemos de vuelta al muro de acceso. Siempre que seas capaz de encontrarlo otra vez.

El cuerpo de Tristan prácticamente vibraba con la necesidad que sentía de llegar hasta los rehenes.

—Estoy seguro de que podré encontrar uno de los sitios para teletransportarnos fuera si los fantasmas no lo impiden.

—Por lo que he oído, nos ayudarán si eso significa que Kizira se marcha también.

—La cuestión es qué es lo que pretendes hacer cuando aterricemos en el otro lado.

—Tú me das los tres mutantes...

—Otra vez con lo mismo.

—Déjame terminar. Me comprometo a asegurar que Storm acuda a Tzader, ya que no podrán verme, y Tzader se pondrá en contacto con Brina para que interceda a favor de los mutantes. Ella ya se ha comprometido a garantizar su seguridad y les dará la oportunidad de hablar ante el Tribunal. No puedo decirte todo lo que se trató en la reunión del Tribunal, pero Brina ayudará si yo aparezco con los tres mutantes.

Evalle lo había expresado con mucho cuidado, porque Tristan no toleraba a Brina. No le hacía falta saber que el Tribunal la castigaría en caso de que Evalle fracasara.

—¿Y qué pasará conmigo y con mi hermana?

Si el Tribunal quisiera responsabilizar a Evalle por su huida, ella argumentaría que no llegaron a prohibir que los ayudara a escapar.

Utilizaría contra ellos su propia lógica retorcida.

Y esperaría que Brina lograra convencerlos.

Dijo a Tristan:

—No diré ni una palabra sobre ti o tu hermana, pero como recompensa quiero tu ayuda para saber más sobre los mutantes.

Algo le pellizcó el brazo. Dio un salto, dándose la vuelta rápidamente para encontrar que no había nada.

Una carcajada hueca rebotaba a su alrededor.

¿Por qué esas criaturas no eran demonios? En ese caso sería capaz de matarlos.

—Piénsalo bien, Tristan. Ya se ha divulgado la orden de neutralizarnos a todos. Con el enorme problema de mutantes que hay en el país en estos momentos, lo más probable es que

VIPER llame a Dakkar. Es un mago que trabaja con cazadores mercenarios. Descubrirá que tienes una hermana. Nunca estarás a salvo, y ella tampoco.

—No habrá nada que debatir si perdemos a esos rehenes.

Evalle no dijo nada.

—Bien. Si logras llevar a esos tres rehenes vivos al otro lado del muro del túnel del tren, sin que VIPER los mate, estaré contigo.

Le faltaba tiempo a Evalle, pero tenía que confiar en que Storm estaría dispuesto a ayudarla en esto. Él no dejaría que nadie de VIPER los atacara.

—De acuerdo. Vamos marchando.

Tristan salió disparado como una bala, con ella pisándole los talones. Las lámparas que el soldado les había prometido iban apareciendo al lado del camino.

Al ver que una luminosidad se filtraba de la pared a su izquierda, por una abertura del tamaño de una puerta de garaje a diez pasos de distancia, Tristan dejó de correr y avanzó reptando hacia la luz.

Evalle apretó la espalda contra la pared rocosa y avanzó hacia la izquierda hasta estar junto al hombro de Tristan. No podía llamar desde aquí a Tzader, pero debía de ser capaz de hablar telepáticamente con Tristan, si había funcionado así en la selva. «Tú sabes que yo no me transformaré en una bestia, pero tú sí puedes, y eso será una ventaja.»

Le respondió: «No, yo tampoco puedo. Si me transformo es posible que desencadene algo que hará que los otros cuatro pierdan el control y empiecen a transformarse también».

Evalle ladeó la cabeza para mirarle a la cara. «¿Cuatro?»

Su cara estaba bañada con el profundo dolor de tener que compartir algo tan significativo. «Mi hermana es una mutante, también.»

«¿Dos en una sola familia? Cómo…»

«¿Podemos debatir sobre genética y herencias más tarde, Evalle? Te propongo un trato. Si salimos de aquí vivos y logro llevar a mi hermana a un lugar seguro, te explicaré cómo creo yo que los mutantes están conectados entre sí. No somos anomalías. Tienes razón. Tendríamos que ser una raza reconocida, y creo que sé lo suficiente para probarlo. ¿Ya estás satisfecha?»

«Yo estoy bien. Mejor que bien». El corazón de Evalle galopaba con adrenalina y esperanza. Estaría dispuesta a enfrentarse a un ejército de Medb si a cambio tenía la oportunidad de recibir esa información de Tristan. ¿Cómo quieres hacer esto?

«Quédate aquí hasta que te necesite, y luego sígueme». Tristan se alejó por la pared y entró en la habitación.

«¡Tristan!», le espetó entre los dientes.

«No me distraigas ahora mismo.»

Evalle se deslizó hasta el borde de la entrada y observó el espacio abierto que tenía una altura de unos diez metros. La cámara excavada en medio de la roca se extendía con la anchura y longitud de una sala de conciertos, pero la única música que se iba a tocar allí esa noche serían estertores si ese plan ridículo saliera mal. Las linternas irradiaban luz en torno a la habitación y en cada esquina de un bloque de piedra de seis metros de extensión. Tres cintas redondas de fuego, a la altura de las rodillas, estaban puestas sobre el suelo delante de la plataforma y proveían la mitad de la luz en la habitación.

Tres hombres vestidos con sucios harapos estaban presos dentro de esos tres círculos de fuego.

Debían de ser los mutantes escapados.

Al parecer tenían unos veinticinco años o algo más. Uno llevaba una melena color castaño oscuro que le llegaba hasta los hombros, y tenía la altura suficiente para jugar de pívot en un equipo de baloncesto. El siguiente tenía el pelo encrespado de color rojo zanahoria, era de estatura media y tenía la piel tan blanca que casi brillaba. El más bajo de los tres llevaba un pendiente colgando de una oreja. Tenía rizos negros y un rostro haitiano.

Y ninguno de los tres era de ojos verdes, pero había una cosa que compartían. El terror.

Tristan se detuvo en el centro de la habitación.

Los tres hombres empezaron a gritarle, pidiendo que los liberara.

Kizira apareció de pronto de la nada, flotando a unos pocos centímetros por encima del bloque de piedra. Un chorro de llamas se levantó delante de la piedra, luego se extendió hasta formar una ancha fosa de fuego que la rodeaba.

Evalle sufrió sus primeras dudas verdaderas sobre la posibilidad de salir sana y salva del Laberinto de la Muerte.

La sacerdotisa Medb hizo un gesto con la mano en dirección a los tres hombres, silenciándolos en un primer alarde de sus poderes de hechicera.

Tristan se dirigió a Kizira.

—Ya estoy aquí. Suelta a los mutantes y también a mi hermana.

—Qué bueno volver a verte, Tristan. Te he echado de menos.

Kizira tenía una voz de debutante que crispaba los nervios de Evalle.

—Lástima que no pueda decir lo mismo, Kizira. ¿Dónde está mi hermana si lo que quieres es negociar?

—Nuestro último acuerdo no llegó a buen fin. Sigues debiéndomelo.

Al oír el tono áspero de la acusación de Kizira, Evalle apretó los dedos contra su puñal. Esa hechicera había intentado utilizar a Tristan hacía una semana en un plan fanático para matar a todos los veladores.

Lo más espantoso de todo era que casi funcionó.

Pero Kizira había abandonado a los kujoos y a Tristan en cuanto las cosas se pusieron peligrosas.

Tristan contestó:

—Yo cumplí con mi parte del acuerdo y me devolvieron en barco a Sudamérica cuando nos abandonaste. El fracaso no tuvo nada que ver conmigo. Suelta a estos mutantes e iré hacia ti de buena gana. No te conviene irritarme.

La capa y capucha azul pálido otorgaban a Kizira un aspecto piadoso, pero la imagen de dulzura terminaba allí. Tenía el corazón de una serpiente, demasiado pequeño para servir para otra cosa que no fuera matar.

—Acepté cambiar a estos tres rías por ti. Tu hermana no forma parte del acuerdo.

Evalle inclinó la cabeza. ¿Rías? ¿Qué quería decir con esa distinción?

Tristan respondió:

—Haz que forme parte del acuerdo, entonces. Mi hermana no sirve para nada ahora que yo estoy aquí.

—Pero yo quiero otra cosa a cambio por ella.

—No tengo nada más para ofrecerte salvo yo mismo —dijo Tristan como si fuese algo evidente.

Kizira soltó una risa, tintineante de alegría.

—Ah, pero eso no es la verdad. Tienes algo merodeando aquí cerca que yo quiero tanto como tú quieres a tu hermana.

—¿A qué te refieres?

—A Evalle Kincaid.

Veintinueve

*E*valle se quedó helada. «¿Kizira quiere cambiar a la hermana de Tristan por mí? ¿Es un farol de Kizira cuando dice que sabe que estoy aquí?»

Tristan aún no había contestado a Kizira.

Era posible que aceptara cambiar su vida por esos otros tres mutantes, pero no tenía ningún motivo para arriesgar a nadie para salvar a Evalle. Menos aún a su hermana.

Kizira llamó a Tristan.

—Te he hecho una oferta justa, Tristan. Evalle por tu hermana.

Él le dijo:

—Muéstrame a mi hermana.

Luego entró en la mente de Evalle. «Solo puedo proteger mi mente de Kizira y hablarte a la vez durante unos pocos segundos. Si logro rescatar a mi hermana, llévatela y encuentra el camino de vuelta al muro del subterráneo. En cuanto vea que estás tardando, Storm buscará la manera de hacer que alguien te encuentre.»

Evalle parpadeó. ¿No iba a lanzarla a los Medb?

«¡Evalle! ¿Tenemos un trato?»

Asintió con la cabeza aunque él no pudiera verla. «Sí, ¿pero qué pasara contigo y con estos otros tres?»

«Intentaré sacarlos de aquí, pero si tú y mi hermana lográis escapar, eso tendrá que ser suficiente. Solo prométeme que en ningún caso la entregarás al Tribunal.»

¡Cómo si pudiera hacerle eso a Tristan en las presentes circunstancias! «Te lo prometo. ¿Crees que Kizira sabe que estoy aquí en el laberinto?»

«No lo sé. Yo no se lo he contado.»

Evalle lo creyó.

Kizira dijo:

—Estoy harta de esperar, Tristan. Dame a Evalle. Sé que está aquí cerca. Llámala ahora.

Ahí estaba la respuesta a su pregunta. Evalle apretó su mano contra el puñal.

—No sé de qué me estás hablando. No está aquí. —Tristan probó a marcarse un farol.

Evalle echó otro vistazo. Kizira se levantó alto en el aire.

—No pierdas el tiempo intentando engañarme. Su amigo me dijo que la encontraría contigo.

Evalle estuvo a punto de bufar al oír eso. Bruja estúpida. Evalle podía contar sus amigos con una sola mano, y ninguno de ellos prestaría su ayuda a Kizira para encontrarla.

—¿Quién te dijo que estaríamos juntos? —preguntó Tristan.

—Vladimir Quinn.

Evalle se dio media vuelta, golpeando su espalda contra la pared. Sintió un calambre en el corazón. Quinn jamás la traicionaría. Además, ¿cómo podía saber que estaba allí con Tristan?

Porque ya circulaba el rumor de que había ayudado a Tristan a escapar.

«Quinn sería incapaz de creer que yo solté intencionadamente a Tristan. Sería incapaz.»

—Estás mintiendo, Kizira —contestó Tristan—. Evalle es carne y uña con Tzader y Quinn. Lo sabes perfectamente. ¿Por qué iban esos veladores a entregarla a una Medb?

—Porque VIPER está cazando a todos los mutantes con la orden de matarlos con solo verlos, incluso a Evalle. Tengo una deuda del pasado con Quinn y me ofrecí a mantener a salvo a Evalle. Él también sabe que soy la mejor posibilidad que ella tiene de ser libre.

Evalle no se lo creía. ¿Por qué iba Quinn a pensar que estaría a salvo con Kizira?

—¿Y Evalle? —insistió Kizira—. Si quieres la prueba de que hablé en privado hoy con Quinn, él estaba en el Ritz de la calle Peachtree en el centro de Atlanta en una habitación que tenía el mismo número que la fecha de hoy. Le estaba aliviando un fuerte dolor de cabeza. Incluso con mis habilidades curativas no estaba en condiciones de salir a buscarte él mismo, y no quería que Tzader tuviera un conflicto de lealtades.

Evalle sintió que el aire le daba vueltas dentro de sus pulmones.

Quinn tenía un sistema de hoteles en los que se alojaba, y cada jueves se encontraba en una habitación igual a la fecha. Cambiaba de hotel cada día como medida de precaución, pero ayer mismo le había dicho a ella y a Tzader que estaría hoy en el Ritz del centro.

Le había contado que nadie conocía su sistema salvo Tzader y Evalle.

Kizira había estado en la habitación de hotel de Quinn. Aliviándolo.

Evalle comprendió esa referencia sin ningún problema. No podía creer que Quinn se hubiera acostado con esa bruja asesina. La primera vez que Evalle conoció a Quinn se había enterado de la historia que tenía con Kizira, pero jamás se le ocurrió cuestionar su lealtad hacia los veladores.

O hacia ella.

¿Realmente pensaba que había un solo motivo para hacerla entrar en el campamento de los Medb? Si fuera así, no la conocía tanto como había pensado. Y aunque creyera a Kizira, Evalle sabía que Tzader no estaría de acuerdo.

Una suave voz femenina susurró al oído de Evalle:

—Cree en aquellos en quienes confías, y confía en aquellos a los que crees.

Respiró hondamente al oír esa voz incorpórea. Era la misma voz que había oído esa noche en su apartamento y por primera vez la semana pasada. Si Tristan estuviera a su lado, podría haberle preguntado si él también la oía, pero Evalle tenía la sensación de que no.

¿Quién estaba intentando comunicarse con ella?

Evalle susurró:

—¿Quién eres?

Nadie contestó.

Kizira volvió a llamar.

—Si no vienes conmigo, Evalle, la niebla se extenderá sobre Norteamérica hasta cubrirla por entero dentro de una semana. ¿Quieres soportar sobre tus hombros el peso de todas esas muertes? ¿Quieres perder a Tzader y a Quinn? Porque sabes que ellos estarán en la primera línea del frente. Acércate por tu voluntad y despejaré el aire. Literalmente.

La bestia empezó a agitarse dentro de Evalle.

Tenía que haber sabido que esa bruja enloquecida estaba detrás de la niebla. ¿Pero Kizira sería capaz realmente de perdonar a unos simples humanos o cualquier otra persona que importara a Evalle? ¿Incluso a Quinn?

—Estoy harta de esperar, Tristan. Dile a Evalle que se acerque o tendré que hacerle daño a alguno de tus amigos.

Tristan advirtió con voz mortífera:

—Si haces daño a cualquiera de ellos, pagarás por ello. Facilita las cosas para todos nosotros. Suelta a esos tres y a mi hermana. Yo me quedo.

Evalle se crispó al oír su desafío. Volvió a echar un vistazo por el borde de la entrada.

La bruja movió los dedos y disparó un rayo de luz contra el mutante pelirrojo.

Tristan cruzó las manos sobre su cuerpo, arrojando un campo cinético de poder para bloquear el rayo.

El bloqueo funcionó perfectamente.

La energía cinética no rebotó hacia Tristan. Los espíritus del laberinto querían que Kizira se marchara. Debían de haber despejado esta zona de cualquier contragolpe.

Pero la bruja había empleado el rayo para distraer los poderes de Tristan.

Osciló una mano y soltó un cántico ronco.

Dos criaturas surgieron de la fosa de llamas que rodeaba a Kizira. Eran criaturas escamosas con cabezas del tamaño de barriles de doscientos litros de capacidad, y con dientes y mandíbulas que parecían capaces de aplastar un coche. El fuego recorría sus escamas de color rojo anaranjado y reptaba por las cuatro patas que emergían de sus ondulantes cuerpos de serpiente.

Seis largas garras como tentáculos entraban y salían del límite de cada pata. Las criaturas seguían levantándose y formando anillos. Cuando sus colas aparecieron, las últimas diez patas se curvaban como pinzas de escorpión.

—Es tu última oportunidad, Tristan —advirtió Kizira.

—¿Para qué te serviría muerto?

—Te sorprendería saber lo que puedo hacer con un mutante muerto. Tráeme a Evalle y te lo mostraré.

Soltó otro cántico y las llamas treparon en torno al más alto de los mutantes.

Tristan embistió contra el círculo en llamas, pero una de las serpientes lo atacó. Tristan consiguió girar para levantar un campo de energía que detuviera las llamas.

Los otros dos mutantes arremetieron pero sus círculos de fuego se levantaron, impidiéndoselo. Rugían, transformándose en bestias.

Evalle salió de su escondite y entró corriendo en la cueva.

Nadie moriría por protegerla.

El fuego debía de haber roto el hechizo de silencio que tenía Kizira sobre el mutante alto. Entre chillidos de dolor, este gritó:

—Petrina… no está… aquí.

El olor de carne chamuscada le provocó arcadas a Evalle. Envió una ráfaga de energía cinética para sacar al mutante quemado de su círculo. Las llamas lo acompañaron.

Dejó de forcejear, muerto.

Tristan gritó dentro de la cabeza de Evalle: «Kizira mentía. Mi hermana no está aquí. ¡Corre!».

Evalle dijo: «De ningún modo. —Había llegado a una decisión que esperaba no tener que lamentar—. Vincúlate a mí y vamos a darle una paliza a esta bruja».

Pero cuando abrió su mente para establecer vínculos con todos los mutantes, solo logró conectarse con Tristan. Su poder de bestia rabiaba a lo largo del cuerpo de Evalle, pero estaba controlando la mutación.

Eso le permitía a ella también refrenar a su bestia.

Kizira lanzó un chillido y voló sobre sus criaturas en dirección a Evalle.

—Odio con toda mi alma los grititos de esa bruja —murmuró Evalle. Había visto cómo Tristan lanzaba de vuelta un rayo cuando estaba con los kujoos. Aprovechando los poderes de Tristan, azotó su mano hacia Kizira.

Los poderes combinados de los dos crearon un asta de energía que arrojó a la bruja como si saliera disparada de la manguera de un bombero, lanzándola contra la pared de roca a quince metros de distancia.

La segunda criatura perseguía a los otros dos mutantes, que se habían transformado en bestias de un aspecto siniestro. Peleaban contra la criatura desde dentro de los círculos de fuego donde seguían atrapados.

Evalle arrojó un estallido hacia la criatura para obligarla a retroceder.

Uno de los mutantes se lanzó fuera del círculo de fuego, aullando mientras rodaba por el suelo para intentar apagar las llamas que recorrían su cuerpo. El otro mutante siguió su ejemplo mientras Evalle mantenía a la criatura alejada, pero no podía hacer eso y al mismo tiempo ayudar a Tristan.

Gritó a los dos mutantes:

—¡Corred!

Intentaron hacerlo, pero la criatura se interpuso entre ellos y la salida. Los mutantes atacaron como un equipo. Uno se aferró a una de las patas de la serpiente. Mientras esta giraba para morder al asaltante, el otro mutante dio un salto y hundió sus fauces en el cuello de la serpiente.

Golpeando el suelo con sus botas para soltar las cuchillas ocultas, Evalle dio media vuelta para ayudar a Tristan.

La primera de las serpientes tenía a Tristan sobre sus rodillas, atrapado entre el suelo y el campo de energía cinética que empleaba como escudo. Quedaría aplastado en pocos segundos. Los tentáculos de la criatura se habían apresado del poder y se alargaban, buscando con movimientos sinuosos una forma de entrar.

Evalle arrojó una ola de poder contra la bestia. Giró la cabeza para mirarla. Ojos infernales con pupilas amarillas ardían. Salía espuma desde dentro de sus fauces. Soltó un rugido y volvió hacia Tristan.

No había funcionado. Tristan necesitaba más poder en su lado de la energía. Evalle dio un paso adelante.

El suelo bajo sus pies empezó a girar y arrastrarla hacia un foso de arena.

Evalle buscó a Kizira.

La sacerdotisa Medb estaba otra vez en el aire, entonando su cántico con la cabeza echada hacia atrás como si estuviera en un trance. Varios rayos chisporroteaban en torno a su cuerpo. Estaba nutriendo a las criaturas con su poder.

Evalle luchó a patadas contra el embudo de arena, pero seguía arrastrándola hacia abajo. Encontró un punto de apoyo y estaba a punto de librar una bota y apartarse de la arena cuando sintió una fuerte retirada de su energía por parte de Tristan.

Perdió su punto de apoyo y volvió a patalear para intentar evitar que la engullese el remolino de arena. Echó una mirada hacia Tristan, suplicando su poder.

Tristan rugió y embistió contra la serpiente, tumbándola. Luego sacó un látigo de poder que chispeaba y brillaba. Cuando la serpiente volvió a levantarse y arremetió contra Tristan, este lanzó dos metros de poder chispeante contra la serpiente, cercenándole la cabeza.

La cabeza voló por el aire delante de Evalle, arrojando un líquido purpúreo sobre Tristan y el suelo que chisporroteaba entre las llamas.

El remolino de arena arrastraba a Evalle cada vez con más fuerza.

«¡Tristan!»

¿Después de todo Kizira sí quería matarla?

Evalle intentó aferrarse a la arena y el aire que se movían en torno a ella, pero estaba ya hundida hasta la cintura, luego hasta el pecho. La arena le llegó hasta la barbilla… hasta la nariz.

Levantó los ojos en busca de ayuda.

Tristan se lanzó sobre ella mientras desaparecía bajo la superficie.

Su mano se ciñó a su cintura con fuerza férrea.

Evalle no podía respirar. Tristan entró en su mente.

«No me dejes. Kizira sigue en su trance. Agárrate. Estoy tomando todo tu poder.»

Cuando la hubo vaciado de poder, era como si la hubiera vuelto del revés.

No le quedaban fuerzas para luchar.

¿Qué había pasado con su poder?

De un fuerte tirón, Tristan logró librar la cara de Evalle. Ella respiró, jadeando. Sus pulmones ardían.

Mierda. Exactamente en ese instante Kizira emergió de su trance. Alzó el brazo para atacar.

Mediante el poder de los dos mutantes veladores, Tristan lanzó una serie de rayos, haciéndola retroceder.

Se aferró al brazo de Evalle, arrastrándola fuera del foso.

Kizira vociferó unas palabras indescifrables y levantó los dos brazos, señalando el techo.

«Lanza otro rayo», le indicó Evalle a Tristan.

«No puedo. Usé todo lo que nos quedaba a ti y a mí en ese último ataque». Echó una mirada a los dos mutantes, que le estaban arrancando las patas a su criatura y gritó:

—Salgamos de aquí.

Un rugido empezó a extenderse desde el techo y creció.

El suelo tembló por debajo de Evalle, tumbándola.

Logró incorporarse. Tristan le rodeó la cintura con su brazo y empezó a arrastrarla hacia la entrada.

Empezaron a caer rocas, que obstaculizaban su salida.

Una golpeó el hombro de Evalle, y ella emitió un grito de dolor.

Un pedazo de roca del tamaño de una pelota de béisbol rebotó sobre la frente de Tristan, que empezó a sangrar. Tristan empezó a flaquear. Los otros dos mutantes aullaron mientras las piedras caían cada vez con más fuerza.

Si Evalle no lograba salir de allí, los últimos dones que le había otorgado el Tribunal no servirían para nada. ¿Pero qué podía hacer para que esa perra detuviese esa lluvia de rocas y para contenerla durante el tiempo necesario para huir?

Evalle no podía emplear ninguno de los tres dones para matar a no ser que esa fuese la única alternativa, y aún tenía que justificar el ejercicio de su poder.

¿El Tribunal consideraría la salvación de los tres mutantes un motivo legítimo para matar a Kizira?

—Dame media vuelta —ordenó Evalle a Tristan. Y antes de que pudiese discutir, añadió—: ¡Ahora!

En cuanto lo hizo, Evalle se cubrió la cabeza con los brazos y se preparó para convocar los poderes del Tribunal.

Treinta

Evalle se apoyó contra Tristan mientras este la situaba delante de Kizira. La bruja tenía los ojos enloquecidos y el pelo erecto con toda la energía estática que emergía de su cuerpo. La idea de matarla era tentadora, pero Evalle tenía otra alternativa, así que no podía utilizar la fuerza letal. Con una voz enronquecida por el polvo y el fuego, habló:

—Por el poder del Tribunal que recibí como don, ordeno que las rocas del techo se junten sobre mi cabeza para formar una pared que no me tocará.

Las rocas se detuvieron en el aire, luego de inmediato cambiaron de dirección. Pedazos de todos los tamaños y todas las formas empezaron a unirse a golpes como si una atracción magnética los juntara.

Kizira se detuvo y observó a Evalle con la boca abierta.

Evalle respondió con una sonrisa.

—No creías que pudiera tener guardado este tipo de poder, ¿verdad? ¡Bruja!

Tenía la impresión de que hasta Brina llamaría a Kizira con esa palabra ahora.

Kizira reaccionó con rabia y lanzó bolas de fuego contra la pared que se formaba debajo de ella en el aire, pero las grietas se cerraban de tal manera que solo quedaban huecos más pequeños que el puño de Evalle. Chispas inermes bajaban por esos huecos.

La última imagen que tuvo de Kizira la hizo reír hasta darse cuenta de que Tristan y los dos mutantes la miraban con los ojos como platos.

Tristan preguntó:

—¿Dónde conseguiste ese poder?

Evalle se encogió de hombros.

—Te diría que tengo amigos importantes que me prestaron su truco, pero no son amigos, y no puedo volver a hacerlo. No sé por cuánto tiempo podré mantenerla o si ella es más experta que tú a la hora de teletransportarse por este lugar, así que tenemos que salir pitando.

Tristan avanzó hacia la salida, que estaba bloqueada con las rocas que habían alcanzado el suelo. Levantó sus manos para emplear su energía cinética, y dos pequeñas piedras cayeron dando tumbos desde la cima del montón.

Evalle no tenía nada que darle hasta que se regenerara su poder. ¿Qué podría haberla vaciado de esa manera? ¿Vincularse con Tristan?

—¿Cuántos mutantes hacen falta para salir de una fiesta en el infierno?

Uno de los mutantes transformado en bestia se adelantó a Tristan y se puso a apartar las rocas como si fuesen pompas de jabón. Al terminar, giró la cabeza en dirección de Evalle y luego de Tristan.

Evalle reconoció sus exóticos ojos haitianos… Seguían de color marrón. Le sonrió.

—Eso es lo que quería decir.

—Gracias, Webster —dijo Tristan.

Evalle echó un vistazo al otro mutante, que tenía los ojos azules.

Ojos azules y marrones.

¿Por qué Kizira los había llamado rías? Estos mutantes se parecían al que se había transformado en la niebla, pero ellos tenían control sobre sus bestias.

¿Eso significaba que cualquier mutante, masculino o femenino, era capaz de aprender a controlar su bestia?

Tristan salió por la abertura mientras ella lo seguía a trompicones. En algún momento de esos últimos minutos Tristan se había desvinculado de ella. Sentía como su energía volvía por fin a recorrer sus brazos y sus piernas.

Dio un paso hacia delante librándose del apoyo de Tristan.

—¿Por qué estoy tan vaciada? Nunca he estado así.

Tristan dio varias zancadas grandes antes de contestar.

—Creo que tiene algo que ver con ese cóctel que me dieron los kujoos, que la bruja había elaborado con una mezcla de sangre kujoo.

Evalle recordó la lucha contra los kujoos.

—Ellos eran inmortales. Y tú…

—No. Yo no lo soy.

Pero el inconveniente de las habilidades extra de Tristan, como la teletransportación, era ese debilitamiento de sus poderes. Los de Evalle debían de haber sido vaciados porque estaba vinculada con él… como sucedió cuando los veladores se beneficiaron de su visión nocturna al vincularse con ella.

Por eso Tristan no se había transformado en bestia para luchar contra las serpientes. No habría sido capaz de teletransportarse poco después.

¿Sería capaz de sacar a los cuatro de allí en ese momento?

—¿Vas a poder teletransportarnos, incluso de uno en uno?

—Creo que sí. Si logramos salir de aquí sin tener que pelearnos de nuevo con Kizira o con los fantasmas. Estaré al ciento por ciento en poco tiempo.

—Nuestra fuerza cinética no tuvo resaca, así que creo que los espíritus están haciendo todo lo que pueden para ayudarnos. Mi única esperanza es que Kizira tenga el respeto debido por la capacidad del laberinto de transformarse.

Evalle miró hacia atrás, para comprobar que los dos mutantes a su espalda no quedaban demasiado rezagados. Allí estaban, pero guardaban cierta distancia, como si fueran reacios a caminar junto con ella y Tristan.

¿Estaban volviendo a sus cuerpos normales? No.

En voz baja preguntó a Tristan:

—¿Estos dos van a poder volver a tener forma humana?

Tristan miró brevemente atrás y luego le dijo:

—Por supuesto. Podrán hacerlo en menos de un minuto. Cuando los traje al Laberinto de la Muerte, les mostré cómo transformarse sin perder el control.

—¿Por qué no se están transformando, entonces?

Una sonrisa asomó a los labios de Tristan.

—Me parece que no quieren caminar cerca de ti como machos humanos en toda su gloria desnuda. ¿No te fijaste en que cuando terminó la pelea se mantuvieron de espaldas? Con toda esa adrenalina llenando su cuerpo, un macho se pone tan duro como un tronco al final del combate.

—¡Oh!

Evalle se enrojeció al entender la explicación.

—¿Cómo se llama el pelirrojo?

—Aaron.

—¿No tiene apellido?

—No le hace falta.

O bien Tristan no quería compartirlo. Le preguntó:

—¿Qué quería decir Kizira cuando los llamó rías? ¿Por qué no tienen los ojos de color verde brillante como nosotros? ¿Y por qué no pude vincularme con ellos? ¿No saben hacerlo?

Tristan empezó a caminar más despacio después de la curva siguiente y se adentró en un túnel a la izquierda.

A menos que los fantasmas estuviesen jugando con ellos como antes, este túnel le parecía familiar a Evalle. Tenía vides en las paredes y tréboles en el suelo, así que el próximo túnel debería tener antigüedades, cuadros y alfombras.

Por fin Tristan le respondió:

—Esos dos que están detrás de nosotros no son veladores mutantes. No sé qué quería decir Kizira con rías. Nunca le oí esa palabra cuando estaba con ella.

—¿Qué son entonces?

—Tengo una conjetura.

Evalle enroscaba y desenroscaba los dedos.

—Pero no me la vas a decir.

—Hasta que tenga a mi hermana en un lugar seguro, no. ¿Crees que no me he dado cuenta de que te falta un mutante para tu reunión aun en el caso de que te entregue a estos dos?

En realidad, no se había puesto a pensarlo, pero Tristan tenía razón. Ella tenía que aparecer con tres, y eso significaba que tenía que convencer a Tristan para que la acompañara.

Habría sido más fácil convencer a Kizira para que se encerrara en un convento.

Ahora que VIPER estaba cazando a todos los mutantes, Evalle tenía que encontrar la manera de llegar viva al cuartel de VIPER. Se daba cuenta ahora de que el Tribunal no había hecho una previsión para que contactara con alguien en cuanto tuviese a los tres mutantes.

¿Por qué no?

Porque todos pensaban que fracasaría.

Por eso no enviarían a Sen a buscarla hasta que la parte superior del reloj de arena se vaciara. A no ser que estuviesen todos ocupados luchando contra la niebla.

Evalle murmuró:

—Kizira dijo que fue ella quien generaba la niebla. Espero no haber cometido un error al no ir con ella.

Tristan negó con la cabeza.

—Mentía cuando hablaba de detener la niebla. Nos habría tomado a ti y a mí, habría matado a esos dos que están atrás y habría dejado la niebla como está. Ella quiere a unos mutantes específicos y debe de creer que la niebla los sacará a la superficie.

Evalle dejó de sentirse tan culpable. Tenía que hacer llegar un mensaje a Tzader y Quinn para que pudiesen alertar a VIPER... ¿pero por qué VIPER no había detenido ya la niebla? Tenían que saber que no formaba parte del mundo natural.

—Acabo de darme cuenta de algo, Tristan. VIPER ya debe de saber que hay algo sobrenatural detrás de la niebla, pero esta seguía en aumento cuando bajé a MARTA.

—¿Entonces?

—Si VIPER no ha descubierto la manera de detenerla..., quiere decir que tal vez hasta las deidades sean incapaces de arreglarlo.

Tristan no dijo nada durante unos pasos, pero una expresión de preocupación genuina cubrió su rostro.

Evalle puso en palabras lo que probablemente estaba pasando por su cabeza.

—Si esa niebla llega a cubrir todas las cosas dentro de una semana, no habrá un lugar seguro para ningún mutante, incluso para tu hermana.

Quería que Tristan se percatara por su propia cuenta de todo lo que no había dicho... Que él, su hermana y los dos que estaban atrás podrían estar más seguros dentro de la red de VIPER que fuera en las calles. Tristan sabía mucho más de lo que estabo dispuesta a compartir con ella respecto de otras muchas cosas.

—¿Qué quieren los Medb de nosotros?

Tristan rumió su respuesta durante algunos instantes, pero parecía que más que evitar responder simplemente organizaba sus pensamientos.

—Creo que los Medb saben algo de nuestra historia y tienen un plan para usar mutantes de alguna manera para invadir la isla de Brina. Llegué a esa conclusión después de oír cosas sueltas de Kizira mientras estábamos con los kujoos.

Tzader había dicho a Evalle que ningún inmortal podía entrar en el castillo para tocar a Brina, ¿pero un mutante sería capaz de dañar a la reina guerrera?

No podía fallarle a Brina y poner en riesgo a la reina guerrera de los veladores. Aparecer con menos de tres mutantes sería un fracaso por muchas explicaciones que intentase elaborar para el Tribunal.

Después de analizar las palabras de Tristan, Evalle preguntó:

—¿Por qué creen los Medb que un mutante podrá penetrar en la residencia de una inmortal?

—Tengo la sensación de que los Medb saben algo de la manera en que estamos evolucionando.

—Espera un momento. ¿Evolucionando? ¿Vamos a transformarnos en algo más espantoso que una bestia?

Se encogió de hombros.

—No lo sé. Los Medb saben muchas cosas de nosotros, demasiadas cosas. —Negó con la cabeza—. Todavía no tengo todas las respuestas, pero creo que los mutantes veladores son los que más tienen para perder en esta lucha… y en manos de los Medb podríamos terminar siendo las criaturas más peligrosas de este mundo.

Ese tipo de información solo serviría para apoyar los argumentos en contra de la concesión de libertad para los mutantes.

Tristan siguió:

—Y esos dos que están atrás son considerados de usar y tirar por los Medb. Kizira los habría matado a los tres aunque yo no hubiese llegado. Creo que estaba intentando capturarnos a ti y a mí, y luego habría lanzado un anzuelo para intentar sacar de su escondite a mi hermana.

—Dime lo que sabes acerca de la manera en que todos los mutantes están conectados.

—Todavía no. No voy entregar esa baza hasta que me sea necesario, por si le hiciese falta a mi hermana.

Evalle evitó una vida que intentó agarrarla. Esos espíritus tenían demasiado tiempo para su propio bien.

—Si no compartes esa información, ¿cómo quieres que ayude a los mutantes veladores y cualquier otro como esos dos?

—Ya te he dado mucha información. Te daré más en cuanto pueda. Como te decía, hablaremos de esto cuando estemos a salvo.

Ella decidió no insistir más por el momento y esperar a que encontraran un lugar seguro para intentar convencer a Tristan de que la acompañara, a pesar de que Adrianna le hubiera dicho a Storm que Tristan y Evalle no se relacionarían. Eso le preocupaba un poco, pero Adrianna no era infalible.

Evalle seguía poseyendo el último don del Tribunal, pero no podía volver a utilizar la teletransportación porque ninguna petición podía duplicarse.

En realidad, no quería obligarlos a acompañarla.

La libre voluntad lo significaba todo para ella. Quería que esos chicos eligieran acompañarla. Tan pronto como estuvieran todos fuera de ese lugar, estaba segura de que lo único que tendría que hacer era explicarles su plan a los dos para convencerlos de que se trataba de su mejor oportunidad de ser libres.

Si Sen apareciera antes con su reloj de arena, la decisión estaría fuera de las manos de Tristan.

A propósito del tiempo, ya habían pasado los noventa minutos durante los cuales Storm se había comprometido a esperarla.

—Tenemos que darnos prisa.

Tristan echó un vistazo a su reloj e hizo un gesto con la mano a los otros dos para que aumentaran el ritmo.

Los fantasmas debían de estar listos para despedirlos, porque nadie los interrumpió en el camino al muro de acceso al subterráneo.

Al llegar al lugar donde entró en el laberinto, Evalle dijo a Tristan:

—Creo que debería ir la primera para asegurarme de que Storm sabe que estoy viva antes de que salgas con esos dos.

Por una vez, Tristan no protestó:

—Buena idea.

Webster y Aaron se mantuvieron a unos metros de distancia, de espaldas, pero Webster ya estaba recuperando su cuerpo humano. Llamó con una voz aún no del todo humana:

—Vamos a Deca...

Tristan lo interrumpió.

—Todavía no. Yo me encargaré de ella y volveré enseguida.

Webster gruñó y asintió con la cabeza.

Evalle dejó que Tristan rodeara su cintura otra vez para teletransportarse. Afortunadamente fue un viaje breve, lo cual le permitía levantar sus escudos mentales para no recibir ninguna telepatía en el momento en que sus pies volvieron a tocar tierra. Se liberó del abrazo de Tristan y buscó a Storm en ambas direcciones.

—Mierda —se quejó.

—¿Qué te pasa?

—Nada. —Pero pensaba que Storm la esperaría al menos diez minutos. Miró a Tristan, calculando inmediatamente cuál sería la mejor manera de sacarlos a él y a los otros dos mutantes de la zona del subterráneo antes de que apareciera alguna amenaza para los cuatro.

—Tanto Webster como Aaron deben transformarse antes de llegar a este lado.

—Ya se están transformando mientras... hablamos.

Tristan dio un traspié y se agarró la cabeza.

—¿Qué te pasa?

—La teletransportación... Es... No te preocupes.

Evalle yo lo sabía. La teletransportación le vaciaba los poderes, que todavía no había recuperado de manera completa.

—¿Estás seguro de que podrás sacar a los otros dos?

—Claro.

—¿Cuánto tardarás?

—Con un salto tan pequeño, uno, tal vez dos minutos.

Echó una breve mirada a su reloj. Otras veces Storm la había esperado hasta quince minutos. No entendía por qué no estaba allí.

—Hazlo rápido, entonces, antes de que algún agente de VIPER o un velador descubra que estamos aquí. Cuando vuelvas, ya habré pensado dónde podamos estar a salvo, a menos que tu hermana tenga algún lugar seguro.

—No, no lo tiene.

—¿Y cómo conseguiremos ropa para Aaron y Webster?

—Está todo bajo control. —Tristan se sacudió para librarse de su debilidad momentánea y enderezó la espalda, como si estuviera listo para teletransportarse, pero luego fijó la mirada en Evalle:

—Gracias por luchar conmigo.

—¡Como si tuviera otra opción! —Pero le sonrió, levantando la barbilla como un pequeño saludo—. Una vez que estemos en un lugar seguro, pediré a Storm o a Tzader que traigan a tu hermana para que ella también esté a salvo, como te prometí.

Tristan dudó un instante, luego asintió con la cabeza antes de difuminarse en un remolino de movimiento y desaparecer.

—¿Evalle?

Dio media vuelta para ver a un hombre encapuchado que corría en su dirección. Sería capaz de reconocer los movimientos de ese cuerpo en cualquier sitio. Storm corría con la misma elegancia en su forma humana que cuando se transformaba en un jaguar negro.

Estaba solo, lo cual significaba que tal vez no hubiese llamado a nadie todavía.

Evalle sonrió, genuinamente feliz de estar fuera del laberinto y aún más feliz de ver a Storm.

—¿Qué diablos pasó? —le gritó desde tres metros.

Eso puso fin a su sonrisa. Le devolvió el grito:

—He estado un poco ocupada eludiendo a fantasmas con

tridentes, serpientes de fuego y una sacerdotisa enloquecida. ¡No me grites si llego tarde!

Se detuvo a un par de pasos de ella.

Evalle vibraba con tanta adrenalina que solo captó las oleadas de intensa emoción que emanaban de Storm. Llevaba demasiados golpes durante la última hora y media como para que su sentido empático funcionase con precisión, pero cualquiera podría oír la furia en la voz de Storm.

—No era mi intención gritarte —dijo este, cambiando el tono de voz.

Era la voz que había utilizado algunas veces en su presencia. Como cuando la alivió después de que un espíritu demoníaco le apuñalara la pierna con magia Noirre un par de días atrás, y para calmarla durante la teletransportación aquel mismo día.

—¿Qué querías decir, Storm?

—Estaba preocupado al ver que no llegabas a tiempo. ¿Qué ha pasado?

No necesitaba su lado empático para comprender su honestidad. Dirigiéndole una sonrisa cansada, respondió:

—Ya te lo contaré todo cuando tengamos tiempo, pero por ahora solo tengo a dos mutantes.

Storm dio un paso adelante y dijo:

—¿Dos?

—Los Medb mataron al tercero.

Cuando la distancia entre los dos se redujo a unos pocos centímetros, Storm levantó una mano y apartó un mechón de pelo del rostro de Evalle, acariciando su mejilla. Al notar el tacto de su mano, Evalle sintió el placer estallar desde el centro de su cuerpo.

Storm indagó jugueteando con un lugar de su cuello que parecía sensible:

—¿Es por eso que tienes pinta de haber estado en una pelea a pedradas?

Evalle asintió con la cabeza, procurando no sonreír y no exponer sus emociones, aunque él sería capaz de leerlas incluso con los ojos vendados. Estaba dolido por lo que le había pasado a ella. De nuevo. ¿Cuándo dejaría de sorprenderla? Hacía tan solo una semana que lo conocía, tiempo seguramente insuficiente para el aleteo de emociones que la llevaba a experimentar en los momentos más inesperados.

—Pero fuimos nosotros quienes ganamos la pelea a pedradas —dijo.

—¿Vosotros?

—Tristan y los otros dos mutantes.

Storm asintió, sopesándolo todo con su mirada.

—Necesito un momento a solas con Tristan cuando llegue.

Lo dijo tan amablemente que Evalle tuvo que volver a pensar en sus palabras antes de captar su significado.

—Vamos, Storm.

—¿Has podido ver tu estado?

Ella bajó la barbilla para echarse un vistazo y debía reconocer que un liquidador de seguros decretaría daños totales. Pero sus heridas se curarían, aún más rápido si se tomaba el tiempo de contactar con su mutante interior.

Y tenía la plena intención de practicar un poco por su cuenta. Cualquier cosa que pudiese servir para probar que los mutantes eran capaces de controlar su bestia con un poco de entrenamiento.

Pero la expresión en el rostro de Storm mostraba que iba a soltar toda esa ira contenida sobre una sola persona:

—No ha sido culpa de Tristan.

No del todo, al menos.

—Él te llevó a ese infierno. Le advertí sobre lo que pasaría si tú volvías así.

No había pensado en la posibilidad de que Storm infligiera daño a alguien tan fuerte como Tristan, pero su corazón se contoneó halagado al oír su amenaza. Para distraerlo de Tristan, le preguntó:

—¿No llamaste a Tzader o a Quinn?

—No, pero han estado buscándome. Debe de ser porque todo el mundo está cazando mutantes y están intentando ubicarte.

Tenía razón. La pulsación telepática de Trey había vuelto sobre sus escudos mentales en cuanto aterrizara a este lado del muro.

—Gracias por esperarme. —Levantó la cara para besar sus labios y sonrió al ver la expresión de sorpresa en su rostro—. Sé que hemos hablado de esto y que no puedo simplemente besarte cada vez que...

Storm interrumpió las palabras con su boca. Su mano estaba dentro del pelo de Evalle, que se había soltado durante la pelea. Los besos de Storm comenzaron a apaciguar sus heridas y sus dolores a tanta velocidad como si ella misma hubiese convocado sus poderes interiores.

Sujetó el rostro de Storm entre sus manos y le devolvió el beso, asombrándose por su propio atrevimiento, pero le parecía tan maravilloso... tan perfecto. Podría haber muerto en el laberinto, y todavía no estaba libre del Tribunal.

Pero este momento le pertenecía.

Storm la envolvió entre sus brazos y la apretó contra su cuerpo, levantándola del suelo.

La adrenalina debe de haber sido responsable de lo que Evalle hizo después. Empezó a jugar con su lengua. Una mano de Storm se deslizó hacia abajo, luego subió debajo de su falda, tocando la piel. Otra mano le sujetó las nalgas, empujándola contra su cuerpo.

Contra una parte muy excitada de su cuerpo.

La mente de Evalle la devolvió a la última vez que un hombre excitado la había tocado, impulsando una estaca de dolor después de ese instante de placer.

Se tensó, se estremeció y se echó hacia atrás, mirando fijamente a los ojos a Storm.

Él la miraba con unos ojos que ardían de hambre feroz.

—Storm.

Sus dedos se hundieron en los hombros de Storm. Amaba la sensación de estar entre sus brazos... y odiaba el miedo que le llegaba en ráfagas al recordar esa otra mano tocándole la piel.

Storm exhaló el aire jadeando y bajó la frente hacia ella, murmurando:

—Soy un idiota multiplicado por seis por permitir que esto pasara aquí.

—Yo... Es que...

Storm retiró su mano.

—Buena idea. Mal momento. Ha estado mal por mi parte, no por ti.

Evalle tartamudeó. Su cuerpo se había convertido en un solo nervio retorcido y desgastado.

Storm la apartó suavemente.

—Pero en cuanto termine este asunto del Tribunal y estés libre, vamos a encontrar un lugar privado para concluir esta conversación. Una cena como mínimo.

El cerebro de Evalle se acopló al ritmo de su cuerpo y armó los fragmentos de lo que Storm decía en un solo pensamiento consciente. No había dejado que ningún hombre la tocara desde el ataque. Así no.

Lo extraño era que quería saber cómo sería dejar que Storm lo hiciese.

Él nada tenía que ver con el hombre que la atacó, pero permitir esa intimidad a Storm no era la idea más brillante de su vida.

Pensaría que le estaba dando falsas esperanzas si seguía rechazándolo así. ¿Estaba en condiciones de permitir que avanzara la relación ahora que Tristan le había mostrado cómo utilizar su mutante sin transformarse?

No se podía apretar una tecla para borrar una violación, pero Evalle estaba cansada de estar sola.

¿Qué podía pensar de cuando lo arrojó sobre los rieles del subterráneo después de que la apretara contra el muro para protegerla? Y lo había hecho sentirse mal por besarla ahora cuando la culpa era de ella, que era quien había empezado a besarlo.

Cualquier hombre lo consideraría una provocación, sobre todo alguien tan viril como Storm. La mente de Evalle estaba turbada y confundida. Organizaría sus emociones contradictorias más tarde, en cuanto pudiese descansar.

—Evalle…

—No pasa nada, está todo bien.

No iba a mostrar su vulnerabilidad emocional a nadie, ni tan siquiera a Storm.

Se tocó la boca con la mano y movió la cabeza tristemente.

—Me lo merecía.

—¿Te merecías qué?

—Nada. —Giró la cabeza para observar el entorno—. ¿Cuánto tarda Tristan en teletransportarse?

Evalle se había olvidado de todo. Una peligrosa falta de atención en su línea de trabajo.

—Nada más que... un minuto... o dos.

Levantó la cabeza para mirar. Habían pasado casi diez minutos.

Tristan había dicho que los otros dos mutantes se estarían transformando mientras él la teletransportaba a este lado. Evalle agarró a Storm por el brazo.

—Tendría que estar aquí.

—¿Crees que tiene problemas?

—No. Adrianna tenía razón. El cabrón me ha mentido. Dijo que tenía un par de lugares distintos para teletransportarse fuera de allí. Está sacando a los otros dos mutantes por otro camino. Lo voy a matar.

—Así me gusta.

Treinta y uno

*I*sak se desplazó por su centro de comunicaciones, ojeando la multitud de pantallas de ordenador que le tocaba vigilar atento a cualquier señal de Evalle Kincaid.

Ella tenía razón sobre la utilización de la toma de imágenes térmicas para llegar a las bestias, pero eso no fue lo único que adivinó. Ella sabía que la niebla estaba envolviendo a los mutantes.

¿Cuánto más sabía Evalle que no había compartido?

Si se movía por la ciudad, sus hombres la encontrarían.

La radio de Isak entró en acción con un chasquido.

—Jones a base.

Isak abrió el micrófono en su radio:

—¿Qué tienes?

—He encontrado una Gixxer negra mal pintada. Dorada por debajo. Quité el vinilo de la etiqueta y dice EVL-ONE.

Tanto la etiqueta de Evalle como su Gixxer eran doradas cuando la vio por última vez. Isak preguntó:

—¿Lugar?

Jones le dio las coordenadas del centro de Atlanta y le contó:

—Su moto está cerca de la estación de metro de North Avenue. Apostaría a que anda por ahí.

—Mantente junto a esa moto tarde lo que tarde en regresar. Comunícate conmigo en cuanto la monte.

—Lo haré. Pero ella maneja esa máquina como una profesional de Daytona. Me verá siguiéndola sin equipo de apoyo, si es que no me pierde antes.

—Comprendo.

—¿Quieres que pinche la moto?

Isak contempló la idea de colocar un transmisor en la moto y la descartó enseguida. Quizá tuviese una manera de descubrirlo. En ese caso abandonaría la moto y seguiría a pie, lo cual facilitaría su desaparición.

—No. El equipo está repartido a lo largo de Atlanta. Si recibimos un avistamiento confirmado, avisaré a todo el mundo para que se unan. Es posible que haya dejado su moto como un señuelo. Me mantendré atento a todas las estaciones de metro. Tú pégate a ella si aparece.

—¿Qué hago si está con alguien o con algo más?

Isak se percató de ese «algo más» como una alusión a una criatura no humana. La primera vez que vio a Evalle estaba agarrada por un demonio que él tuvo que reventar con un revólver de diseño. Una de sus numerosas armas Nyght. Nunca había entendido por qué Evalle trataba con los no humanos, pero ella era diferente.

Tenía un aura plateada cuando la vio por primera vez.

Esta noche era dorada.

No conocía muchas auras capaces de cambiar y nunca había visto ninguna como la suya. ¿Se había olvidado ella de que él era capaz de ver las auras, o sabía incluso que la suya era diferente?

Hasta ahora no había ocurrido nada que demostrara que no era humana... no todavía. Isak esperaba que eso nunca ocurriera.

Por ahora, quería enterarse de quién la perseguía y qué más sabía sobre los mutantes. Una vez le había ofrecido hacerla desaparecer si necesitara su ayuda.

Ella le había dicho que no.

Si Tzader Burke estaba sobre su pista, era posible que reconsiderara el ofrecimiento.

Isak cogió el transmisor y dijo a Jones:

—Escoge tu lugar y detenla. Si un humano interfiere, déjalo inconsciente. Mata a cualquier no humano.

¿En qué andaba metida Evalle para que tuviera a Tzader Burke detrás de ella? Había evitado esa pregunta esta noche.

Quería tener otra oportunidad para conseguir una respuesta directa. La mejor forma de hacerlo sería hablar con Evalle antes de que la encontrara Tzader.

Treinta y dos

Storm pisó las escaleras automáticas de subida en la estación de metro detrás de Evalle. Ella se movía como si los músculos estuvieran tensos debajo de la cazadora que él le había llevado por si el tiempo empeoraba.

El silencio de Evalle actuaba como una aguja en su sentimiento de culpa. Se burlaba de su control.

Nada perturbaba su reserva de acero como ella.

Había ido demasiado lejos con el beso, pero podía arreglar eso.

Había problemas más grandes, si era cierto lo que había aprendido antes esa noche.

Su guía espiritual podía ser una fuente de conocimiento... o de frustración. Cuando la bruja Adrianna no supo contestar a todas sus preguntas, volvió a su apartamento para convocar a sus antepasados. Una marchita hechicera que llevaba los años grabados en su rostro fantasmal respondió a sus preguntas con mensajes revueltos que había tenido que interpretar.

La hechicera le habló de diversas cosas, entre ellas de la curandera ashaninka, quien, según ella, no era un problema hoy. Él no supo descifrar si eso significaba que la curandera que cazaba sería un problema esta noche o la próxima semana.

El tiempo preciso era tan irrelevante en ese tipo de conversación como el significado preciso.

Con la excepción de una advertencia que le dio su guía espiritual.

Dijo que Storm perdería a Evalle antes de ganarla.

El instinto de protegerla llevó a Storm a levantar su mano para acariciar la espalda de Evalle, pero la retiró antes de tocarla. Si hubiese sabido controlar sus manos allí abajo, ella no estaría tensa ahora mismo.

¿Qué había pasado con todos esos años de aprendizaje sobre cómo rastrear a una presa asustadiza?

No había que hacer avances a una mujer que había sido dañada por un hombre.

Sobre todo cuando él percibía las señales de abuso sexual.

Pero al encontrarla tan golpeada y ver que llegaba tarde, en adición a la advertencia de su guía espiritual, Storm tenía a su jaguar al borde mismo de la violencia. Tristan había sido muy sabio al no regresar después de dejar en ese estado a Evalle.

Storm había hecho mal en tocarla con ese animal peligroso rugiendo en sus entrañas. Ante la simple contemplación de Evalle herida, su animal reaccionó violentamente con un objetivo primitivo, exigiendo sangre… o sexo.

Si Tristan estuviese allí, Storm podría haber aliviado su necesidad de sangre. Sin ese alivio, su control estaba tan extendido que era fino como una hoja de papel y tenso como un alambre.

Evalle había escogido un momento insuperable para tomar la iniciativa de besarlo por primera vez.

«Buena manera de fracturar la poca confianza que te había dado, idiota.»

Cuando Evalle abandonó la escalera mecánica y salió hacia un lado, Storm estaba a un solo paso detrás de ella. Fuera de la terminal de metro de North Avenue los esperaban truenos y los alaridos de una lluvia torrencial. La tormenta eléctrica de antes había ganado fuerza y golpeaba sus puños de agua sobre todas las superficies.

¿Algo tan simple como la lluvia sería capaz de destruir esa neblina amarillenta que estaba atacando una parte del país?

Evalle se detuvo antes de salir bajo el aguacero y se volvió hacia Storm, deteniéndolo con una mano sobre su brazo.

—Creo que sé hacia dónde se dirige Tristan.

En medio del rugido de la lluvia que martilleaba el techo de hormigón y el estrépito de los peatones que entraban y salían de la estación, ese no era el lugar ideal para charlar. La llevó hacia un muro que los protegía de las cortinas de lluvia.

Storm habló levantando la voz para que lo oyera Evalle pero manteniendo apartada su cabeza para escudar sus palabras.

—¿Adónde crees tú que se dirige Tristan?

—A recoger a su hermana.

—¿Tienes alguna idea de dónde vive?

—Nada específico, pero podríamos llegar lo suficientemente cerca para encontrar su pista. Mientras salíamos del laberinto, uno de los otros mutantes empezó a preguntar a Tristan si iban a… algo que sonaba como Deck-A. No lo sé porque Tristan lo interrumpió. Creo que pudo querer decir Decatur.

—Eso no reduce demasiado las posibilidades y, a no ser que tú puedas volver a teletransportarte, no podremos llegar.

—Creo que no necesitamos la teletransportación. Al poder de Tristan le falta constancia. Tiene que regenerarlo después de tanto uso. La pelea con Kizira lo ha debilitado.

Storm dejó de mirar a Evalle para mantenerse alerta ante posibles amenazas.

—¿Crees que no logró sacar a los otros dos del laberinto?

—No. Creo que sí logró sacarlos, pero que no está en condiciones para un nuevo salto. Es capaz de teletransportar a una sola persona a la vez, y hay un desgaste. Además, habrá querido evitar la niebla. Creo que podría emplear el metro para transportarlos a los tres hasta Decatur. Si es así, podrías seguirlos desde la estación cuando salgan.

Storm tendría que transformarse en jaguar si pretendía seguir una pista bajo esa lluvia.

—¿Qué ventaja crees que tiene sobre nosotros?

—Quizá no demasiada. Los otros dos mutantes estaban recuperando su forma humana cuando Tristan me teletransportó fuera. Todavía tenía que sacarlos de allí y vestirlos, luego subirlos a un tren. Además, tienen que cambiar de tren en el centro.

—¿Estás lo suficientemente convencida como para que vayamos a Decatur?

—No se me ocurre otra idea y no tenemos tiempo con VIPER queriendo cazarnos y esta niebla en aumento.

—¿Qué es exactamente lo que pasará cuando se agote tu tiempo?

—Enviarán a Sen para cogerme. El Tribunal dio la vuelta a un reloj de arena. Cuando el último grano caiga, el reloj llevará a Sen hacia mí.

¿Dónde iba a encontrar Storm un lugar para librarla de ese peligro? Era imposible, pero si encontraran ese grupo de mutantes, el Tribunal tendría que soltarla, de acuerdo con sus reglamentos.

—¿A qué distancia está Decatur?

Sonó un trueno. La lluvia arreció.

Evalle se estremeció.

—Con este tiempo, quizá veinte minutos si no quedamos atrapados en el tráfico, pero no tendría que estar tan mal el tráfico a estas horas.

Storm le dirigió una mirada pensando que había olvidado que en Atlanta el tráfico podía ser espantoso a cualquier hora, sobre todo si llovía.

—No hubo nada de tráfico cuando vine. Kizira dijo que la niebla seguiría creciendo.

—Eso confirma las sospechas de VIPER de que los Medb están detrás de la niebla.

—Si lo saben, ¿por qué no están haciendo nada para detenerla?

—No lo sé. Quizá ayude la lluvia.

—No creo que la lluvia cambie nada. De hecho…

Miró a Storm, luego al suelo, mientras su voz se iba apagando.

A pesar de su decisión de mantenerla a distancia, él era incapaz de sentir toda la angustia que emanaba de Evalle sin tocarla. Puso un dedo bajo su barbilla y levantó su rostro hasta que sus miradas se cruzaron.

—¿Qué es lo que te preocupa?

—Que la niebla podría llevarte a perder el control de tu jaguar.

¿Debería decirle por qué su jaguar no le haría daño? ¿Debería explicarle que la había marcado con su rastro antes de la reunión del Tribunal para poder encontrarla?

—Yo sé que mi jaguar no te hará daño. Si pierdo el control… digamos simplemente que tendrás poder suficiente para detenerme. —Solo porque jamás podría pelear con ella—. Y no te echaré la culpa.

—Yo jamás…

—¿Me matarías? —Storm terminó la frase—. ¿Lo harás si tienes que hacerlo?

—No. Sería incapaz.

Él haría todo lo posible para impedir que se diese esa situación, pero en cualquier caso ella siempre haría lo correcto. Lo sabía.

—Es la hora de cazar.

Evalle se mordió el labio, sintiendo el peso de su indecisión hasta que se rindiera.

—Sé que está lloviendo, pero deberíamos ir en mi moto en vez de en tu camión. Qué bien que me trajeras esta chaqueta. —Subió la cremallera de la cazadora gris que llevaba en su vehículo.

Un escalofrío de inquietud recorrió la columna vertebral de Storm ante la simple idea de que Evalle estuviera expuesta sobre la Glixxer, y no estaba pensando en la lluvia. Había una amenaza que flotaba en torno a ella que no lograba definir.

—¿No necesitas un vehículo para transportar a los mutantes si los coges?

—El Tribunal no me dio instrucciones sobre cómo llevar a los mutantes.

—¿Confían en que te quedes allí esperando una vez que los tengas?

—En realidad no creo que el Tribunal confiara en mi capacidad de entregar a los mutantes desaparecidos, pero tengo un plan. Una vez que ellos estén dispuestos a ir conmigo, haré que te comuniques con Tzader y él enviará a Brina. Ella arreglará los detalles con el Tribunal.

Él mantenía su atención dividida entre Evalle y cualquier amenaza.

—Siempre que VIPER no nos vea antes. Necesitamos salir de aquí antes de que alguien reconozca a uno de los dos.

—Por eso dije que tomaríamos mi moto. Estoy convencida

de que estarán vigilando tu todoterreno deportivo. Pinté mi moto de negro y cambié la etiqueta. Si montamos los dos, yo destacaré menos.

—Bien.

—Pero no tengo un casco para ti y tendrás que ponerte atrás.

De todos modos, él no la dejaría ir atrás sin una armadura completa para protegerla.

—No me importa estrecharte entre mis brazos.

Enarcó una delicada ceja con una expresión de sabelotodo que alivió parte de su culpa de antes. Dejaba de preocuparse de ella cada vez que se ponía en modo petulante.

—¿Cómo podría el acto de estrecharme en brazos compensar la falta de un casco?

Storm le sonrió a medias.

—¿Realmente crees que un policía tendrá ganas de parar una moto con este diluvio? Además, aún faltan un par de horas hasta el amanecer. Los dos estamos vestidos con colores oscuros. Si subo mi capucha, es posible que ni se den cuenta.

Evalle estudió su cabeza y sus hombros.

—Si hay un accidente, no sobrevivirás sin un casco.

Se inclinó para besarla brevemente en la frente.

—Pues evita los accidentes. Vámonos.

Treinta y tres

*E*valle condujo su moto a velocidad de crucero hasta llegar a Decatur y encontró la zona de aparcamiento cerca de la estación de metro por donde Tristan debía de haber salido si había tomado ese camino. Había apostado fuerte a que fuera así. Evalle encontró una esquina y desmontó. Se quitó el casco y despejó su cara de los mechones de cabello húmedos.

Storm no se habría empapado tanto si Evalle lo hubiese lanzado a un lago. Cuando se bajó la capucha, su húmedo pelo negro estaba pegado al cuello. Metió su móvil en la alforja trasera de la moto, luego se quitó la sudadera, la exprimió y empezó a usarla como toalla.

Con ambas manos limpió su cara de agua y el pelo húmedo.

—Vamos.

—Storm, si pido que te mantengas alejado y fuera de la vista, ¿me harás caso?

—Te voy a dejar sola.

—No quiero que te cojan o que te disparen.

Ya había visto lo que el revólver antidemonios de Isak podía hacer con un enorme demonio. Storm no tendría ninguna posibilidad.

—Déjame a mí preocuparme por eso.

—No, necesito que me lo prometas o no podrás ayudarme.

—Podemos hablar o podemos seguir la pista.

Evalle se cruzó de brazos y permaneció muda.

Storm frunció el ceño y masculló algo en un idioma extraño. No necesitaba a un traductor para interpretar su enfado, pero no se iba a mover sin el acuerdo.

—De acuerdo, está bien. Te lo prometo —dijo—. Ahora vámonos.

No había nadie merodeando por las aceras junto a una línea ecléctica de comercios y restaurantes entre el aparcamiento y la estación de metro. Eso no sirvió para apaciguar su ansiedad cuando Storm se escabulló detrás de unos arbustos para quitarse la ropa y transformarse.

El jaguar negro emergió, camuflado en la noche obsidiana salvo cuando fijaba sobre ella sus ojos de un amarillo brillante. Recorrió sigilosamente la estación durante un minuto, olfateó un lugar dos veces, luego se volvió hacia Evalle.

—¿Ya lo tienes? —preguntó ella.

El animal asintió y se dirigió por la calle McDonough con Evalle detrás.

Storm se ciñó a las paredes. Al alcanzar un barrio viejo rodeado de bosques, se acercó a la fachada de ladrillos de un edificio de apartamentos de dos plantas. A juzgar por las sencillas molduras de las ventanas y la puerta cubiertas de pintura, la estructura debía de haber sido nueva en los años ochenta.

Evalle se colocó en un lugar desde el cual podría ver ambas entradas a los apartamentos mientras Storm inspeccionaba el edificio. Cuando se le acercó otra vez, asentía con la cabeza.

Los mutantes estaban allí.

Pero la confirmación verdadera acababa de emerger de la entrada más lejana detrás de Storm.

Tristan sujetaba un paraguas para una joven que envolvía con su brazo. Tenía el pelo castaño —muy distinto a sus mechones rubios— con rizos indómitos recogidos sobre la cabeza. Cuando levantó la vista, Evalle advirtió el parpadeo de sus ojos de un verde brillante. Ni Tristan ni su hermana compartían la visión nocturna de Evalle, o habrían llevado gafas de sol para esconder sus ojos en la oscuridad.

Evalle hizo una señal para que Storm se apartara del camino antes de que llegara a ella. Podía camuflarse en la oscuridad de los espesos arbustos que rodeaban esa esquina del edificio.

Cuando vaciló, articuló con los labios las palabras «me lo prometiste».

Storm accedió y retrocedió hacia la oscuridad, vigilante.

Evalle llamó a Tristan cuando este llegó a diez metros de distancia.

—No te engañes pensando que VIPER no os va a encontrar.

Él alzó bruscamente la cabeza, sus ojos verdes radiantes en la noche. Empujó hacia atrás a su hermana.

—No te metas en mi camino, Evalle.

—No puedo volver con las manos vacías, y tú no tienes a dónde huir. Ven a pelear conmigo, igual que hemos hecho hoy.

Tristan dio media vuelta para entregar el paraguas a su hermana.

—Te equivocas. Sé un lugar lejos de aquí donde estaremos a salvo.

—La única forma de ir allí sería en avión, y según decían en la estación de metro de Hartfield todo está cubierto por la niebla.

Era una gran mentira, pero él no podía saberlo.

La hermana de Tristan se colocó a su lado, con una mano plantada en la cadera.

—Eso es una puta mentira.

Tristan la miró con rabia.

Evalle examinó a su hermana. Una joven atractiva, si te gustaban las mujeres menudas y bocazas.

—Tú debes de ser Petrina.

La joven le dirigió una mirada despectiva.

—Y tú debes de ser la mamona que quiere utilizarnos para ganar su libertad.

Mocosa estúpida. Evalle decidió no hacerle caso. Tristan era el que tomaba las decisiones del grupo.

—El Tribunal dará libertad a Sen para que él mismo se encargue de cazaros. Su filosofía es que el único mutante bueno es el que desaparece para siempre. Y eso sin contar con los Asaltantes Nocturnos, los Nyght Raiders.

—¿Quiénes? —preguntó Tristan.

—Una organización clandestina dirigida por un hombre que perdió a su mejor amigo en manos de un mutante. Están siguiendo una política de «ver y disparar» desde hace mucho

SHERRILYN KENYON-DIANNA LOVE

más tiempo que VIPER. Estás arriesgando la vida de tu hermana y de los otros dos, más de lo que te das cuenta. —Miró a su alrededor—. ¿Dónde están ellos?

Petrina se puso a fanfarronear de nuevo, pero Tristan la silenció.

—Están ocupados —dijo.

Evalle cambió de táctica.

—Puedes arriesgar tu propia vida y la de tu hermana, pero es injusto poner en peligro las de Webster y Aaron sin darles la oportunidad de expresar su opinión.

—Me estás retrasando. Apártate. Nos vamos —espetó Tristan a Evalle.

—Mientras estábamos en el laberinto, me dijiste que compartirías información y me ayudarías cuando tu hermana estuviera a salvo.

—Todavía no está a salvo.

—Ninguno de los dos estará a salvo si no trabajáis conmigo.

La indecisión se asentó por fin en el rostro de Tristan.

Evalle aprovechó su oportunidad.

—Déjame por lo menos llevar conmigo a Webster y Aaron si están de acuerdo. Dame información suficiente para defendernos a nosotros tres. No iré a ningún sitio sin ellos, y estarán a salvo de la niebla si están en el cuartel de VIPER.

Brina podría argumentar quizá que Evalle había traído a los tres mutantes fugados que seguían vivos. ¿Cómo iba a pretender el Tribunal que Evalle entregase a un mutante muerto?

—Está mintiendo —dijo Petrina.

Evalle negó con la cabeza.

—Tú sabes que no miento, Tristan. No aceptaré la libertad a no ser que el Tribunal nos la conceda a los tres.

La lluvia corría por el rostro de Tristan mientras se decidía. Despejó el agua de su cara y al fin dijo:

—Si Webster y Aaron aceptan ir…

Petrina lo agarró del brazo.

—¡No!

De una mirada pétrea la silenció, luego terminó de hablar:

—Tienes razón. Yo no puedo decidir en su lugar. Si ellos

aceptan ir contigo, te daré información suficiente para apoyar vuestro caso, pero si en cualquier momento descubro que me has mentido, te haré lamentar el haberlos utilizado durante el resto de tu vida.

El peso que llevaba sobre su espalda durante los últimos días se aligeró unos cuantos kilos.

La mirada de Petrina se desplazó hacia la derecha, por donde se acercaban caminando Webster y Aaron desde el otro lado de la calle.

—Hola, Evalle —llamó Webster, sonriendo.

—Hola, Webster.

Mientras empezaba a hablar con Aaron, sintió un olor a azufre. Luego vio el borde delantero de la niebla avanzando detrás de Tristan y su hermana. Webster y Aaron estarían en la línea de la niebla en unos cuantos pasos si se unían a Tristan.

Webster llamó a Tristan:

—¿No íbamos a encontrarnos en la estación del metro?

Antes de que Tristan pudiera contestar, Evalle dijo:

—Viene la niebla. Tenemos que irnos de aquí.

Tristan giró para mirar atrás y en ese mismo instante la niebla empezó a rodearlos.

Un gruñido sonó entre los arbustos.

Storm. Evalle miró en su dirección y sacudió la cabeza, suplicándole que no atacara.

Tristan se dirigió a Webster y Aaron:

—Manteneos cerca de mí y aguantad la respiración si nos atrapa la niebla. —Cuando los otros dos mutantes se juntaron con Tristan, este miró a Evalle—. La única manera de salir de aquí es detrás de ti. Puedes hablar con Webster y Aaron por el camino si…

Una voz masculina resonó por un altavoz desde detrás de Evalle.

—¡Evalle, aléjate de los mutantes! Los tenemos en nuestra mira.

Evalle se dio la vuelta pero no vio nada, lo cual quería decir que el equipo clandestino de Isak atisbaba invisible en la noche. Cuando volvió a mirar a Tristan, el rostro de este se retorcía de ira.

Le gritó:

—Es una trampa. ¡Me mentiste!

—No es cierto. Intenté hablarte de los Nyght Raiders, de los Asaltantes Nocturnos.

—¡Y una mierda! Estabas simplemente ganando tiempo hasta tenernos a todos juntos aquí. Tú sabías que no aceptaría la idea de ir contigo y dejar a mi hermana. No me puedo creer que te haya escuchado.

—¡No es cierto! —Vio a Storm emergiendo de los arbustos, donde la niebla lo rodeaba. Volvió a decirle que no con la cabeza.

Este emitió un feroz gruñido y caminó de ida y vuelta, preparándose para saltar.

El tufo a azufre quemaba la garganta de Evalle cuando volvió a inhalar, mientras la neblina amarilla se aproximaba aún más al grupo de Tristan.

Desde el altavoz se oyó decir:

—Evalle. Aléjate. Ahora.

Al mirar por encima del hombro en esta ocasión distinguió a siete hombres saliendo de su refugio armados para la lucha, sujetando los megarrevólveres; eran los Asaltantes Nocturnos con Isak. De hecho, era Isak quien dirigía el grupo.

Gritó:

—Detente, Isak. No disparéis.

Webster y Aaron rugieron, y sin necesidad de mirarlos ella sabía que estaban empezando a transformarse en bestias.

Pero el daño estaba hecho en el instante en que Isak vio los ojos verdes de Tristan y Petrina.

En ese momento, en medio del rugir del trueno, los gruñidos de Storm y los gritos de Isak, era como si todo estuviera sucediendo en cámara lenta cuando de pronto se dio cuenta de que tenía una manera de salvar a los demás aunque significara el fin de su última esperanza.

Solo le quedaba uno de los regalos del Tribunal.

Declamando las palabras que sellarían su destino, gritó:

—Por el poder del Tribunal que recibí como don, ordeno que la niebla de Kizira desaparezca… —pensando rápidamente, añadió—: y que no vuelva jamás.

La niebla se desvaneció.

Aaron y Webster apenas habían iniciado su transformación. La miraron mientras volvían a su estado humano.

—Muévete ahora, Evalle —gritó Isak otra vez a través del megáfono.

Miró fijamente a Tristan.

—No te tendí ninguna trampa.

Echó un vistazo sobre el hombro de Evalle, luego volvió a mirarla.

—Va a ser difícil probarlo cuando estemos todos muertos.

—Lo sé. Salid de aquí.

Sus ojos se estrecharon, llenos de sospecha.

Inyectando más poder a su voz, le ordenó:

—Salid, porque la única razón por la cual aún no ha disparado es para evitar matarme. En el momento en que decida que yo también soy una amenaza para los humanos, eso va a cambiar. Podría llamar a Tzader, pero no llegaría a tiempo para detener a Isak.

Tristan pidió a Webster, Aaron y Petrina que lo siguieran en fila india. Retrocedió al igual que ellos, manteniendo su mirada fija sobre Evalle.

Ella veía su confusión y el debate interior sobre lo que debía hacer, pero los dos sabían que no tenía otra alternativa.

Tampoco la tenía Evalle mientras veía su única opción de libertad desaparecer en los bosques al otro lado de la calle. Dio media vuelta y vio al equipo de Isak avanzando, pero aún les quedaban treinta metros.

Isak la llamó sin megáfono.

—Ha sido un error, Evalle.

Ella asintió, comprendiendo lo que decía.

Storm gruñó y ella se giró bruscamente para mirarlo.

—No salgas de aquí. Me lo prometiste. Si rompes esa promesa, te aseguro que te dolerá tanto como la mentira, pero a mí me dolerá todavía más.

La energía la libró de la lluvia en una breve ráfaga.

Sen apareció delante de ella sujetando el reloj de arena… vacío.

—No veo a tres mutantes contigo.

—¿Qué demonios es eso? —gritó Isak, que había dejado su megáfono y se dirigía hacia ellos.

Sen se volvió para mirarlo con una expresión de enojo. Puntos rojos de láser salpicaban su cabeza y su pecho. Alzó la mano, señalándolos con un dedo en una clara muestra de agresión al equipo de la organización clandestina.

Un estallido salió de una de las armas.

Sen levantó la palma, deteniendo el disparo en el aire a unos pocos centímetros de su mano.

¿Quién diablos era ese tío? Evalle pensaba que los hombres de Isak iban a descargar todas sus municiones, pero habían sido convertidos todos en estatuas vivientes, atrapadas en la posición que tenían cuando Sen levantó la palma.

Evalle preguntó:

—¿Durante cuánto tiempo se mantendrán congelados así?

Sen se encogió de hombros.

—Hasta que me vaya, y entonces no van a recordar nada de todo esto.

Cuánto daría Evalle por tener ese tipo de poder, sobre todo con Sen allí sujetando todavía el reloj de arena vacío.

Giró para mirarla con una sonrisa satisfecha.

—Como te decía, no veo a los tres mutantes contigo.

—Hay una buena razón.

—Como si a mí me importara un comino eso.

Por el rabillo del ojo, Evalle vio a Storm dar un paso fuera de las sombras, con los ojos encendidos con intenciones mortíferas. Se agazapó sobre el suelo, preparándose para atacar a Sen.

Sería un acto suicida.

—¡No lo hagas! —gritó.

Sen no llegó a darse la vuelta ni a mover un músculo, pero Evalle sabía que fue él quien mandó la maligna ráfaga de poder que arrojó a Storm contra el edificio de apartamentos. Cuando su cuerpo golpeó contra los ladrillos hubo un sonido brutal de huesos que se fracturaban. Un jadeo atroz emergió de sus pulmones mientras se deslizaba blandamente hacia el suelo.

Un hilo de sangre le caía de la boca.

Ella corrió hacia Storm, gritando:

—¡No!

Pero su cuerpo se detuvo mientras corría. Sen la mantuvo allí durante un minuto, tiempo suficiente para que se diera cuenta de que el pecho de Storm no se había movido. No respiraba.

Cuando el mundo dejó de dar vueltas, sus brazos y sus piernas volvían a funcionar y golpeaba con sus puños en todas direcciones, intentando alcanzar a Sen, cuya risa reverberaba a través del remolino de colores.

Convocó su energía cinética. En vano.

Storm no podía estar muerto.

Esa no podía ser la última imagen que mantendría de él durante el resto de su vida solitaria. El Tribunal se negaría a escuchar lo que tenía que decir. No había ninguna cláusula para el fracaso.

Oh, querida diosa. Fracaso.

Si pensaba que su corazón sería incapaz de recibir más golpes, se equivocaba.

¿Qué haría el Tribunal a Brina?

¿Y qué significaría eso para los veladores?

Treinta y cuatro

Al concluir la teletransportación, Evalle ignoró a Sen, que se mantenía de pie a su lado con arrogante placer. Apenas sentía el suave césped debajo de sus pies y el cielo negro cargado de estrellas fugaces y dos lunas. La parte más bella y letal de este universo paralelo eran los dos dioses y la única diosa, puestos esta vez sobre una tarima radiante de oro. Un arco de luces brillantes en forma de diamante se curvaba sobre sus cabezas.

El agua caía en gotas de la nariz de Evalle y empapaba su ropa. Fue por eso quizá que no lograba ver con claridad, pero dudaba si toda el agua en su rostro provenía de la lluvia de antes.

¿Había muerto Storm de verdad?

La derrota la dejaba devastada. Quería acurrucarse en algún lugar y esconderse, pero no con el destino de Brina todavía en peligro.

Pelé se dirigió a Evalle.

—¿Te presentas ante nosotros sin uno solo de los tres mutantes fugados?

—Respecto a ellos —empezó Evalle.

Ares la interrumpió:

—Cuatro, si incluimos al que ayudaste a escapar.

Sería inútil negar su participación en la fuga de Tristan.

—De los tres primeros, uno murió en manos de los Medb.

No hubo ninguna señal de simpatía en esa tarima.

—Utilicé mi último don para evitar que los mataran, y al hacerlo destruí toda la niebla. Salvé millones de vidas.

Ares dijo:

SHERRILYN KENYON-DIANNA LOVE

—Recibiste la orden de entregar a los mutantes. La niebla no había llegado al punto de dañar millones de vidas...

Evalle respondió:

—Pero me encontré con los Medb mientras intentaba traer a los mutantes. Kizira se atribuyó la responsabilidad de la niebla y dijo que tenía la intención de extenderla por toda América del Norte.

—Además... —gritó Ares para hacerle ver que se había equivocado gravemente al interrumpirlo— sospechamos que solo el creador, que según tú serían los Medb, o alguien asociado con ese panteón, sería capaz de dispersar la niebla. Si ese es el caso, puedes explicarnos ahora por qué fuiste capaz de borrar una niebla dotada de sensibilidad que ninguna deidad de la coalición VIPER ha sido capaz de afectar.

¿Haber intentado salvar el mundo la hacía sospechosa de estar vinculada con los Medb? Tenía que reconocérselo al Tribunal:

—No lo sé. Debe de haber sido el poder, porque utilicé el don que me entregasteis.

Mala idea. Cada uno de los rostros sagrados de la tarima se endurecieron ante el insulto.

Loki levantó la voz.

—Convoco a Brina de Treoir.

«¡No! —Evalle luchó por alcanzar telepáticamente a la reina guerrera—. No acudas a la reunión del Tribunal, Brina.»

Pero la imagen holográfica de Brina se hizo corpórea entre Evalle y la tarima. Brina le dijo: «Debo venir si me convocan».

«Tuve un fracaso colosal». Esas palabras abrieron un tajo en su corazón, como el filo agudo de una navaja contra la piel desnuda.

«Lo sé. Oí que Tristan se había escapado.»

«Fue un accidente —suplicó Evalle—. Tristan tiene información sobre los mutantes que podría influir en el Tribunal si solo me dejaran explicarme, pero me están culpando de la niebla porque utilicé mi último don para que desapareciera para siempre.»

«No es normal que hayas sido capaz de hacer eso cuando ni siquiera las deidades de VIPER supieron influir en la niebla.»

«No tengo ni idea de por qué funcionó. Quizá fuera el poder de cada uno de ellos en los dones o el hecho de que yo estuviera dentro de la niebla cuando convoqué el don, o a lo mejor Kizira mentía al decir que ella era la responsable de la niebla... No lo sé, pero te juro que no estoy con los Medb, Brina.»

Brina asintió con la cabeza, luego se dirigió al Tribunal.

—Pido que den a Evalle la oportunidad de explicarse...

—Ese no ha sido nuestro acuerdo, Reina Guerrera —aseveró Ares—. Aceptaste nuestros términos, y no veo aquí a ninguno de los mutantes, y tampoco a ese llamado Tristan, que fue liberado por la propia Evalle.

El oscuro cielo que los rodeaba tembló y rugió con la fuerza de su declaración.

Pelé se mostró de acuerdo:

—Ninguna deidad de la coalición VIPER ha sido capaz de impedir el aumento de la niebla. Sin embargo, su mutante destruyó algo que, según ella misma cuenta ahora, fue creado por los Medb. Según su propio testimonio está vinculada con tus enemigos. ¿Aun así insistes en defenderla?

Brina contestó:

—Nadie tiene pruebas sobre quién hay detrás de la niebla. Los Medb pueden haberle mentido.

La impaciencia de Pelé resultó evidente cuando se negó a seguir debatiendo el asunto de la niebla.

—De todos modos, esta criatura —dijo señalando a Evalle— ha demostrado sin una sombra de duda que su lealtad está con sus compañeros mutantes, ya que pide que sigan en libertad.

La diosa se dirigió directamente a Evalle:

—¿No es así?

No de la manera en que Pelé lo afirmaba.

Evalle no estaba dispuesta a quedarse allí oyendo cómo cuestionaban su lealtad.

—No estoy alineada con los Medb. Soy leal a los veladores. No tengo ni idea de por qué funcionó el don, pero a pesar de todas sus acusaciones volvería a utilizarlo para proteger a los humanos a lo largo de este continente.

—¿Y a los mutantes también? —interpuso Loki suavemente.

Evalle reflexionó sobre todo lo sucedido y comprendió que esta sería su última oportunidad para hablar en defensa de los mutantes.

—¿Si me gustaría ver libres a todos los mutantes que no han cometido crímenes? Nunca lo he dicho específicamente así, pero yo misma soy mutante y solo puedo decir que mi respuesta a esa pregunta es sí. Deberíamos tener los mismos derechos que todos los demás seres libres. Yo salí de aquí con la meta de volver con esos tres fugados para que se enfrentaran a un juicio que yo creía que sería justo.

Evalle se detuvo para ponderar sus siguientes palabras. Al ver que nadie en la tarima la apuñalaba con un rayo, añadió:

—Dije a los otros mutantes que yo creía que un juicio ecuánime y justo ofrecería a cada uno de ellos la oportunidad de defender su caso para permanecer en libertad. Y Tristan posee información que aclara el origen de los mutantes y proporcionaría respuestas a muchas preguntas.

Brina dio media vuelta al oír estas palabras, fijó en Evalle una mirada inquisitiva y luego volvió a asumir su pose silenciosa.

Evalle prosiguió:

—Tristan cree que puede mostrar que no somos una anomalía de la naturaleza sino una raza que debe ser reconocida...

—Estaríamos dispuestos a oír a este Tristan, pero... —Loki hizo el gesto de recorrer el espacio con la mirada— no está aquí.

Una risa sarcástica afilaba su burla.

Ares habló con la potencia de un disparo:

—Hemos oído suficiente. La tarea no ha sido hecha. Es la hora del dictamen.

Brina intervino:

—¿No podría Macha...?

—Macha —amonestó Loki—. ¿Qué más quisiera usted pedir a su diosa cuando en su generosidad ha proporcionado un santuario para esta mutante hasta ahora? No hay objeción posible a este dictamen en vista de que los mutantes no son una raza reconocida y no han sido aceptados en un panteón... a menos que desee informar a este Tribunal sobre semejante cambio en su estatus... —Inclinó la cabeza al formular la pregunta—. ¿No? Ya me parecía que no.

Evalle observaba con horror la espalda del inmóvil holograma de Brina.

Pelé asintió, como si un debate silencioso acabara de terminar entre ella y los dos dioses. Su voz melodiosa resonó con una autoridad incuestionable.

—Brina de Treoir, se la hace a usted responsable de este fracaso.

Evalle gritó:

—¡No! No es justo.

Ares señaló los pies de Evalle y el rayo que antes la preocupaba golpeó el suelo a un centímetro de sus dedos. La energía le mordía la piel. Ares habló:

—Si vuelves a decir una sola palabra no solicitada, el próximo rayo atravesará tu corazón.

Brina se manifestó en la mente de Evalle. «No empeores las cosas discutiendo. No creo que hagan más que suspender mi presencia en las reuniones del Tribunal con veladores sancionados durante un tiempo. Eso dejaría a un guerrero procesado a la merced del Tribunal sin ningún apoyo, pero hay cosas peores en el mundo.»

Evalle se calmó al oírla, pero ahora sería culpa suya que otros guerreros no se beneficiaran de la compañía de Brina cuando tuvieran que enfrentarse a ese trío de deidades desalmadas.

Cuando Brina habló, Evalle comprendió por qué los guerreros seguían a esta mujer en las batallas.

—Es posible que Evalle les haya fallado a ustedes, pero no me ha fallado ni a mí ni a su tribu de veladores. Yo no creo que tenga nada que ver con los Medb. Estaré siempre al lado de mis guerreros en cualquier batalla, incluso con los que han sido enviados a luchar en un terreno desigual.

Loki regaló a Brina una sonrisa encantadora.

—Su premio por tener fe en un percance genético es que permanecerá con nosotros para siempre.

—Usted sabe que no puedo hacerlo —replicó Brina, con palabras teñidas de sospecha.

—Oh, pero su holograma sí puede.

—¿Cómo? No pueden… —Brina levantó los brazos para defenderse de una amenaza invisible… y se convirtió en una estatua translúcida congelada en esa postura.

Oh, querida diosa. ¿Qué había hecho Loki? Evalle observó al dios sonriente y abría la boca para maldecirlo de mil maneras distintas cuando él le dijo:

—¿Deseas hablar, mutante?

Ella percibió la amenaza y cerró bruscamente sus labios. Brina le había advertido que no debía oponerse al Tribunal. Evalle escondió los puños cerrados detrás de su espalda, sabiendo que Sen se percataría del movimiento, pero ese cabrón debía de estar disfrutando demasiado la ocasión como para interrumpirla.

Evalle asintió, luego respondió a Loki con voz respetuosa, cuando en realidad lo que quería era degollarlo:

—No tengo nada que decir en defensa propia, pero no veo el sentido de congelar la imagen de Brina cuando soy yo quien ha fracasado.

Pelé se cubrió la boca y soltó una carcajada. Guiñó un ojo primero a Ares y luego a Loki, que se echaron a reír también.

¿Qué podía ser tan gracioso? ¿Qué cosa sería capaz de unir a los tres en cualquier asunto?

Evalle echó una mirada rápida a Sen, que parecía ligeramente confuso.

Cuando dejaron de reír, Pelé dijo:

—Loki no ha congelado la imagen de Brina. Capturó su holograma y lo encerró en una cárcel intemporal. Una parte de la esencia de Brina viaja con ella en el holograma para permitir que emplee su poder fuera de la isla de Treoir.

¿Eso significaba… que habían llegado realmente a encerrar parte del poder de Brina? ¿Qué pasaría con los veladores?

Un pánico total sacudió a Evalle. ¿Qué era lo que había hecho a toda su tribu?

—Evalle de los veladores, por la presente está usted condenada al encarcelamiento VIPER hasta que llegue el momento de tu último aliento.

¿VIPER? ¿Qué pasaba con la selva adonde enviaron a Tristan?

Se volvió hacia Sen, quien le susurró:

—Te prometo que te espera una vida larguísima.

Treinta y cinco

¿*P*uede haber compañero de celda más solitario que el honor?

Evalle se hallaba sentada en el borde de un catre en un espacio pequeño y asfixiante, con el corazón abrasado por el dolor que le apuñalaba el pecho. Hasta aquel momento había creído que el simple sótano de dos habitaciones donde habían transcurrido los primeros dieciocho años de su vida era una jaula claustrofóbica.

No sabía la verdadera definición de jaula hasta ser abandonada en una habitación de diez metros cuadrados con paredes de rocas frías y un suelo de piedra gris.

No había puerta. No la necesitaron para teletransportarla allí.

No había ventana. Nada para ver allí bajo la montaña que albergaba los cuarteles de VIPER en el norte de Georgia.

No había forma de salir, cuando lo único que ella siempre había deseado era la libertad.

Se arrebujó en su cazadora, agradecida de que Sen no tuviera ni idea de lo mucho que ella valoraba la chaqueta que Storm le había traído. Ahora que ya estaba seca, podía sentir el olor de él en la tela.

Su corazón sangraba un poco cada vez que inhalaba ese aroma.

Una de las cuatro paredes de piedra empezó a cambiar. Se formó en ella una puerta de madera con unos adornos de metal negro.

La puerta se abrió de golpe y entró Tzader.

Verlo de golpe casi le hizo perder el control. Pero no lloraría. Nadie la había visto derramar una lágrima desde los quince años.

No podía pensar en la idea de no ver a Storm. Eso desataría el río de tristeza que esperaba estallar en su interior.

Tragó saliva para tragarse con ella la pena.

Cuando Sen había reconocido de mala gana que las reglas de VIPER admitían la visita de una única persona, Evalle dio el nombre de Tzader. Ella no sabía si Quinn realmente la había traicionado ante Kizira, pero la bruja había sacado la información de alguna parte.

Tzader entró en la habitación y se detuvo justo ante la puerta, que se cerró tras él. Los ángulos duros de su rostro no revelaban nada de sus pensamientos.

¿La odiaba por lo que le había ocurrido a Brina?

—Y... yo... lo siento... —Eso sonaba inútil. ¿Acaso sentirlo podía servir para liberar a Brina?

—No es culpa tuya, Evalle.

—Sí, es culpa mía. Ellos encerraron el holograma de Brina en una especie de estatua.

Él flexionó los músculos del cuello.

—Lo sé.

—Capturaron su esencia... Ellos... ¿qué le han hecho? ¿Qué les ocurrirá a los veladores?

La mirada de Tzader se llenó de preocupación.

—Brina no puede salir del castillo, ni siquiera si estuviera siendo atacado. Su holograma se origina desde allí donde existe su cuerpo físico. Si se mueve más de una distancia corta del lugar desde donde proyectó su holograma por última vez, su cuerpo comenzará a deteriorarse. No moriría, pero sería como si sus huesos comenzaran a destrozarse.

—¿Qué hará Macha?

—Nada todavía. —Se cruzó de brazos—. Si una parte de la esencia de Brina no puede regresar a su cuerpo, los poderes de los veladores tienen una grieta en su coraza. No tendremos la habilidad de vincularnos unos con otros ni de comunicarnos por vía telepática.

¿Cómo podía haber hecho tanto daño a su tribu? Probablemente después de aquello no volvería a verlos jamás.

La mayoría de los veladores apenas toleraban ya antes su estatus de mestiza.

Esa tolerancia se convertiría en un odio declarado ahora que había hecho daño a su reina guerrera.

Evalle se tapó los ojos, luego se apretó el puente de la nariz, todo para evitar quebrarse.

—Eso significa que si Macha contraataca de alguna forma y pierde la fe en la alianza con VIPER nuestros guerreros serán extremadamente vulnerables. Podrían ser barridos del mapa con un simple ataque.

—Exactamente.

Evalle se puso en pie, preparada para luchar contra el enemigo... pero el enemigo era ella.

—Podrías decirle al Tribunal que fue un error haberme aceptado, que yo no soy realmente un velador y que por eso Brina no debería ser castigada por mí... y...

No debería gritarle a Tzader. No era él quien le había hecho esto.

Tzader avanzó hacia ella.

—Eso sería mentira.

—Es cierto. Os he fallado, Tzader. No quiero hacerte perder más tiempo tratando de salvarme cuando es Brina la que más necesita tu ayuda.

—Tú no nos has fallado, y no voy a permitir que le pase nada a ella... ni a ti. No te dejaré aquí.

Por supuesto que Tzader trataría de sacarla de esa caja. El honor corría por sus venas, y su corazón era leal.

Tzader dijo:

—Enviaré a alguien en busca de Tristan y esos mutantes. Yo sé que nunca hubieras ayudado a escapar a ese bastardo.

—Sé que no quieres oír esto, Z, pero no puedes entregar los mutantes al Tribunal.

Tzader habría hecho retroceder a un ejército de hechiceros Medb con esa expresión feroz en su rostro.

—¡Deja de defenderlos! Ninguno de esos mutantes ha acudido en tu ayuda.

—Lo sé, pero escúchame. Kizira está tratando de capturar mutantes. —Ya que no podía hacer nada más, al menos tenía que darle a Tzader cualquier información que él pudiera usar para liberar a Brina y proteger a los veladores.

—Nos imaginamos que los Medb estaban detrás de esa emboscada que te prepararon.

Ella asintió.

—Quieren a ciertos mutantes. A mí, a Tristan y quién sabe cuántos más, pero no todos los mutantes tienen sangre de velador. Tristan tiene información acerca del origen de los mutantes y cree que los Medb planean usar los mutantes de ojos verdes para asaltar el castillo de Brina. —Lo cual era mucho más peligroso ahora que el holograma de Brina permanecía secuestrado por el Tribunal.

El suspiro de Tzader revelaba un mundo de preocupaciones.

—¿Dónde has oído eso?

—Cuando Tristan estuvo con Kizira y los kujoos oyó lo suficiente como para creer que los Medb saben algo importante sobre nuestros antecedentes que pueden usar a su favor. Tienes que encontrarlo y tratar de ayudarlo para que a cambio él ayude a los veladores.

—¿Por qué lo crees, Evalle?

—Creo que lo había convencido de acudir conmigo a enfrentarse al Tribunal, pero en ese momento apareció Isak Nyght.

La piel marrón chocolate de Tzader perdió dos capas de color. Se llevó las manos a la frente.

—Ah, demonios.

—¿Qué?

—Quinn puso a prueba la mente de Conlan O'Meary…

—¿Por qué?

—Porque Brina quería comprobar si Conlan era o no era el traidor que estaba ayudando a los Medb. —Tzader hizo un ruido de disgusto—. Cuando Quinn estuvo en el interior de la mente de Conlan se encontró con Kizira y supo de los planes que justo tú acabas de revelar… pretende usar mutantes para asaltar el castillo de Treoir. El Tribunal supo de la fuga de Tristan y dejó que Sen diera la orden de matar a todos los mutantes.

—Lo sé.

Tzader hizo una pausa y su pecho se alzó y se hundió con un profundo suspiro de arrepentimiento cuando dijo:

—Yo no tenía ni idea de dónde estabas, y Quinn había oído mencionar tu nombre cuando entró en la visión de la mente de Conlan. Quería encontrarte lo antes posible, por eso contacté con Isak para pedirle ayuda.

¿Acaso él pensaba que después de todo lo que había hecho por ella aquello la pondría en su contra?

—Lo ocurrido no es culpa tuya, Z. Isak sabía que yo estaba en Atlanta. Me topé con él cuando iba en busca de Tristan. Cuando él vio aquellos ojos verdes y brillantes a mi lado solo se fijó en su blanco. Podría haber pasado en cualquier caso.

Tzader aceptó eso con su habitual estoicismo, pero sabía que no se perdonaría a sí mismo el hecho de haber metido a Isak en toda esa historia.

Ella necesitaba decirle algo más.

—Has suscitado el interés de Isak. Puede que ande en tu búsqueda.

—No me preocupa Nyght.

A ella sí.

—Por favor, ten cuidado y vigila tu espalda.

—Lo haré. —Los músculos de su garganta se flexionaron al tragar saliva—. Tengo que irme pronto, pero lograré que me dejen volver.

Sen había dicho que una visita significaba una visita.

Puede que ni siquiera Sen fuera capaz de convencerlos.

El pánico se escurrió a través de ella atenazándola con afiladas garras. ¿Podrás hacerme un par de favores solo por si acaso...? Será un momento...

—Lo que quieras.

—Storm estaba conmigo cuando Sen vino a buscarme. Sen lo atacó con algún tipo de poder que pudo haberlo... Tomó aire. No era capaz de pronunciar las palabras que no quería oír en voz alta—. Fue en Decatur...

—Lo sé. El equipo de Trey llegó allí en cuanto te marchaste. Los hombres de Isak estaban alrededor y parecían confundidos.

El corazón le dio un vuelco de esperanza.

—¿Encontraron a...? —Se detuvo antes de preguntar a Tzader si alguien había encontrado a un animal muerto en la escena. Le había dicho a Storm que no contaría que podía transformarse en jaguar. No traicionaría su confianza nunca más.

—Storm debe de estar bien.

—¿Por qué?

—Sen me dijo que Storm ha renunciado. Yo tenía gente tratando de encontrarlo desde que supe que estabas con él, pero se ha marchado.

¿Se había marchado o había muerto? ¿Habría sobrevivido al ataque, o Sen habría sacado el cuerpo y habría inventado esa historia de la renuncia?

Tzader dijo:

—A propósito de Storm...

—Es un buen hombre, Z. Sé que tienes dudas sobre él porque lo trajo Sen, pero es un aliado.

Tzader se quedó pensando en eso.

—¿Por qué permitieron que Storm te ayudara si nosotros no podíamos hacerlo?

—No es que lo permitieran. Cuando el Tribunal me teletransportó a la jaula hechizada de Tristan en Sudamérica...

Tzader soltó un insulto en gaélico.

—... Storm me encontró por su cuenta. No estoy segura de cómo lo hizo, pero el caso es que lo consiguió y se negó a dejarme sola cuando quise ir a la búsqueda de Tristan y los otros mutantes.

—En ese caso, si no hubiera abandonado se lo agradecería —dijo Tzader—. Sen parecía fastidiado cuando le pregunté por Storm. Dijo que se había alterado por tu encarcelamiento. Piensa que regresará en un día o dos cuando se haya calmado. Storm es uno de sus mejores rastreadores, así que VIPER no dejará que desaparezca.

Sonaba como una historia que Sen podía haber inventado para no tener que explicar por qué había muerto un agente.

Pero Evalle deseaba con todo su ser que lo que decía Tzader fuera verdad, por pocas posibilidades que existieran a que hubiera sobrevivido al ataque de Sen.

En cualquier caso, Sen se aseguraría de que Storm no pudiera volver a ayudarla.

Pensando en ese maldito Sen, se dio cuenta de que en cualquier momento podría hacer salir a Tzader. Y ella necesitaba decirle un par de cosas más.

—Si no pudieras regresar a verme otra vez, por favor, entrégale esto a Nicole. —Se desató del cuello la cinta de cuero de la cual colgaba el amuleto de Nicole. No quería pensar que aquella podía ser la última vez que viera a Tzader. Cuando le entregó el amuleto él abrió la mano a regañadientes—. Y asegúrate de que Feen...

Se le quebró la voz. Creyó que sería capaz de decir su nombre.

Tzader la envolvió con sus brazos. Cuando habló, su voz sonó como si hubiera comido espadas oxidadas.

—No te abandonaremos.

A ella le tembló la respiración.

—Lo sé. —Se relamió los labios secos, buscando la fuerza para asegurarse de que su bebé tuviera quién lo cuidara—. Lleva a *Feenix*... a casa de Nicole... así no estará solo. Dile a *Feenix*, dile...

Su pequeño enloquecería cuando supiera que no iba a volver.

La primera lágrima cayó por sus mejillas.

Tzader la abrazó.

—Esta noche lo llevaremos a casa de Nicole, tan pronto como termine las reuniones con VIPER. Le diremos que lo quieres y que cuidaremos de él hasta que regreses. Te lo prometo.

Más lágrimas luchaban por unirse con la primera, pero ella apretaba con fuerza los ojos.

La puerta de la celda se abrió.

Ella se apartó de Tzader y trató de sonreír.

—Gracias por todas las veces que has sido mi amigo y has creído en mí.

—No hables en pasado. Encontraré una manera de sacarte de aquí. Quinn y yo no pararemos hasta conseguirlo.

¿Debería decirle que, según Kizira, Quinn había compartido información con ella? No, ya que no tenía pruebas. Evalle no podría vivir con más sentimiento de culpa, y ya había perjudicado a suficientes veladores por hoy.

Confiaba en que Tzader supiera quiénes eran sus aliados.

No podía quedarse allí pensando que Quinn la había traicionado ante Kizira.

Tzader se apartó, mirando atrás una vez más antes de salir.

La puerta se cerró de golpe y se disolvió en una pared de roca de nuevo.

Su corazón se sobresaltó con el golpe seco repentino. Su reloj emitía fuertes sonidos con cada segundo que pasaba.

Eso sería cosa de Sen, sin duda. Quería que ella fuera consciente de cada uno de los segundos que pasaba en esa jaula.

Se aseguraría de que pasara todos esos segundos en agonía pensando en Storm y en todo lo que había perdido en un solo día.

Treinta y seis

*E*l reloj se había convertido en el peor enemigo de Evalle. Trató de pisotear esa cosa ruidosa, pero era un reloj indestructible, así que acabó por ponerlo debajo del delgado colchón de su cama.

El maldito objeto sonó todavía más fuerte.

Finalmente se rindió y volvió a ponerse el reloj en la muñeca, donde el repiqueteo de cada segundo volvió a adquirir un nivel normal que hacía eco en las duras paredes de piedra.

Dentro de la habitación comenzó a formarse una energía.

Evalle retrocedió hasta la pared donde había aparecido la puerta la última vez, pero ninguna puerta cobró forma en esta ocasión.

La energía reunió poder hasta que una pequeña explosión de luz dio paso a una mujer que brillaba de la cabeza a los pies con un vestido angelical salpicado de perlas blancas.

Pero al atender su mirada letal estaba visto que no se trataba de ningún ángel.

Evalle no había esperado otra visita tan pronto, y mucho menos esta.

—Buenos días, diosa.

Macha deslizó una mirada preocupada por encima de su estrecha pero perfecta nariz.

—Has provocado un montón de problemas a nuestra tribu, Evalle.

¿La diosa celta de todos los veladores perdía el tiempo viniendo hasta allí para constatar lo evidente?

¿O había acudido para asar a Evalle a fuego lento y entregársela a Brina en un tarro de mermelada?

Macha comenzó a caminar de un lado a otro, dio un vistazo a la estrecha celda y compartió su disgusto en voz alta.

—Debería destruir a todos los mutantes conocidos, y lo haría si creyera que eso iba a solucionar mis problemas.

Ningún sentimiento amoroso por ahora.

Evalle consideró todo lo que había pasado y decidió que si Macha quería tostarla por responderle tampoco tenía nada que perder.

—¿Cuál es el propósito de esta visita, Macha?

La diosa la examinó como si acabara de sorprenderla y le despertara más interés que una simple cucaracha herida.

—El propósito es simple. Si desafío la resolución del Tribunal contra Brina pondré a la raza entera de los veladores en conflicto con VIPER. El riesgo de eso es demasiado alto.

Evalle advirtió que Macha no había mencionado la resolución del Tribunal contra ella.

—Entiendo bien a qué dilema nos enfrentamos.

Probablemente no debería haber usado el plural en esa frase, a juzgar por la mirada con que Macha la regañó.

La diosa dijo:

—Tzader vino a verme y compartió conmigo todo lo que ha sabido a través de la prueba mental de Quinn, que señala a un posible traidor, así como también todo lo que tú le contaste.

¿Habían decidido que Conlan O'Meary era un traidor?

¿O Macha había decidido que la traidora era Evalle después de haber dispersado la niebla?

Como a Grady le gustaba decir: «Ningún pecado queda sin castigo».

Evalle dijo:

—Supongo que has oído decir que usé uno de los dones concedidos por el Tribunal para destruir la niebla.

—Sí.

—¿Tú crees que estoy confabulada con los Medb?

—Si lo creyera no estaríamos teniendo esta conversación.

Eso sonaba a una confirmación de que Evalle podría terminar convertida en una briqueta de carbón vegetal.

Pero la diosa tenía algo más que decir.

—Y lo más importante: creo lo que le has contado a Tzader.

—Eso está bien. ¿Qué parte exactamente?

—Que los Medb están intentando llevar a los veladores mutantes a su redil y usarlos para dañar a Brina. No puedo permitir eso, ni puedo permitir que el holograma de Brina permanezca bajo la custodia del Tribunal.

La diosa no había dicho nada de conceder su ayuda en beneficio de Evalle, pero si liberaba el holograma de Brina, ella le estaría agradecida por esa bendición.

—Me alegra oír que puedes arreglar algo de esto.

—¿Algo? Soy una diosa. Yo no arreglo algo de nada. No quedaré sujeta a la merced del Tribunal por ninguna razón. —Tocó su cabello castaño rojizo con sus uñas perfectas y su melena quedó todavía mejor peinada—. Escucha atentamente, ya que no me repito.

«No es que dentro de esta caja haya mucho que pueda distraerme, pero bueno.»

—Solo una deidad puede acercarse al Tribunal en relación al estatus de una raza. En tanto que diosa, abriré un diálogo con el Tribunal para decretar formalmente que me has dado razones para creer que los mutantes veladores deberíais ser reconocidos como una raza viable. En cuanto el origen de los mutantes esté claramente establecido y su lealtad a mi panteón haya sido probada, su raza será aprobada ante el Tribunal y quedará protegida bajo las leyes de nuestro mundo.

A Evalle se le aflojó la mandíbula.

—Cierra la boca. —Macha hizo una pausa y luego continuó—. Mientras establecemos esta raza, ofreceré amnistía a cualquier mutante que se presente voluntariamente para jurarme lealtad y no dañe a ningún miembro de la coalición, ni velador ni humano, mientras sus orígenes estén siendo investigados.

Evalle paseó sus ojos por la habitación, buscando dónde estaba el truco.

—¿Me estás prestando atención? —le espetó Macha—. No regresaré si no llegamos a un acuerdo.

—Estoy prestando mucha atención, ¿pero qué pasa con Brina? Lo primero es salvarla a ella. —Evalle asintió para enfatizar sus palabras. La esperanza y la cautela luchaban por abrirse espacio en su corazón a partes iguales.

—Brina será liberada en cuanto esto se aclare ante el Tribunal.

Evalle había aprendido duras lecciones acerca de las retorcidas maneras de los dioses y diosas, y eso fue un acicate para intentar que Macha se expresara con mayor claridad.

—Tengo la sensación de que lo que estás sugiriendo implica que yo haga alguna cosa, pero no voy a poder ser de mucha ayuda en esta celda.

—Tzader me ha hecho creer que eres brillante. ¿Crees que estoy aquí para intercambiar consejos sobre moda? —Macha hizo un gesto de desagrado ante la ropa hecha jirones de Evalle.

No había tenido la ocasión de preparar equipaje para este viaje.

—Una vez abra el acta constitutiva para una nueva raza ante el Tribunal, esa decisión suspenderá su juicio, ya que deberás solo responder ante mí y mis leyes.

¿Había una fisura en las reglas del Tribunal?

Macha ladeó la cabeza y apretó los labios como si hubiera oído ese pensamiento. Luego continuó:

—Te he designado mi coordinadora para este proyecto con los mutantes. Estarás bajo mi custodia y mi responsabilidad mientras el estatus de la raza de los mutantes esté siendo documentado. Continuarás sirviendo como agente de VIPER y estarás protegida de cualquiera que quiera dañarte.

¿Eso significaba que Sen ya no podría volver a fastidiarla?

Una parte de Evalle quería exigir a Macha que le mostrara dónde firmar en la línea de puntos, pero otra parte —aquella que estaba cansada de ser usada como un peón en los juegos personales de todo el mundo— tenía sus dudas a la hora de saltar y gritar.

Macha dijo:

—Si necesitas un tiempo para pensarlo, adelante. Tienes el resto de tu vida para reflexionar mientras me voy. —Levantó las manos.

Evalle temió que se teletransportase en aquel instante.

—Espera, por favor.

—¿Eso significa que has tomado una decisión?

Los tratos con un dios o una diosa eran irrevocables. Evalle no quería perder esa oportunidad ni pasar el resto de su vida lejos de todo lo que le importaba: Tzader, Quinn, Grady, Nicole...

¿Y qué había de Storm? Nadie averiguaría la verdad sobre su desaparición si ella no lo hacía.

El rostro de *Feenix* apareció en su mente, sellando la decisión.

Evalle estaría dispuesta a enfrentarse a cosas mucho peores que la letra pequeña del contrato con una diosa con tal de abrazar de nuevo a *Feenix*.

—Lo haré.

—Gran sorpresa —dijo Macha por lo bajo. Luego prosiguió con sus instrucciones—. No hables de esto con nadie, y no me falles, Evalle. Brina es mucho más indulgente que yo.

Macha levantó las manos en un crujido de movimientos, y a continuación se desvaneció.

Fin del encuentro.

¿Y ahora qué?

A Evalle le hubiera gustado pensar que acababa de conseguir un indulto, pero tenía la extraña sensación de que no había hecho más que meter los dos pies en arenas movedizas.

En cuanto Macha desapareció, Evalle prestó atención a sus sentidos empáticos, que habían estado ocupados descifrando la reunión. Se centró en la sensación que había advertido justo al final.

Macha le había transmitido una emoción potente. Euforia.

¿Por qué estaba tan excitada con ese acuerdo?

¿O acaso todo aquello no era más que una manera cruel de castigar a Evalle por meter a Brina en problemas? Tal vez acudía allí para ofrecerle lo que más quería y a continuación desaparecía para siempre.

El honor podía ser un compañero de celda solitario, pero la esperanza era una amante viciosa que la mataría una y otra vez cada minuto que creyera en su libertad.

—La fe no es una habilidad que se aprende, sino la flor de la vid de la esperanza —susurró esa suave voz femenina que ya conocía en la silenciosa habitación.

Evalle preguntó:

—¿Por qué no me dices quién eres?

No hubo respuesta.

Treinta y siete

«*T*enemos que hablar, Tristan.»

El contacto telepático rompió la concentración de Tristan, que se hallaba decidiendo dónde llevar a su banda de mutantes al día siguiente. Después de enfrentarse con ese grupo de operaciones secretas y alejarse de Evalle, no le cabía la menor duda de que Tzader Burke desataría la furia de los veladores sobre él.

Lo único que lamentaba Tristan de todo aquello era dejar que Evalle tuviera que enfrentarse sola al Tribunal. Cuando el equipo de operaciones secretas había irrumpido en la escena, lo único que Tristan había sido capaz de pensar era que Evalle lo había traicionado.

A posteriori, comenzó a tener sus dudas.

Al menos él le había enseñado cómo sobrevivir allí donde la enviara el Tribunal, evitando morir ante el ataque de un animal o una mordedura de serpiente.

«Necesitas mi ayuda», dijo de nuevo la voz masculina.

«¿En serio? —Tristan se inclinó hacia delante en la silla de oficina de la habitación de hotel y miró a través del vidrio del aeropuerto de Hartsfield-Jackson en Atlanta—. ¿Qué te hace pensar que necesito la ayuda de alguien?»

«El hecho de que estás en el punto de mira de los veladores y de VIPER. Yo puedo ofrecerte refugio.»

«Si estás hablando conmigo telepáticamente es porque eres un velador.»

«Sí, lo soy. O al menos lo era hasta que ellos decidieron tratarme como a un criminal. No puedes huir lo bastante lejos como para proteger a tu hermana.»

Los ojos de Tristan se deslizaron hacia la segunda cama de la habitación, donde dormía Petrina. Agotada, pero a salvo. Relajó la espalda en la silla.

«Si creo en lo que dices, entonces los veladores también van detrás de ti.»

«Cierto. Hay solo un lugar seguro donde esconderse, y yo me hallo en ese lugar con total protección.»

Eso sonaba tentador. Tristan tenía dudas acerca de su habilidad para mantener a salvo a Petrina y a los otros dos mutantes. No podía vincularse con Webster y Aaron durante una lucha, y no quería poner a Petrina en una situación arriesgada.

La voz dijo: «No entres en pánico por lo que voy a decirte».

Tristan se rio. «Dudo de que puedas decirme algo que me haga entrar en pánico».

«Excelente. Tengo gente esperando en el exterior del hotel, vigilando el mismo avión que está a punto de aterrizar.»

Eso hizo ponerse en pie a Tristan. Miró a través de la ventana, pero no vio nada.

«¿Dónde están?»

«Lo bastante cerca como para mantenerte vigilado. Espera un momento… Según me dicen te has cambiado de ropa y llevas una camisa con botones de un amarillo pálido.»

Tristan se tocó la camisa como si aquella maldita voz se lo hubiese dicho.

«¿Quién eres?»

Podemos encontrarnos en persona para que lo decidas tú mismo. Mi gente no te molestará. Se asegurarán de que ningún velador ni agente de VIPER se acerque a ti, pero te dejarán salir del hotel si yo lo autorizo.

¿Debía confiar en ese tipo y reunirse con él?

El aeropuerto estaba todavía atascado por todo el daño provocado por la niebla. Si era cierto que ese tipo tenía allí gente para impedirle salir también lo era que él no podría luchar solo contra un equipo de seres poderosos. Tristan dijo:

«No estoy aceptando ningún acuerdo, pero me reuniré contigo.»

«Espléndido. Creo que mi oferta te parecerá excepcional. En diez minutos te espera un coche abajo. Tu hermana y los otros dos estarán a salvo durante tu ausencia. Si quisiera secuestrarte ya estarías ahora mismo sentado frente a mí. Quiero trabajar contigo, no convertirme en tu enemigo. Hasta nuestro encuentro entonces...»

Tristan sintió que la presencia se escurría de su mente.

Se levantó y escribió una nota para su hermana con instrucciones de que permaneciera en la habitación hasta que él regresara o se comunicara con ella telepáticamente.

Si eso no ocurría, a la mañana siguiente debía contactar telepáticamente con Tzader Burke y pedir la protección de los veladores.

Evalle confiaba en que Tzader era un hombre honrado.

Tristan esperaba que la confianza de Evalle estuviera bien depositada.

Treinta y ocho

*K*izira esperaba sobre la tarima con su túnica roja teñida con sangre de dragones. Cantó las palabras que proporcionarían al salón iluminado de antorchas un escudo de privacidad. Miró a los diez hombres vestidos con túnicas grises. Nueve de ellos eran sus hechiceros de mayor confianza.

Pero la décima adquisición podría ser su arma más valiosa. Serpientes gemelas de conflicto y lealtad se retorcían a través de ella. Cathbad había comprometido su lealtad, pero su alma lucharía por la libertad de escoger qué veladores debían morir y cuál de ellos sobreviviría... Ese no era otro que Quinn.

Terminó su canto y bajó la capucha de su túnica.

—He visto el asalto al castillo de Treoir en mis visiones. —Su rostro se retorció con una sonrisa mientras surgían murmullos de excitación a su alrededor en la habitación—. He visto el rostro de aquel que liderará el asalto.

Cuando se hizo el silencio, ella estaba preparada para presentar al más nuevo de sus miembros.

—Hemos esperado durante mucho tiempo esta oportunidad y a aquel que nos entregaría la llave del éxito. —Señaló con la mirada a su nuevo discípulo—. Da un paso adelante, hermano, y di a todo el mundo que triunfaremos por encima de los veladores que te han perseguido a pesar de que llevas su misma sangre.

Conlan O'Meary bajó la capucha de su túnica.

—Aquí hay un mutante que está preparado para conducirnos a la victoria traspasando el hechizo que custodia el castillo de Treoir. A cambio, hemos ofrecido a este mutante lo que nadie más puede darle: que su raza cese de ser víctima de los veladores. Cuando llegue la hora de tomar posesión del castillo de Treoir, sacerdotisa, te entregaré a Evalle Kincaid, que destruirá a los habitantes del castillo de Treoir y te abrirá las puertas.

Un silencio de conmoción colgaba en el aire. Luego los hechiceros lanzaron vítores.

Cuando Conlan alzó la mano, los hechiceros guardaron silencio.

—El mutante Tristan ha aceptado encontrarse conmigo, pero tiene sus reservas. Me gusta este rasgo en alguien con quien voy a trabajar. Una vez tengamos a Tristan en su lugar, lo usaremos para traer a Evalle. Te lo dije, Kizira, yo entiendo cómo funcionan los veladores.

Treinta y nueve

*U*na fuerte brisa azotaba la cumbre del edificio de treinta pisos que se alzaba sobre la calle Peachtree. Tzader había estado allí el tiempo suficiente como para ver ponerse el sol en el centro de Atlanta, convertido en una brillante joya.

Evalle llevaba en ese agujero desde la mañana.

Él quería justicia, pero si no era posible conseguirla tendría que conformarse con algo menos que eso.

Cuando una energía irrumpió en el aire, él ni siquiera se dio la vuelta para ver la presencia que había llegado.

Probablemente eso parecería una indicación de que no se alegraba de verla.

—¿No estás contento de verme, Tzader?

Girando alrededor, él se apoyó contra la pared de la terraza que le llegaba por la cintura, y desde esa posición cruzó los brazos y las piernas.

—Depende.

—He mantenido mi parte del trato. Evalle ha sido sacada de la celda y el holograma de Brina está libre.

Él hubiera disfrutado el alivio que esas palabras le procuraban de no haber sido por el mal sabor de boca que le había dejado tener que negociar por aquello que Macha podría haber ofrecido libremente. Pero había jurado lealtad a Macha cuando era niño y le debía un nivel de respeto.

—Gracias.

Su padre le había dicho una vez que pocos podían entender a Macha, pero que ella no tomaba ninguna decisión sobre los veladores que no fuera honrada y en el interés de proteger a su tribu. Le había advertido a Tzader que no debía apresurarse a juzgarla, porque el tiempo desempeñaba un papel en la comprensión de muchas de sus decisiones.

No importaba cuántas veces Tzader se recordara ese consejo a sí mismo, eso no cambiaba el hecho de que no pudiera ver la razón por la que Macha lo había acorralado de ese modo.

Ella sonrió, y sus ojos cambiaron de un azul plateado al tono azul verdoso que el reflejo de los rayos del sol produce en el mar caribeño. Su radiante cabello rojo nunca parecía estar quieto ni permanecer del mismo color, siempre ocupado en encontrar una forma más llamativa.

—¿Qué le dijiste a Evalle? —preguntó él.

—Exactamente lo que acordamos. Ella va a convertirse en mi coordinadora en la búsqueda y persecución de los mutantes desaparecidos. —Macha se estaba poniendo impaciente y daba golpecitos con el pie—. Podía haber enviado a otro en búsqueda de Tristan, en lugar de liberar a Evalle.

—¿Y arriesgarte a que Evalle caiga en manos de los Medb?

—Ambos sabemos que las probabilidades de que Evalle pudiera escapar eran nulas.

Tzader había considerado varias maneras posibles de liberar a Evalle, pero cada una de esas opciones hacía que él y Quinn tuvieran que enfrentarse a VIPER, a Macha y a los veladores.

Eso lo habría dejado sin la posibilidad de proteger a Brina.

Aunque esta no fuera la mejor opción, era la única manera de proteger del peligro a todo lo que quería.

Macha suspiró pesadamente.

—Incluso con Evalle libre, debemos estar vigilantes para proteger a Brina. No estoy del todo segura de que podamos impedir que los Medb encuentren una manera de asaltar el castillo mientras haya mutantes sueltos por ahí.

—Siempre protegeré a Brina. Eso lo sabes. —Le costaba digerir aquello, pero tenía que mantener su parte del trato o Macha le arrebataría todo cuanto le había dado. Pero no iba a quedarse allí actuando como si creyera que ella realmente deseaba lo mejor para él en su corazón—. No estamos aquí para discutir eso.

—Tienes razón. Tú compartiste cierta responsabilidad en lo

que le sucedió a Brina. Ella confiaba en Evalle basándose en tus lazos con esa mutante.

Él reconocía eso, cuando además casi pierde el juicio al saber que el holograma de Brina había sido capturado.

Pero se preguntaba qué parte de toda esta casualidad había sido orquestada por Macha. Conocía a la diosa desde hacía mucho tiempo, y nunca había confiado en ella tan completamente como su padre y el padre de Brina.

Sabía a dónde había llevado a sus padres esa confianza. A la muerte.

Y Brina había quedado encerrada en el castillo hasta que diera a luz un heredero.

—¿Y qué pasa con Brina? ¿Ha tenido una oportunidad?

Macha dijo:

—La última vez que vi a Brina ella abordó el asunto de que había llegado la hora de producir un heredero.

De acuerdo, eso lo sorprendió, basándose en lo que sabía de Brina. Quería tener un bebé ahora… ¿con otro? Lo único que pudo murmurar fue:

—Ya veo.

—Ella reconoce que necesita más que nunca tener un hijo y proteger el futuro de los veladores, especialmente a la vista de todo lo que acaba de pasar.

—Entonces quítame la inmortalidad para que pueda casarme con ella.

—No puedo quebrantar el juramento que le hice a tu padre. ¿Hablas de matrimonio? ¿Debo recordarte que hiciste un juramento como parte de nuestro trato? ¿O debo devolver a Evalle a su celda en VIPER e impedir que el holograma de Brina deje el castillo?

No. Había evocado ese momento un millón de veces. Las palabras se le atoraron en la garganta, pero había negociado de buena fe y no tenía más remedio que cumplir con su parte.

—Juro no volver a pedir a Brina en matrimonio y no hacer nada para impedir que ella se case con otro.

Los músculos de sus dedos se tensaron en puños dentro de sus brazos cruzados. ¿Cómo podría seguir en ese mundo y permitir que otro hombre se casara con Brina?

Macha agitó la mano exasperada.

—Haces que suene como si te obligara a pronunciar una sentencia de muerte. ¿Eres tan egoísta como para pretender que Brina permanezca esperando para siempre algo que es imposible?

Él nunca impediría a Brina tener una vida con otro hombre si eso era lo que quería, pero dejarla ir desgarraba algo en su interior.

—Por supuesto que quiero que sea feliz. Te dije que no la perseguiría. ¿Hemos acabado?

—No del todo. Aceptaste no solo terminar con esta relación sino además convencer a Brina de que es libre para que pueda continuar sin culpa. Estaba muy preocupada después de vuestro último encuentro y no sabe cómo decirte las cosas sin herir tus sentimientos.

¿Herir sus sentimientos?

Qué expresión tan ridícula para describir lo que sentía al perder a la persona más importante en su mundo.

—La convenceré.

Cuarenta

*E*valle avanzó rápidamente por el último pasillo que conducía a su apartamento subterráneo, magullada de los pies a la cabeza, del corazón al alma. Sen la había teletransportado al lugar donde había dejado su moto en Decatur.

No dijo ni una sola palabra, pero no había modo de enmudecer el odio descarnado en sus ojos.

Y tampoco hubo manera de sonsacarle una respuesta directa en torno a Storm, así que Evalle ni se molestó en insistir. No lo necesitaba a él para encontrar respuestas. Tzader ya le dijo que la informaría en cuanto alguien recibiera noticias de Storm.

Abrió la puerta de su apartamento y cruzó el umbral.

—*Feenix*… He vuelto.

¿Dónde estaba?

Bum, bum, bum… luego un aleteo.

Su corazón dio un salto al verlo volando en su dirección. Solía dar un paso a un lado para que él pudiera aterrizar sobre el puf y a continuación resbalar en el suelo de manera experta.

Esta vez ella permaneció inmóvil.

Los ojos naranja de *Feenix* brillaban sorprendidos. Se alejó haciendo una curva y dio una vuelta por la habitación antes de volar hacia sus brazos abiertos y después plegar las alas mientras aterrizaba en el suelo.

Evalle lo envolvió en un abrazo, dolida y feliz al mismo tiempo.

Feenix le acarició la cara y apretó el pico en la curva de su garganta.

Evalle tembló con el esfuerzo de contener un sollozo que

era incapaz de soltar. Sus entrañas estaban deshechas por el dolor. Storm tenía que estar vivo.

Pero si lo estaba, ¿dónde se hallaba ahora?

Él había logrado encontrarla en América del Sur.

Y había sabido también encontrarla cerca de su casa.

Feenix dijo:

—Mía.

El corazón de Evalle estaba emparedado entre la pena y la alegría.

—Tú también eres mío, cariño.

Su gárgola levantó la cabeza sofocando una risa de satisfacción.

—¿Me *echazte de menoz*?

—Más de lo que te puedes imaginar. —Le besó la frente escamosa y lo bajó al suelo—. Déjame tomar una ducha rápida y veremos las reposiciones.

Cualquier cosa que le hiciera sentirse normal.

La ducha ayudó, y también la ropa limpia. Volvió a ponerse la cazadora de Storm antes de meterse en la cama con un cuenco de palomitas para ella y un puñado de tuercas para *Feenix*.

Feenix mataba el tiempo recorriendo la habitación de un lado a otro, dando un aletazo cada vez que lograba contar hasta diez. Lograba contar en orden, primero aprendió hasta el nueve, y hacía poco Evalle le había enseñado a añadir el diez.

Encendió su portátil y abrió el correo electrónico. En cuanto empezó a teclear, *Feenix* aleteó rápidamente y se levantó del suelo.

Sobrevoló el cabezal de la cama y se posó a su lado, donde antes había dejado su mascota, el caimán de peluche.

—¡Nazcar! —dijo con una sonrisa dentuda que hacía que mereciera la pena todo lo que había tenido que negociar con Macha.

Evalle le pellizcó un dedo del pie y *Feenix* respondió con la risita más grave que ella había oído en su vida.

—Veremos la reposición de la carrera de automóviles NASCAR en cuanto termine con un par de correos. ¿De acuerdo?

Feenix palmoteó.

—¿*Helazo*?

En el idioma de *Feenix*, eso significaba que sí.

Evalle volvió a su portátil y repasó los mensajes habituales de VIPER antes de encontrar los que realmente importaban. Su servicio de correo estaba protegido por algún operativo hiperseguro organizado por www.veladores.com, que garantizaba que no llegasen *spam*. Abrió el primer mensaje de Quinn que había llegado ese día.

> La morgue cree que te has tomado un tiempo libre. Puedes volver cuando quieras.

Le pareció odioso que su primer pensamiento automático fuera dudar de si él estaba mostrando la preocupación acostumbrada por ella... o si aquello tenía que ver con un sentimiento de culpa porque realmente había hablado de ella con Kizira. Evalle necesitaba un par de días para poner su cabeza en orden.

Necesitaba tiempo con *Feenix*.

Cuando Tzader se comunicó telepáticamente mientras ella iba de regreso a casa, le dijo que buscara un mensaje suyo en su correo, que comentarían al día siguiente después de que descansara un poco. Encontró el correo de Tzader, que decía:

> Quinn halló una amenaza contra Brina durante el sondeo mental de Conlan O'Meary, así que por el momento lo manteníamos bajo custodia. Pero Conlan ha desaparecido de la sala de detención. Ponte en contacto conmigo inmediatamente si recibes noticias de O'Meary. No te reúnas con él bajo ninguna circunstancia sin que yo o Quinn estemos presentes.

¿Qué sería lo que Quinn había visto en la mente de O'Meary? ¿Qué le hacía pensar a Tzader que O'Meary se pondría en contacto con ella?

Había un mensaje más reciente de Quinn:

> Estoy extremadamente feliz de saber que has vuelto ilesa. Hablaremos pronto.

¿Cómo era posible que la afirmación de una bruja enloquecida hiciera cambiar la forma de pensar de Evalle respecto a uno de sus dos amigos más cercanos?

Nada debía cambiar. Y no lo haría.

Se negaba a sentir sospechas respecto a Quinn. Él se había ganado su confianza y hasta ahora no le había dado motivos para que ella la cuestionara. Le contaría lo que Kizira dijo y él le explicaría que era completamente imposible que ella recibiera de él esa información.

Evalle miraba fijamente la bandeja de entrada, deseando con toda su alma que hubiese un mensaje de Storm esperándola.

Ninguno.

Feenix le acarició el brazo.

Evalle le dirigió una sonrisa, pero los ojos de la gárgola estaban tristes. Recostó la cabeza sobre su hombro.

¿Aquel pequeño tendría capacidad empática?

¿O acaso oía los crujidos de su corazón, que volvía a fracturarse cada minuto que pasaba sin noticias de Storm?

Le tocó la cara.

—Ahora vemos la carrera NASCAR.

Feenix le sonrió y se acurrucó sobre la almohada a su lado, abrazando a su caimán de peluche.

A partir de mañana, Evalle tendría que encargarse de cuestiones de mutantes. Macha le había dado la oportunidad de demostrar que los mutantes debían ser una raza reconocida. Evalle se lo diría a Tristan en cuanto lo hallara. No creía que hubiese logrado salir del país, ya que resultó que el aeropuerto estaba cerrado de verdad. Debería estar más dispuesto a trabajar con ella sabiendo que Macha la apoyaba.

La vida iba bien.

Lo único que tenía que hacer era encontrar a Tristan y a Storm.

Volvió a mirar su portátil para enviar un correo a Storm cuando apareció de golpe uno nuevo en su bandeja de entrada precisamente de Storm. Evalle se quedó helada, mirando fijamente el parpadeo del mensaje, luego apretó la tecla para abrirlo. El mensaje había sido enviado desde el móvil de Storm hacía varias horas. Evalle no había encontrado ropa suya cuando regresó para buscarlo en su moto, pero se dio cuenta ahora de que no estaba el móvil entre las cosas que sacó del maletero. ¿Era Storm quien había recogido sus cosas... o podría ser otra persona?

Su corazón empezó a dar saltos enloquecidos. Abrió el correo y leyó:

Evalle,
Estaré en contacto.
Storm.

Agradecimientos

De Sherrilyn y de Dianna

Gracias a nuestra familia, amigos y admiradores. ¡Os queremos a todos y no podríamos haber hecho esto sin vosotros! ¡Sois lo máximo!

Un abrazo muy especial a nuestros maridos, cuyo apoyo infinito lo significa todo para nosotras. Ellos toleran las vidas caóticas de dos autoras que están constantemente escribiendo y viajando. Un agradecimiento especial a Cassondra Murray y Mary Buckham por sus lecturas críticas de las primeras versiones y sus estupendos comentarios, además de proporcionarnos su apoyo inestimable durante tanto tiempo, día y noche. Y gracias a Debbie Kaufman, otra de las primeras lectoras, por leerlo mientras celebraba su primera venta. También quiero dar las gracias a Wes y Ann Sarginson por su ayuda en la investigación de Costa Rica conmigo (Dianna).

Nuestro agradecimiento especial a Louise Burke, una editora cuya pasión por este negocio se manifiesta claramente en todo lo que hace, y gracias a nuestra talentosa editora Lauren McKenna, que siempre da en el blanco, convirtiendo el proceso de creación en un placer. Tres hurras para el departamento de edición de bolsillo, que se han superado una vez más a sí mismos haciéndonos una cubierta que es para morirse. Y apreciamos también el brillante trabajo que hacen Robert Gottlieb y el grupo de Trident Media guiando y dirigiendo nuestras carreras.

Por último, pero no por ello menos importante, queremos dar las gracias a los lectores que vienen a vernos a cada ciudad, nos envían mensajes de aliento que nos llegan al corazón y leen nuestras historias para que podamos continuar haciendo lo que más amamos hacer. Lo sois todo para nosotras. Nos encanta tener noticias vuestras, podéis escribirnos a authors @beladors.com o visitar nuestras páginas www.Sherrilyn-Kenyon.com y www.AuthorDiannaLove.com.

Sherrilyn Kenyon

Sherrilyn Kenyon es una de las voces más frescas, divertidas, imaginativas y originales del género romántico. Ha sido número uno en la lista de ventas de *The New York Times* en muchas ocasiones. Sus libros se han traducido a más de treinta idiomas y de ellos se han vendido más de veinte millones de copias. Actualmente vive en las afueras de Nashville. Todos los títulos de la serie Agentes secretos han sido publicados en Terciopelo Editorial. www.sherrilynkenyon.com.

Dianna Love

Dianna Love lleva de forma apasionada al papel las historias que surgen en su cabeza, y en sus libros destacan personajes comunes que consiguen hacer cosas improbables para salvaguardar a las personas que quieren. De su amistad con Sherrilyn Kenyon surgió la serie Agentes secretos. Actualmente vive con su marido en Atlanta.

Lealtad de sangre

SE ACABÓ DE IMPRIMIR

EN VERANO DE 2014

EN LOS TALLERES GRÁFICOS DE LIBERDÚPLEX, S.L.U.

CRTA. BV-2249, KM 7,4, POL. IND. TORRENTFONDO

SANT LLORENÇ D'HORTONS (BARCELONA)